Les Collines de la chance

Nora Roberts

Les Collines
de la chance

*Traduit de l'américain
par Isabelle Saint-Martin*

Titre original : *Black Hills*

© Nora Roberts, 2009
© Éditions Michel Lafon, 2010, pour la traduction française
7-13, boulevard Paul-Émile-Victor – Île de la Jatte
92521 Neuilly-sur-Seine Cedex
www.michel-lafon.com

Pour ceux qui défendent et protègent la nature.

PREMIÈRE PARTIE

CŒUR

Car où est ton trésor, là sera aussi ton cœur.

Matthieu, VI, 21

1

DAKOTA DU SUD

Juin 1989

La vie de Cooper Sullivan ne serait plus jamais la même. Pas le moins du monde impressionnés par ses arguments, ses appels à la raison, ses éclats ni ses menaces, juges et jurés – en l'occurrence, ses parents – l'avaient condamné à l'exil, loin de tout ce qu'il connaissait, dans un trou perdu sans télévision ni Big Mac.

La seule chose qui l'empêchait encore de mourir d'ennui ou de devenir fou, c'était sa chère Game Boy.

Il ne lui restait désormais que son Tetris pour meubler son temps de prison, deux abominables longs mois, dans l'Ouest sauvage. Il savait très bien que ce jeu, que son père avait directement soutiré à la chaîne de montage, à Tokyo, représentait une sorte de pot-de-vin.

Malgré ses onze ans, Cooper n'était pas né de la dernière pluie.

À peu près personne aux États-Unis ne possédait ce logiciel, et, ça, c'était cool. Mais à quoi bon détenir ce dont tout le monde rêvait si on ne pouvait pas s'en vanter devant les copains ? Autant se retrouver dans la peau d'un Clark Kent ou d'un Bruce Wayne obligés de taire qu'ils sont en réalité Superman ou Batman.

Tous ses amis se trouvaient à des millions de kilomètres de lui, à New York, à se dorer sur les plages de Long Island ou du New Jersey. Lui-même aurait dû faire, en juillet, un stage de base-ball de deux semaines.

Ça, c'était avant.

Maintenant, ses parents étaient partis pour l'Italie et la France et autres coins pourris pour leur seconde lune de miel, histoire d'offrir une dernière chance à leur couple.

Non, Cooper n'allait pas s'en laisser conter.

Comme ils ne pouvaient guère se raccommoder en présence de leur fils, ils s'en étaient débarrassés en l'expédiant chez ses grands-parents dans un trou perdu au fin fond du Dakota du Sud.

Autant dire en pleine cambrousse. D'ailleurs, il avait souvent entendu sa mère utiliser cette expression, sauf quand elle lui expliquait avec un large sourire qu'il allait vivre là-bas une grande aventure. Apprendre à connaître ses racines. Là, la cambrousse devenait un lieu authentique qu'il devait visiter. Comme s'il ne savait pas qu'elle avait fui leur misérable ranch le jour de ses dix-huit ans.

Et voilà qu'elle l'expédiait en ces lieux qu'elle avait rejetés, alors qu'il n'avait rien fait pour mériter ça. Ce n'était pas sa faute si son père ne pouvait s'empêcher de courir après tout ce qui portait jupon ou si sa mère se défoulait en claquant des sommes folles dans les magasins de Madison Avenue. Toutes informations que Cooper avait glanées en laissant traîner une oreille indiscrète chaque fois qu'ils se disputaient. Ils faisaient des bêtises et c'était lui qu'on envoyait passer l'été dans un ranch pourri, chez des grands-parents qu'il connaissait à peine.

Et horriblement vieux.

Il allait devoir s'occuper de chevaux qui puaient et montraient les dents comme s'ils voulaient vous mordre, et de poulets qui donnaient des coups de bec.

Et ces gens n'avaient pas d'employée pour préparer les omelettes. En plus, ils n'avaient même pas de voiture, juste une camionnette. Même sa grand-mère.

Depuis des jours, il n'avait pas vu un seul taxi.

On lui présentait des repas pleins d'aliments qu'il n'avait jamais vus de sa vie. D'accord, on ne pouvait pas dire que c'était mauvais, mais il ne s'agissait pas de ça.

L'unique télévision de toute la maison ne captait à peu près aucune chaîne et il n'y avait pas de McDo dans les parages ; on ne livrait pas de plats chinois ni de pizzas à domicile. Quant aux amis, il pouvait tirer un trait dessus. Idem pour les parcs, les cinémas et les salles de jeux vidéo.

Il leva la tête de sa Game Boy pour voir défiler par la vitre de la camionnette ce qu'il considérait comme un paysage nul, des montagnes nulles, une prairie nulle, des arbres nuls. Toujours le même depuis qu'ils avaient quitté le ranch. Seul avantage, ses grands-parents avaient cessé d'interrompre son jeu pour lui expliquer ce qui se passait dehors.

Pour ce que ça l'intéressait, les colons, les Indiens et les soldats qui avaient traîné par là avant sa naissance ! Avant même la naissance de ses grands-parents…

Qu'est-ce qu'il en avait à fiche de Crazy Horse et de Sitting Bull ? Lui, ce qui le passionnait, c'étaient les X-Men et ses scores au jeu.

La ville la plus proche s'appelait Deadwood : le bois mort… C'était tout dire.

Très peu pour lui, les cow-boys, les chevaux et les bisons. Et il n'assisterait même pas au match de la saison au Yankee Stadium !

Il se sentait aussi mort que ce bois, que cette ville.

Il aperçut une sorte de daim mutant en train de gambader à travers les herbes hautes au pied des Black Hills, les collines noires. Pourquoi raconter qu'elles étaient noires alors qu'il n'avait jamais vu autant de verdure ? Ils étaient nases, dans le Dakota du Sud !

Lui, ce qu'il voulait voir, c'étaient des immeubles, des gens, des rues, des boutiques, sa maison.

Sa grand-mère se retourna vers lui.

– Tu as vu l'élan, Cooper ?

– Ouais.

– On va bientôt arriver chez les Chance. Ils sont gentils de nous inviter à dîner. Tu vas bien t'entendre avec Lilly, elle a à peu près ton âge.

Il répondit poliment :

– Oui, nanny.

Comme s'il allait faire ami-ami avec une fille ! Une plouquette qui devait puer le crottin.

Il se pencha sur son Tetris pour que sa grand-mère le laisse tranquille. Elle ressemblait un peu à sa mère, le regard bleu restait le même, malgré les rides autour des yeux.

Ça faisait un peu peur.

Elle s'appelait Lucy, et, quand il s'adressait à elle, il devait dire « nanny ».

Lucy Wilks préparait la cuisine et le pain, elle étendait le linge dehors, sur des fils, derrière le ranch. Elle cousait et faisait le ménage en chantant. D'une assez jolie voix quand on aimait ce genre-là.

Elle s'occupait aussi des chevaux, et Cooper devait reconnaître qu'elle l'avait étonné quand il l'avait vue sauter à califourchon sur l'un d'eux, sans selle.

Elle était pourtant vieille, au moins cinquante ans, mais elle ne faisait pas usée.

La plupart du temps, elle était en jean et en chemise à carreaux. Sauf ce jour-là, où elle avait mis une robe et dénoué sa natte brune.

Il n'aurait su dire quand la camionnette avait quitté la route monotone pour s'engager dans ce chemin cahoteux, mais, soudain, il aperçut beaucoup plus d'arbres ; les montagnes semblaient proches, du moins, des collines abruptes sans aucune végétation.

Ses grands-parents élevaient des chevaux qu'ils louaient aux touristes pour des randonnées à travers les collines. Cooper ne voyait pas comment on pouvait avoir envie de s'asseoir sur un cheval et de déambuler au milieu d'arbres et de rochers.

Son grand-père roulait sur les gravillons du chemin sous les regards intéressés de bovins qui paissaient de chaque côté. Avec un peu de chance, on ne devait plus être loin. Non pas qu'il eût hâte de dîner chez ces inconnus ou de rencontrer cette gourde de Lilly. Il avait juste envie de pisser.

La camionnette s'arrêta devant un petit portail que sa grand-mère dut aller ouvrir puis refermer avant de remonter à sa place. Puis ce fut un nouveau chemin au milieu de champs d'on ne savait quoi. Au loin, des chevaux couraient, comme s'ils n'avaient rien de mieux à faire.

Enfin apparut la maison, finalement très similaire à celle des grands-parents. Un étage, des fenêtres, un large porche. Sauf qu'elle était bleue alors que l'autre était blanche.

Tout autour poussaient quantité de fleurs. Au moins, celles-ci, il n'avait pas besoin d'apprendre à les désigner chacune par son nom, ce qui les rendait plus agréables à regarder.

Une femme apparut sur les marches de la véranda, leur adressa un signe. Elle aussi était en robe longue, comme celles des hippies qu'il regardait parfois en photo ; elle avait les cheveux très noirs, tirés en queue-de-cheval.

Ils s'arrêtèrent entre deux fourgonnettes et une vieille voiture. Son grand-père, plutôt avare de paroles, sortit en lançant :

– Salut, Jenna.

– Ravie que vous soyez là, Sam.

Elle l'embrassa sur la joue puis se tourna vers nanny, qu'elle étreignit avec effusion. Celle-ci lui tendit un panier.

– Lucy ! Je t'avais pourtant dit de ne rien apporter !

– Je n'ai pas pu m'en empêcher. C'est une tarte aux cerises.

– J'en connais qui vont apprécier ! Et voici Cooper, donc !

Elle lui tendit la main comme à un adulte.

– Bienvenue !

– Merci.

– Viens avec moi. Lilly a hâte de te rencontrer. Elle finit d'aider son père et elle arrive. Tu veux de la limonade ? Je suis sûre que tu as soif.

– Euh… oui. Je peux aller aux toilettes, d'abord ?

– Certainement. On en a fait installer dans la maison.

Jenna rit en annonçant ça, d'un air tellement blagueur qu'il se sentit tout gêné. Comme si elle avait deviné à quel point il trouvait ces lieux vieillots et passés de mode.

Elle le conduisit à travers un grand living, un petit salon et enfin dans une cuisine aux odeurs semblables à celles du ranch de sa grand-mère. Les repas faits maison.

– Continue tout droit et tu trouveras les toilettes, lui indiqua-t-elle en le bousculant légèrement.

Elle se tourna vers les grands-parents Wilks.

– Si nous prenions la limonade dans le jardin ? proposa-t-elle.

Cooper put constater que les toilettes étaient minuscules, mais, au moins, elles présentaient un petit lavabo d'angle où il put se laver les mains.

Chez lui, c'était deux fois plus grand et on y trouvait des savonnettes de luxe, une épaisse serviette de toilette et non ce torchon bleu orné d'une rose.

Maintenant, il avait soif ; en fait, il rêvait d'avaler trois litres de limonade et un paquet de chips avant de retourner s'étaler à l'arrière de la camionnette pour se replonger dans sa Game Boy. N'importe quoi plutôt que de devoir passer toute une soirée avec des adultes inconnus.

Il les entendait bavarder dans la cuisine et se demandait combien de temps il allait encore pouvoir traîner avant d'être obligé de les rejoindre.

Un coup d'œil par la petite fenêtre lui permit de constater que c'était partout le même spectacle : enclos, corral, écuries, silos, animaux domestiques, équipements bizarroïdes.

Non pas qu'il eût tellement tenu à visiter l'Italie, à voir de vieilles choses, mais, au moins, si ses parents l'avaient emmené, il aurait mangé de la pizza.

Une fille sortit d'une grange, avec des cheveux noirs, comme la femme hippie ; ce devait être Lilly, en jean à revers sur des baskets, coiffée d'une casquette de base-ball rouge posée sur ses nattes.

Tellement nulle qu'il la détesta aussitôt.

Bientôt, un homme la rejoignit, les cheveux longs en catogan, plus hippie, tu meurs. Lui aussi portait une casquette de base-ball. Il dit un truc à la fille qui la fit éclater de rire et détaler à toutes jambes. L'homme la poursuivit, la rattrapa.

Elle poussa un cri de joie lorsqu'il la fit tournoyer en l'air.

Et Cooper de se demander si son père lui avait jamais couru après pour l'envoyer valser à bout de bras autour de lui.

Pas dans ses souvenirs. Avec son père, il discutait quand ils avaient le temps, ce qui n'arrivait que très rarement.

Tandis que les ploucs de la campagne avaient tout le temps nécessaire pour ce genre de distraction. Ils ne croulaient pas sous les urgences comme son avocat de père, ils pouvaient jouer avec leurs enfants autant qu'ils le voulaient.

Malgré tout, le spectacle était un peu difficile à supporter, et Cooper s'éloigna de la fenêtre. Comme il n'avait guère le choix, il sortit, résigné à subir son supplice.

Lilly riait de bonheur en virevoltant autour de son père. Quand, enfin, elle reprit son souffle, ce fut pour lancer, d'un ton qui se voulait catégorique :

– Ce ne sera jamais mon petit ami !

Josiah Chance lui décocha une chiquenaude.

– C'est ce qu'on verra ! rétorqua-t-il. En attendant, je ne vais pas le quitter de l'œil, ce jeune snobinard.

– Je n'ai pas envie d'avoir un petit ami ! insista-t-elle du haut de ses presque dix ans. Ils sont trop barbants, les garçons.

– Tiens, je te rappellerai ces paroles dans quelques années. Mais on dirait que nos invités sont arrivés. Allons leur souhaiter le bonjour et nous changer.

En fait, elle n'avait rien contre les garçons et elle savait se tenir en société, seulement…

– Si je ne l'aime pas, je devrai quand même jouer avec lui ?

– C'est un invité, un étranger, qui plus est. Tu n'aimerais pas que quelqu'un te fasse visiter New York le jour où tu iras ?

Elle plissa son petit nez.

– Je n'ai pas envie d'aller à New York.

– Et je te parie qu'il n'avait aucune envie de venir ici.

Elle ne voyait pas pourquoi. Tout ce qu'elle pouvait souhaiter sur Terre se trouvait ici, chevaux, chiens, fauves, montagnes, arbres. Cependant, ses parents lui avaient enseigné que les gens pouvaient avoir des goûts différents des siens.

– Je serai gentille avec lui.

Du moins pour commencer.

– Mais tu ne vas pas t'enfuir pour l'épouser en cachette.

– Papa !

Elle leva les yeux au ciel à l'instant où le garçon apparut sur la véranda. Aussitôt, elle l'examina, comme n'importe quel nouveau spécimen.

Il était plus grand qu'elle n'aurait cru, avec les cheveux bruns. Il avait l'air furieux, ou triste… elle ne savait trop. En tout cas, rien de très encourageant. Il était habillé comme un citadin, jean foncé et pas assez porté ni lavé, chemise blanche empesée. Il prit le verre de limonade que lui tendait la mère de Lilly et regarda la fillette arriver dans sa direction.

Le cri d'un faucon le fit sursauter, et Lilly se retint de rire. Déjà, son père tendait la main aux invités.

– Comment ça va ?

– Très bien, répondit Sam.

– Lucy, vous êtes ravissante, ce soir.

– On fait ce qu'on peut avec ce qu'on a. Voici notre petit-fils, Cooper.

– Ravi de faire votre connaissance, Cooper. Bienvenue dans les Black Hills. Je vous présente ma fille, Lilly.

– Salut !

Elle inclina légèrement la tête. Il avait les yeux bleu glacier. Il ne souriait pas.

– Josiah, lança Jenna, va te changer, et Lilly aussi. Cooper, viens t'asseoir près de moi et raconte-moi ce que tu aimes faire à New York. Je n'y suis jamais allée.

La mère de Lilly avait un don pour faire parler les gens, leur arracher un sourire envers et contre tout. Pourtant, Cooper Sullivan, de New York, semblait faire exception à la règle. Il répondait quand on lui adressait la parole, se tenait bien, mais c'était tout. On prit place à la table de pique-nique, ce que Lilly adorait, et l'on se régala de poulet frit, de salade de pommes de terre et de haricots du potager.

La conversation tourna autour des chevaux, du bétail et des récoltes, avant de virer sur le temps et les voisins. Toutes choses qui revêtaient une immense importance dans le monde de Lilly.

Cooper avait peut-être l'air emprunté, ce qui ne l'empêcha pas de se servir deux fois de chaque plat, mais il n'ouvrait pour ainsi dire pas la bouche, sauf pour manger.

Jusqu'à ce que le père de Lilly aborde le sujet du base-ball.

– Boston va gagner, cette année.

Cooper émit un grognement avant de se redresser d'un air dégagé. Josiah lui présenta la corbeille à pain.

– Ah oui, jeune New-Yorkais ? Les Yankees ou les Mets ?

– Les Yankees.

– Pas une chance, mon garçon, pas cette année, désolé !

– On a de bons joueurs, monsieur.

– Baltimore vous a déjà enfoncés.

– C'est une mauvaise passe. Ils se sont fait avoir l'année dernière, ils se rattraperont cette année.

– Quand les poules auront des dents.

Cooper blêmit, et Josiah se tourna vers sa fille.

– Interrogeons l'experte : d'après toi, qui va gagner ?

– Baltimore, répondit-elle sans hésiter. Les Yankees n'ont pas une chance.

– Bravo, ma chérie ! Cooper, dis-moi, est-ce que tu joues, toi aussi ?

– Oui, deuxième but.

– Lilly, emmène donc Cooper faire un tour derrière la grange, vous digérerez mieux en vous entraînant un peu.

– D'accord.

Cooper se leva de son banc.

– Merci pour ce dîner, madame. C'était très bon.

– De rien.

Tandis qu'ils s'éloignaient, Jenna s'adressa à Lucy :

– Pauvre gamin, murmura-t-elle.

Lancés à leur poursuite, les chiens dépassèrent les enfants en jappant joyeusement.

– Je joue troisième base, dit Lilly.

– Où ? Je ne vois pas de terrain dans les parages.

– À la sortie de Deadwood. On a une équipe classée, et je serai la première femme à jouer en première division.

Cooper émit un ricanement.

– Jamais vu de fille en première division ! Ça n'existe pas.

– Eh bien, comme dit ma mère, ce n'est pas parce que ça n'existe pas que ça n'existera jamais. Et quand je ne serai plus joueuse, je deviendrai entraîneuse.

Il lui décocha une moue railleuse qui la hérissa, tout en le lui rendant sympathique. Au moins, il n'avait plus l'air coincé.

– N'importe quoi !

Elle décida cependant de lui donner encore une chance avant de lui tomber dessus.

– Comment vous pouvez jouer, à New York ? Je croyais qu'il n'y avait que des gratte-ciel partout.

– On va à Central Park et parfois dans le Queens.

– Le quoi ?

– C'est un quartier populaire. Tu ne connais pas ?

Elle prit un air niais comme pour mieux correspondre au personnage de godiche qu'il semblait voir en elle.

– Moi, tu sais, les grandes villes…

Haussant les épaules, il contourna la grange rouge. Des odeurs musquées lui montèrent au nez, poussiéreuses et animales. Comment pouvait-on vivre dans de tels remugles ? Dans ce remue-ménage de beuglements, de gloussements, de mugissements ? Il allait lâcher une réflexion acide sur ce thème quand il aperçut un tunnel de batting pour l'entraînement des lanceurs.

Au fond, cette cage de protection cernée par des filets n'avait rien d'extraordinaire, mais elle tombait à pic. Elle semblait construite à partir des éléments d'une barrière, sans doute par le père de Lilly, adossée à une haie de buissons et de ronciers qui fermait un champ où se prélassaient des vaches. À côté de la grange, sous l'avant-toit, Lilly ouvrit un vieux coffre vermoulu et en tira gants, battes et balles.

– Avec mon père, on s'entraîne tous les soirs après le dîner. Quelquefois, ma mère aussi me fait des lancers, mais elle a le bras un peu mou. Tu peux frapper le premier, si tu veux, parce que c'est toi l'invité, mais il va falloir mettre un casque. C'est le règlement.

Cooper prit celui qu'elle lui tendait, soupesa plusieurs battes. Sur le moment, il fut presque aussi content que s'il tenait une Game Boy.

– Ton père s'entraîne avec toi ?

– Oui. Il a joué quelque temps en deuxième division quand il vivait sur la côte est. Il est très doué.

– C'est vrai ? Il était pro ?

– Il l'a été deux ans, jusqu'à ce qu'il s'esquinte le poignet. Ensuite, ç'a été terminé. Alors il a décidé de venir s'installer ici, à la campagne. Il a travaillé pour mes grands-parents, puisque cette ferme leur appartenait à l'époque. Et c'est là qu'il a rencontré ma mère. Voilà. Tu veux frapper ?

– Oui.

Il se dirigea vers la cage, balança quelques swings. Set. Lilly lança une balle, bien droite, bien lente, qu'il cueillit et renvoya sur le terrain.

– Joli ! On a six balles, on pourra les ramasser toutes à la fois.

Elle prit la suivante, se mit en position, envoya.

Cooper eut un haut-le-corps lorsque la balle atterrit derrière lui. Il frappa la troisième, se redressa et attendit la suivante.

Lilly l'expédia, et il l'intercepta.

– Joli ! s'exclama-t-elle.

Il serra la batte, replaça ses pieds. Elle le leurra d'un jet courbe et intérieur. Il dévia le suivant, qui alla heurter le bord de la cage.

– Tu peux renvoyer ces trois-là, si tu veux, suggéra-t-elle. Je te les relancerai.

– Non, c'est à ton tour.

Elle allait voir ce qu'elle allait voir.

Ils échangèrent leurs places, et Cooper lui expédia d'emblée un lancer canon qu'elle ne toucha qu'en partie. En revanche, elle intercepta le suivant, mais, au troisième, elle l'envoya dans le filet. Il devait reconnaître que, sur un terrain ouvert, Lilly aurait parfaitement réussi son coup.

– Tu es douée !

– J'aime bien.

Elle reposa sa batte contre la grille et se dirigea vers le champ pour y récupérer les balles sorties de la cage.

– On a un match samedi prochain, tu pourras venir.

Il voyait ça d'ici, une rencontre de ploucs. Pourtant, ce serait mieux que rien.

– On verra.

– Tu as déjà assisté à un vrai match ? Comme les Yankees au Stadium ?

– Évidemment. Mon père a toujours des billets dans des loges, juste derrière la ligne de troisième base.

– C'est pas vrai !

Ça faisait du bien de l'impressionner. Et puis elle s'y connaissait, pour une paysanne. Sans compter qu'elle savait lancer une balle.

Pourtant, il se contenta de hausser les épaules et la vit se glisser sans encombre entre les barbelés, qu'elle tint écartés pour le laisser passer à son tour. Il ne se fit pas prier.

– On regarde la télé ou on écoute la radio. Une fois, on est allés jusqu'à Omaha pour voir un match. Mais je ne suis jamais entrée dans un grand stade.

Ce qui eut pour effet de rappeler à Cooper l'endroit où il se trouvait.

– Pas étonnant. On est à des millions de kilomètres de tout, ici…

– Papa dit qu'un jour on ira dans l'Est pour les vacances ; c'est un fan des Red Sox. Il prend toujours le parti des plus faibles.

– Mon père préfère les gagnants.

– Comme tout le monde, c'est pour ça qu'il faut aussi des supporters pour les perdants.

Là-dessus, elle lui décocha un large sourire, battit de ses longs cils noirs.

– Même que cette année, précisa-t-elle, ce sera au tour de New York.

– C'est toi qui le dis.

Il ramassa une balle, et tous deux se dirigèrent vers le sous-bois.

– Qu'est-ce que vous faites de toutes ces vaches ?

– On les mange. Ou, plutôt, on les vend aux abattoirs. Je suis sûre qu'à New York aussi on aime le bifteck.

Il trouva cette réponse sordide… ces pauvres vaches qui le regardaient et qui allaient finir dans une assiette, peut-être dans la sienne…

– Tu as des chiens ou des chats ? lui demanda-t-elle.

– Non.

Elle ne pouvait imaginer une vie sans animaux à proximité ; cela lui fit presque pitié.

– Ce doit être plus dur en ville. Nos chiens…

Elle s'interrompit pour les chercher des yeux, les repéra.

– Tu vois, ils sont partis courir et maintenant ils reviennent réclamer leur pitance. Ce sont de bons chiens. Tu pourras revenir jouer avec eux si tu veux, et aussi t'entraîner dans le tunnel de batting.

– On verra. Merci, en tout cas.

– Je ne connais pas beaucoup de filles qui aiment le base-ball, la pêche ou la marche à pied. Moi, si. Et papa m'a appris à pister. Et c'est mon grand-père, le père de ma mère, qui lui a appris. Il est très doué.

– À pister ?

– À tracer les pistes pour les animaux et les gens. Pour le plaisir. Il y a beaucoup de sentiers. Ça laisse de quoi faire.

– Si tu le dis.

Étonnée par son manque d'enthousiasme, elle pencha la tête.

– Tu as déjà campé ?

– Non, quelle idée !

– Il va faire bientôt nuit. On se dépêche de récupérer la dernière balle et on rentre. Si tu reviens demain, mon père jouera peut-être avec nous ou alors on pourrait se promener à cheval. Tu aimes monter ?

– Les chevaux ? C'est bête.

– Ce n'est pas bête, s'emporta-t-elle, et c'est bête de dire un truc pareil, ça prouve que tu n'y connais rien. En plus…

Elle s'arrêta net, prit le bras de Cooper en retenant son souffle.

– Ne bouge pas.

– Quoi ?

Sentant qu'elle tremblait, il se raidit, le cœur battant.

– Un serpent ? balbutia-t-il en scrutant l'herbe autour de lui.

– Un couguar.

Elle avait parlé si bas qu'il l'avait à peine entendue. Elle se tenait immobile comme une statue tout en fouillant les buissons du regard.

– Quoi ? Où ça ?

Et si elle lui jouait un tour pour lui faire peur ? Il tenta de dégager son bras tout en inspectant lui-aussi les alentours.

Jusqu'au moment où il aperçut la silhouette.

– Bon sang !

– Reste là. Si tu t'enfuis, il va te courir après. Non ! N'essaie pas de lui lancer une balle. Maman dit…

Elle ne se rappelait rien de ce que sa mère avait pu lui dire ; elle n'avait jamais vu de grand félin jusque-là, en liberté et si près de la ferme.

– Il faut faire du bruit et paraître énorme.

Joignant le geste à la parole, elle se hissa sur la pointe des pieds, leva les bras au-dessus de la tête et se mit à hurler.

– Allez, Cooper, crie avec moi !

Elle fixait l'animal d'un regard furieux et, malgré sa peur, se sentait portée par un sentiment imprévu.

L'admiration.

Elle voyait ces prunelles dorées au milieu des buissons, cette silhouette souple et dense. *Il est si beau !* songea-t-elle.

L'animal paraissait hésiter entre attaquer et battre en retraite.

À côté d'elle, Cooper cria, d'une voix cassée par la peur. Et le félin recula dans l'ombre, jusqu'à disparaître soudain tout à fait.

– Il s'est enfui, souffla-t-il.

– Non, il est parti.

C'est alors qu'elle entendit son père l'appeler et se retourna. Josiah traversait le champ au pas de course, effrayant quelques vaches au passage. Derrière lui arrivait le grand-père de Cooper, armé d'un fusil. Les chiens les accompagnaient, ainsi que tous les autres convives.

– Un couguar, finit-elle par dire.

Josiah la souleva du sol comme une poupée.

– Là, c'est fini. Il est parti, maintenant.

Il se tourna vers Cooper, l'attira également contre lui.

– Rentrez à la maison ! Allez, vite, tous les deux !

– Il est parti, papa. On lui a fait peur. Il ne faut pas le tuer ! Il était si beau !

2

Cooper en fit quelques cauchemars. Dans l'un d'eux, le lion des montagnes sautait à travers sa chambre, les yeux brillants, les crocs saillants, et le dévorait avant de lui laisser le temps de crier. Dans un autre, il était perdu, seul, au milieu des collines verdoyantes, et personne ne venait lui prêter main-forte. Personne ne s'était aperçu de sa disparition.

Le père de Lilly n'avait pas tué le couguar. Du moins Cooper n'avait-il pas entendu de coups de feu.

Résigné à subir son bagne, il reprit ses tâches, joua à la Game Boy. S'il faisait ce qu'on lui disait, peut-être obtiendrait-il la permission de s'entraîner dans le tunnel de batting.

Peut-être M. Chance voudrait-il bien jouer avec lui, lui raconter comment se déroulait la vie d'un joueur professionnel de base-ball. Certes, son père espérait le voir entreprendre des études de droit. Mais, après tout, s'il pouvait devenir joueur de base-ball…

Attablé dans la vieille cuisine, il mangea en silence les galettes d'avoine que sa grand-mère lui avait préparées en guise de petit déjeuner. Il ne se dépêchait pas, bien que la Game Boy fût interdite pendant les repas, parce que, dès qu'il aurait terminé, il devrait rejoindre son grand-père aux travaux du ranch.

Lucy se versa du café dans une épaisse tasse blanche et vint s'asseoir à côté de lui.

– Alors, Cooper, voilà quinze jours, maintenant, que tu es avec nous.

– À peu près.

– Bon. L'heure n'est plus aux jérémiades. Tu es un jeune homme brillant. Tu tiens parole, tu es bien élevé, du moins en apparence.

Il comprit qu'elle connaissait ses arrière-pensées.

– Je t'en félicite. Mais tu as aussi tendance à faire la tête, tu n'ouvres pas le bec et tu erres comme une âme en peine. Ce dont je ne te félicite pas.

S'il ne répondit pas, il se prit à regretter d'avoir traîné à la table du petit déjeuner. Maintenant, il était trop tard pour fuir. Il allait avoir droit à un cours de morale.

– Je sais que tu n'es pas content et je te comprends.

Il leva sur elle un regard interrogateur.

– À ta place, je réagirais de la même façon. Tes parents se sont montrés très égoïstes. Ils ont pris une décision sans penser à toi.

Et si elle lui tendait un piège pour mieux le confondre ?

– Ils peuvent faire ce qu'ils veulent…

– Certainement, assura-t-elle en buvant son café. Ce qui ne leur donne pas raison pour autant. Ton grand-père et moi sommes enchantés de t'avoir près de nous. Même s'il ne te le montre pas beaucoup. Ce n'est pas un homme expansif. Mais, là aussi, il s'agit d'une réaction égoïste de notre part. Nous voulons profiter de notre unique petit-fils. Il n'y a qu'à toi que ça ne fasse pas plaisir, et j'en suis désolée.

Apparemment, elle était sincère.

– Je sais que tu as envie de rentrer chez toi, continua-t-elle, de retrouver tes amis ; je sais que tu aurais préféré participer à ce stage de base-ball que tes parents t'avaient promis.

Comme elle tournait brusquement la tête pour regarder par la fenêtre, il comprit qu'elle était furieuse. Pas contre lui, pour lui.

Au lieu de s'en réjouir, il n'y comprenait rien, et ça le mettait mal à l'aise.

– Je sais ce que c'est, reprit-elle. À ton âge, on n'a pas son mot à dire. Ça viendra, mais pour le moment tu as le choix entre tirer le meilleur de ce que tu as ou ressasser tes malheurs.

– Je veux rentrer chez moi.

Il ne comptait pas répondre ça, mais c'était sorti tout seul.

– Je sais, mon chéri. Si j'y pouvais quelque chose, je t'assure que je le ferais. Peut-être que tu ne me crois pas, mais je ne demande qu'à te faire plaisir.

En fait, l'important n'était pas ce qu'elle lui disait, c'était qu'elle le lui dise. Tout d'un coup, il n'avait plus l'impression de compter pour du beurre. Alors les paroles sortirent plus facilement.

– Ils m'ont abandonné, articula-t-il, au bord des larmes. Je n'avais rien fait de mal. Ils ne voulaient pas que je reste avec eux.

– Et nous, nous ne demandons qu'à te voir rester avec nous. Ne l'oublie pas. Un jour, peut-être, tu chercheras un endroit où vivre. Sache que tu auras toujours ta place ici.

Soudain, il lâcha les pensées qui le rongeaient :

– Ils vont divorcer.

– Sans doute. J'espère que tu as raison.

Il cligna des paupières : il s'attendait à tout, sauf à cette réponse.

– Et qu'est-ce que je vais devenir ?

– Tu t'en sortiras.

– Ils ne m'aiment pas.

– Nous, on t'aime. D'abord parce que tu es un élément important de la famille. Ensuite… parce que…

Alors qu'il laissait tomber deux larmes dans son assiette, Lucy reprit :

– Je ne peux pas parler à leur place, bien sûr, mais je peux te dire ce que je pense de leur attitude. Je leur en veux énormément. Ils te font du mal, et c'est impardonnable. Et ceux qui disent qu'il n'y en a que pour un été, que ce n'est pas le bout du monde, oublient ce qui se passe dans la tête d'un enfant de onze ans. Je ne peux pas te forcer à te sentir heureux ici, mais je vais te demander quelque chose, une seule chose, qui te semblera sans doute difficile : est-ce que tu veux bien essayer ?

– Ce n'est pas pareil, ici.

– Bien sûr. Mais tu pourrais trouver de nouveaux centres d'intérêt. Alors, tu verras que la fin du mois d'août te paraîtra moins lointaine. Essaie, Cooper, donne-toi cette peine, et je demanderai à ton grand-père d'acheter une nouvelle télévision.

– Et si j'essaie et que ça ne change rien ? renifla-t-il.

– Essaie, déjà.

– Ça va être long avant que la nouvelle télé arrive ?

Elle rit de si bon cœur qu'il faillit lui-même se dérider.

– Bien vu ! Disons dans une quinzaine de jours. Tu viens de passer quinze jours à faire la tête, à présent, tu vas en passer quinze autres à essayer de t'adapter. Si tu fais un véritable effort, je te promets que tu trouveras bientôt un grand écran dans le salon. Ça marche ?

– Ça marche.

– Parfait. Je te propose maintenant d'aller retrouver ton grand-père dehors. Il a beaucoup de choses à faire et tu devrais l'aider.

– D'accord.

Le cœur encore lourd, il se leva en murmurant, malgré lui :

— Ils n'arrêtent pas de crier, ils ne voient même plus que je suis là. Mon père fait l'amour avec plein d'autres femmes, c'est tout ce que je sais.

— Tu écoutes aux portes ? soupira Lucy.

— Quelquefois. Mais d'autres fois, ils crient, et je n'ai même pas besoin de les espionner. Ils s'en fichent quand je leur parle. Parfois, ils font semblant de m'entendre mais pas toujours. Ils se fichent de ce que je fais tant que je ne les dérange pas.

— Ici, ça ne se passe pas comme ça.

— On dirait, oui.

Il ne savait plus quoi penser en sortant. Jamais un adulte ne lui avait parlé ainsi. Il n'avait jamais entendu personne critiquer ses parents… à part l'un l'autre, évidemment.

Il s'arrêta, regarda autour de lui. Bien sûr qu'il pourrait essayer de se plaire ici… si seulement il trouvait quelque chose qui lui convienne. Ça ne risquait pas, au milieu de ces chevaux, de ces porcs, de ces poulets, de ces champs, de ces collines.

Il aimait les galettes d'avoine, mais ça ne suffirait sans doute pas.

Fourrant les mains dans ses poches, il se dirigea vers le fond de la maison, d'où provenaient de lourds claquements. Il allait falloir supporter son grand-père, cet homme étrangement silencieux. Comment prétendre qu'il aimait ça ?

À l'angle de la bâtisse, il aperçut Sam près de la grange au silo blanc, en train d'enfoncer dans le sol une espèce de poteau métallique. Il en resta sans voix.

Une cage de protection.

Malgré son envie de sauter au cou de son grand-père, il s'efforça de traverser la cour d'un pas mesuré. Après tout, ce n'était peut-être pas ce qu'il croyait.

À son arrivée, Sam leva la tête.

— Tu es en retard, mon gars.

— Oui, je…

— J'ai nourri le bétail, mais tu vas devoir ramasser les œufs.

— Nanny a dit que je devais te donner un coup de main.

— Ça ira. J'ai presque fini.

Son marteau à la main, il recula, examina son œuvre.

— Les œufs ne vont pas sauter tout seuls dans ton panier, commenta-t-il.

– J'y vais.

– Quand tu auras fini, on pourra peut-être se lancer quelques balles.

Il alla chercher une batte qu'il avait adossée au mur de la grange.

– Tiens, tu prendras celle-là. Je l'ai fabriquée hier soir.

Estomaqué, Cooper la saisit, passa les mains sur le bois poli.

– C'est toi qui l'as faite ?

– Tu ne crois pas que j'allais en acheter une ?

– Elle… il y a mon nom dessus.

– Comme ça, tu es sûr que c'est la tienne. Tu comptes aller ramasser ces œufs, un de ces jours ?

– Tout de suite.

Il tendit la batte à Sam.

– Merci.

– Tu n'en as jamais assez d'être aussi poli, mon gars ?

– Euh, non…

– Allez, file !

Cooper partit en courant vers le poulailler, s'arrêta, se retourna.

– Papy ? Tu m'apprendras à monter à cheval ?

– Fais d'abord ce que tu as à faire. On verra après.

Il ne détestait pas certaines de ses occupations. Par exemple, frapper la balle après le dîner.

Il aimait aussi monter Dottie, la petite jument ; il en était encore à tourner dans le corral, mais, au moins, il n'appréhendait plus le contact avec les chevaux. En fin de compte, ils ne sentaient pas si mauvais et restaient assez dociles s'ils ne devinaient pas qu'on avait peur d'eux.

Il aimait regarder les orages, tel celui qui éclata un soir, zébrant le ciel de lumières aveuglantes. Il ne détestait pas non plus rêver devant sa fenêtre. Bien sûr, New York lui manquait toujours autant, mais il aimait observer les étoiles, écouter les murmures de la nuit.

Cependant, il n'aimait toujours pas les poules, leur odeur, le bruit qu'elles faisaient, leur regard sévère quand il remplissait son panier. En revanche, il adorait leurs œufs, en omelette au petit déjeuner ou mélangés à la crème des gâteaux.

Sa grand-mère remplissait toujours de biscuits maison la grande jarre de la cuisine.

Il n'aimait pas quand il y avait des invités ou quand ses grands-parents l'emmenaient en ville, encore moins quand ils s'extasiaient sur sa ressemblance avec son grand-père : comment pouvait-on le comparer à ce vieux monsieur ?

Mais il aimait voir arriver le pick-up des Chance, même si Lilly était une fille.

Une fille qui jouait au base-ball et ne passait pas son temps à glousser comme la plupart de celles qu'il connaissait. Elle n'écoutait pas tout le temps les New Kids on the Block avec des regards langoureux. Ce n'était pas rien.

Elle montait mieux à cheval que lui mais n'en profitait pas trop pour se moquer de lui. Il n'avait pas l'impression de fréquenter une fille. Il fréquentait Lilly.

Si bien qu'une semaine, et non deux, après la discussion avec sa grand-mère, il découvrit un nouveau téléviseur dans le salon.

– Ce n'était pas la peine d'attendre plus longtemps, expliqua-t-elle. Tu as bien rempli ton contrat. Je suis fière de toi.

C'était bien la première fois que quelqu'un disait qu'il était fier de lui.

Dès qu'il en fut jugé capable, ils purent partir à travers champs avec Lilly, chacun sur sa monture, sans toutefois trop s'éloigner de la maison.

– Alors ? demanda-t-elle au beau milieu de la prairie.

– Quoi ?

– C'est bête ?

– Pas trop. Dottie est ultrasympa. Elle aime les pommes.

– J'aurais bien aimé pouvoir t'emmener voir de belles choses dans les collines. Seulement mes parents ne veulent pas que j'y aille sans eux. Sauf…

Elle regarda autour d'elle, comme si elle craignait une oreille indiscrète.

– Sauf que j'y suis allée quand même, un matin, à l'aube. Je voulais repérer le couguar.

Il écarquilla les yeux.

– Tu es folle ?

– J'ai lu des tas de trucs sur cette race.

Elle portait un chapeau de cow-boy marron, et une longue natte lui battait l'épaule.

– Ils n'attaquent pas les gens, continua-t-elle, enfin, presque jamais. Et ils ne s'approchent pas souvent des fermes, sauf en pleine migration.

Vibrante d'enthousiasme, elle se tourna vers un Cooper muet de stupeur.

– C'était trop cool ! J'ai trouvé des traces partout. Mais j'ai fini par perdre sa piste, parce que je ne voulais pas rester dehors trop longtemps. Tout le monde était levé quand je suis rentrée, j'ai raconté que je venais de sortir de la maison.

Les lèvres serrées, les yeux brillants, elle posa sur lui un regard menaçant.

– Tu ne vas pas le dire !

– Je ne suis pas un cafteur. N'empêche que tu ne dois pas, Lilly !

– Je sais ce que je fais. Je ne suis pas aussi douée que papa, mais j'ai l'habitude du pistage. On dort souvent à la belle étoile, dans la famille. J'avais ma boussole et ma trousse de secours.

– Et si le couguar était sorti ?

– Je l'aurais revu. Le premier jour, il m'a regardée dans les yeux, comme s'il me connaissait, et... enfin, c'est l'impression que ça me donnait.

– Arrête !

– Sérieux. Le grand-père de ma mère était sioux. Un Lakota, John Swiftwater, dont la tribu vivait ici depuis des générations. Ils avaient des esprits animaux. Peut-être que le mien, c'est ce couguar.

– Ce n'est l'esprit de personne.

L'air absente, le regard perdu sur les collines, elle continua :

– Je l'ai entendu, cette nuit-là. Tard dans la nuit, on l'a vu. J'ai entendu son feulement.

– Feulement ?

– Ces animaux ne rugissent pas, ils feulent. Il n'y a que les très grands félins, comme les lions, qui rugissent. Ils ont un truc dans la gorge, je ne sais plus quoi. Je vérifierai dans mes livres. En tout cas, je voulais le retrouver.

Cooper ne pouvait s'empêcher d'admirer ce qu'elle avait fait, même si c'était de la folie. Jamais une fille n'irait se lancer à la poursuite d'un lion des montagnes, à part Lilly.

– S'il t'avait trouvée, tu lui aurais peut-être servi de petit déjeuner.

– Tu n'en sais rien.

– Non, mais tu ne dois pas recommencer.

– Je me demande où il est passé. Tiens, on pourrait aller camper. Papa adore ça. Je suis sûre que tes grands-parents te laisseraient venir.

– Dormir sous la tente ? Dans la montagne ?

L'idée lui semblait aussi attirante que terrifiante.

– Oui. On pêcherait nos poissons pour le dîner, on irait voir les chutes, les bisons et les plantes. Peut-être même qu'on apercevrait le couguar. Quand on monte au sommet, on voit jusqu'au Montana.

En entendant sonner la cloche de la ferme, elle se reprit :

– C'est l'heure du dîner. Je vais demander à papa de nous organiser une expédition. On va bien s'amuser.

Cooper alla camper et apprit à appâter l'hameçon. Il découvrit le frisson des soirées devant un feu de camp à écouter les hurlements d'un loup, le plaisir de la capture d'un poisson dont les reflets argentés scintillaient au bout de sa ligne.

Son corps se raffermit, ses mains se durcirent. Il apprit à faire la différence entre un élan et un cerf, à seller son cheval. Il savait maintenant galoper et il en éprouvait des sensations jusque-là inconnues. Invité à jouer dans l'équipe de base-ball de Lilly, il s'en tira avec les honneurs.

Des années plus tard, en faisant le point sur sa vie, il se rendrait compte qu'il venait de passer un tournant décisif et ne serait jamais plus le même. Mais, à onze ans, tout ce que Cooper en conclut, c'est qu'il était heureux.

Son grand-père lui apprit à tailler dans le bois au couteau et, pour sa plus grande joie, lui offrit un canif. Sa grand-mère lui montra comment panser un cheval, comment vérifier si l'animal n'était pas blessé ou malade.

Mais son grand-père lui apprit à leur parler.

– Ça passe par les yeux, commença-t-il, par le corps, par les oreilles, par la queue, mais d'abord par les yeux. Ce qu'ils voient dans les tiens, ce que tu vois dans les leurs.

Il tenait par le licol un poulain rétif qui reculait et ruait.

– Peu importe ce que tu racontes, de toute façon, il le verra dans tes yeux. Celui-ci veut jouer les durs, mais il a peur. Qu'est-ce que nous lui voulons ? Qu'est-ce que nous allons lui faire ? Est-ce qu'il va aimer ? Est-ce que ça va lui faire mal ?

Tout en parlant, Sam observait l'animal, et sa voix s'adoucit.

– On va commencer par raccourcir la longe. Il faut avoir la main ferme sans pour autant se montrer dur.

Joignant le geste à la parole, il remua un peu le bras, et le poulain se mit à frissonner puis à s'agiter.

– Il va falloir lui donner un nom, reprit Sam en lui caressant l'encolure. Donne-lui-en un.

Cooper en resta bouche bée.

– Moi ?

– Ce n'est pas un nom pour un cheval, ça… « Moi ».

– Je veux dire… euh… Jones ? Comme Indiana Jones ?

– Demande-lui.

– Je crois que tu t'appelles Jones, que tu es intelligent et courageux, comme lui.

Avec un petit encouragement de Sam, le poulain inclina la tête.

– Il a dit oui ! s'exclama Cooper. Tu as vu ?

– Je pense bien. Tiens-lui la tête, maintenant, fermement mais en souplesse. Je vais lui poser le tapis de selle sur le dos. Il connaît. Rappelle-le-lui.

– Je… c'est juste une couverture, souffla Cooper à l'oreille du cheval. Tu n'as pas peur des couvertures, Jones. On ne va pas te faire de mal. Papy dit qu'on va juste t'habituer à la selle, aujourd'hui. Ça ne fait pas mal non plus.

Les oreilles en avant, Jones regardait le jeune garçon dans les yeux, si bien qu'il réagit à peine au contact du tapis.

– Je pourrai peut-être te monter un peu, quand tu te seras habitué à la selle. Parce que je ne pèse pas trop lourd. D'accord, papy ?

– On verra. Tiens-le bien.

Sam souleva la selle et la posa sur le cheval. Jones secoua la tête, lança une brève ruade.

– Ça va bien ! Rassure-toi.

Il n'était ni furieux ni méchant. Il avait juste un peu peur. Cooper le sentait intensément, il le voyait dans ses yeux.

– C'est juste une selle. C'est vrai que ça doit faire drôle, au début.

Sous le soleil de l'après-midi, remarquant à peine son tee-shirt trempé de sueur, il continua de parler au cheval tandis que son grand-père attachait la sangle.

– Emmène-le par le licol, comme je t'ai montré. Comme tu as fait tout à l'heure. Il va ruer un peu.

Sam recula pour laisser le poulain et l'enfant apprendre à se connaître. Il s'accouda à la barrière, prêt à intervenir en cas de nécessité. Derrière lui, Lucy lui posa une main dans le dos.

– Je n'aurais jamais cru voir ça !

– Il est doué, reconnut Sam. Il a un grand cœur et il possède une compréhension instinctive. Il est fait pour communiquer avec les chevaux.

– Je voudrais qu'il ne reparte pas. Je sais que nous ne le garderons pas, mais ça me brisera le cœur de le voir s'en aller. Ses parents ne l'aiment pas autant que nous ; alors ça me fait mal de le laisser retourner chez lui.

– Peut-être qu'il voudra revenir l'été prochain.

– Peut-être. Mais le temps me semblera long d'ici là.

Elle poussa un soupir et se retourna à l'arrivée d'une camionnette.

– Voilà le maréchal-ferrant. Je vais chercher un pichet de limonade.

Ce fut Gull, le fils du maréchal-ferrant, un grand garçon dégingandé aux cheveux roux, âgé de quatorze ans, qui, dans la pénombre de la grange, offrit sa première chique à Cooper. La première et la dernière de sa vie.

Quand il eut bien vomi son petit déjeuner, son déjeuner et tout ce qui lui restait dans l'estomac, Cooper était vert comme une sauterelle, ainsi que l'observa Gull. Alertée par ses haut-le-cœur, Lucy se précipita et découvrit son petit-fils à quatre pattes devant son camarade, qui se grattait la tête sous son chapeau.

– Qu'est-ce qui se passe ? s'exclama-t-elle. Qu'est-ce que tu as fait ?

– Il a voulu apprendre à chiquer, m'dame. J'y voyais pas de mal.

– Oh, mon Dieu ! On ne donne pas de tabac à un garçon de cet âge !

– Ça, on peut dire qu'il supporte pas.

Lucy se pencha vers Cooper.

– Lève-toi et viens te nettoyer un peu.

Elle l'entraîna dans la maison et le fit se déshabiller, le lava, lui fit boire de l'eau fraîche, le coucha, baissa les stores de la chambre. Puis elle s'assit au bord du lit.

– Que ça te serve de leçon, souffla-t-elle en l'embrassant sur le front. Demain tu n'y penseras plus mais repose-toi en attendant.

Sur le grand rocher plat au bord du torrent, Cooper s'étendit à côté de Lilly.

– Elle ne m'a même pas crié après.

– Ça avait quel goût ? Aussi mauvais que l'odeur ? Parce que ça a une odeur infecte. Et puis c'est moche.

– Ça a un goût de… crotte.

Elle pouffa.

– Tu as déjà mangé de la crotte ?

– J'en ai pas mal senti, cet été. De la crotte de cheval, de cochon, de vache, de poulet.

Cette fois, elle éclata de rire.

– À New York aussi, il y a de la crotte.

– Oui, surtout celle des gens. Mais, au moins, je ne suis pas obligé de la ramasser.

Elle se redressa sur le côté, la tête sur une main pour mieux l'observer de ses grands yeux noirs.

– J'aimerais que tu ne repartes pas. C'est le plus bel été de toute ma vie.

– Pour moi aussi.

Ça lui faisait drôle d'avouer ça, d'autant que c'était vrai ; dire qu'il avait une fille pour meilleure amie…

– Tu pourrais peut-être rester. Si tu leur demandais, peut-être que tes parents voudraient bien te laisser habiter ici.

– Sûrement pas.

Dans le ciel, un faucon effectuait de grands cercles nerveux.

– Ils ont téléphoné hier soir pour dire qu'ils rentreraient à la maison la semaine prochaine et qu'ils viendraient me chercher à l'aéroport et… enfin, ils ne voudront pas.

– Et s'ils voulaient bien, qu'est-ce que tu dirais ?

– Je n'en sais rien.

– Tu as envie de rentrer ?

– Je n'en sais rien.

C'était terrible de ne pas savoir.

– J'aimerais passer mes vacances là-bas et vivre ici, dresser Jones et monter Dottie, jouer au base-ball, aller à la pêche. Mais j'ai envie de retrouver ma chambre, de retourner dans mes salles de jeu vidéo et d'assister à un match des Yankees.

Il se rapprocha d'elle.

– Tu pourrais venir, toi aussi. On irait au stade de base-ball.

– Mes parents ne voudraient jamais, murmura-t-elle d'une voix tremblante. Et toi, tu ne reviendras certainement pas.

– Si.

– Juré ?
– Juré.
– Si je t'écris, ajouta-t-elle, tu me répondras ?
– D'accord.
– Chaque fois ?
Il sourit.
– Chaque fois.
– Alors tu reviendras. Et le couguar aussi. On l'a vu le premier jour, il représente notre guide spirituel. Il… il nous portera bonheur.

Tout l'été, elle n'avait cessé de lui parler du couguar ; elle lui avait montré des livres, des photos. Elle l'avait dessiné à plusieurs reprises pour en faire des portraits qu'elle avait accrochés sur son mur.

La dernière semaine au ranch était arrivée. Cooper sculpta plusieurs objets. Il fit ses adieux à Dottie et à Jones ainsi qu'aux autres chevaux, et même aux poules, quoique plus discrètement. Il prépara ses bagages, sans oublier les bottes et les gants achetés par ses grands-parents, ni sa chère batte de base-ball.

Comme lors de son arrivée, il s'installa à l'arrière de la camionnette et regarda par la vitre tout au long du trajet. Il voyait désormais les choses sous un autre jour, le grand ciel bleu, les collines sombres qui dressaient leurs cimes devant les forêts et les canyons secrets.

Sans doute le repaire du couguar de Lilly.

Les Wilks s'engagèrent dans le chemin qui menait à la ferme des Chance pour un dernier adieu.

La fillette les attendait sur la véranda, en short rouge et chemise bleue, les cheveux couverts par sa casquette de base-ball. Alors que la camionnette se garait, sa mère sortit, et les chiens se précipitèrent en aboyant et en sautant dans tous les sens.

Lilly se leva tandis que son père arrivait en rangeant ses gants dans sa poche. Si bien qu'ils s'avancèrent tous trois, les deux parents encadrant la fillette.

Image qui s'imprima dans l'esprit de Cooper : la mère, le père, la fille devant la vieille maison qui se détachait sur les collines, sur les vallées, sur le ciel, accompagnés de deux chiens qui s'agitaient dans la poussière.

En descendant de la camionnette, Cooper s'éclaircit la gorge.
– Je suis venu vous dire au revoir.

Ce fut Josiah qui réagit le premier en lui tendant la main. Il serra celle du jeune garçon, s'accroupit pour se mettre à sa hauteur.

– Reviens vite nous voir, petit New-Yorkais.

– Promis. Et je vous enverrai une photo du Yankee Stadium quand on aura gagné la coupe.

Josiah se mit à rire.

– Tu peux toujours rêver.

– Bon voyage, dit Jenna en l'embrassant sur le front. Sois heureux et ne nous oublie pas.

– Jamais.

En se retournant vers Lilly, il se sentit un peu gauche.

– Je t'ai préparé quelque chose.

– C'est vrai ? Quoi ?

Il lui tendit une boîte, baissa les yeux tandis qu'elle l'ouvrait.

– C'est pas génial…, murmura-t-il.

Elle sortit le petit couguar qu'il avait sculpté dans une branche de noyer.

– Je n'ai pas très bien réussi la tête…

Elle l'interrompit en se jetant à son cou.

– C'est trop joli ! Je le garderai toute ma vie. Attends !

Tournant les talons, elle rentra en trombe dans la maison.

– Quel ravissant cadeau, Cooper ! s'extasia Jenna. Tu ne pouvais mieux choisir que ce couguar. Désormais, pour elle tu feras partie de ce symbole.

Lilly ressortit en courant, s'arrêta net devant lui.

– Tiens, prends ça, c'est ce que j'ai de plus précieux, une pièce ancienne. On l'a trouvée au printemps en retournant la terre du jardin. Elle est très vieille, ce doit être quelqu'un qui l'a perdue il y a longtemps. Elle est tellement usée qu'on voit à peine ce qu'il y a dessus.

Cooper examina la pièce argentée où se devinait la silhouette d'une femme.

– Cool.

– Ça te portera bonheur. C'est… comment on dit, maman ?

– Un talisman.

– Un talisman, répéta Lilly.

– Il faut y aller, intervint Sam en posant la main sur l'épaule de son petit-fils. On a encore une longue route avant Rapid City.

– Bon voyage, petit New-Yorkais.

– Je t'écrirai, lança Lilly. Et tu me répondras.

– Promis.

La pièce serrée dans sa main, Cooper remonta dans la camionnette et se retourna pour dire adieu à travers la lunette arrière.

Il ne pleura pas. Il avait presque douze ans. Mais il ne lâcha pas la pièce jusqu'à Rapid City.

3

BLACK HILLS

Juin 1997

Lilly promenait son cheval dans la brume matinale, foulant les herbes hautes, passant le ruisseau envahi par le lierre avant d'attaquer le versant de la colline. À l'aube naissante, l'air embaumait le pin, l'eau et les feuillages.

Les oiseaux gazouillaient, et elle perçut soudain les sifflements d'un merle bleu des montagnes, le chant d'un tarin des aulnes, l'appel strident d'un geai des pinèdes, comme si la forêt se réveillait autour d'elle, s'étirait dans les rayons de lumière naissante.

Elle releva des traces de daim et d'élan dont elle enregistra les références sur son magnétophone de poche. Un peu plus tôt, elle avait vu des empreintes de bison et, bien sûr, de nombreuses marques laissées par les troupeaux de son père.

Mais jusque-là, dans cette virée de trois jours qu'elle s'était accordée, elle n'avait pas aperçu son félin préféré.

Pourtant, elle avait entendu son appel durant la nuit, qui avait vibré dans l'obscurité, aux étoiles et à la lune.

Je suis là.

Comme sa robuste jument grimpait le sentier escarpé, elle inspecta les buissons alentour, écouta les chants des oiseaux. Un écureuil roux sauta d'un cerisier de Virginie, se dressa sur le sol avant d'escalader le tronc d'un pin.

Cette vie intense, ces paysages, voilà pourquoi elle considérait les Black Hills comme un territoire sacré.

Elle avait aperçu un couguar de temps à autre au cours de ces dernières années. Sans doute pas le même que celui qui les avait surpris, avec Cooper, huit ans auparavant. Elle l'avait vu camouflé à travers les branchages, dans un arbre, étalé sur un rocher et, une fois, alors qu'elle conduisait le bétail avec son père, elle en avait surpris un avec ses jumelles qui se jetait sur un jeune élan. De sa vie elle n'avait assisté à une scène plus puissante, plus réelle.

Elle enregistrait aussi ses observations sur la végétation, les myosotis, les iris sauvages, les trèfles jaunes. Cela faisait partie de la chaîne alimentaire. Lapins, daims, élans se nourrissaient de ces plantes et de ces graines, et le loup gris dévorait ces animaux. Quant à l'écureuil, il servirait sans doute de repas au faucon.

Le sentier donnait sur la prairie, d'un vert éclatant, parsemée de fleurs des champs. Un petit troupeau de bisons y paissait, aussi ajouta t elle le mâle, les quatre femelles et les deux petits à son rapport. Puis elle prit des photos.

Peut-être en enverrait-elle quelques-unes à Coop. Il pensait pouvoir venir cet été mais n'avait pas répondu au courrier qu'elle lui avait envoyé trois semaines auparavant.

À vrai dire, il ne réagissait pas toujours à ses lettres ou à ses courriels. Surtout depuis qu'il sortait avec une étudiante rencontrée à la fac.

CeeCee, songea Lilly en levant les yeux au cicl. Quel nom idiot ! Elle savait très bien ce que Cooper faisait avec elle. Il ne lui avait pas dit, mais Lilly n'était pas stupide. De même qu'elle était sûre, ou presque, qu'il avait couché avec cette fille rencontrée au lycée.

Zoe.

À croire que les garçons ne pensaient qu'à mettre au lit toutes les filles qu'ils rencontraient. Quoique, ces derniers temps, elle aussi… En fait, les garçons ne l'intéressaient pas, du moins pas ceux qu'elle connaissait. Peut-être qu'à la fac, cet automne…

Rangeant son appareil photo, elle sortit sa gourde pour se désaltérer. Sans doute aurait-elle trop à faire à l'université pour songer à l'amour. En attendant, elle visait plutôt l'été qui approchait, ses tâches de repérage dans les environs de la ferme, les documents qu'elle tenait. Il lui faudrait aussi demander à son père de dégager quelques hectares supplémentaires pour le refuge qu'elle comptait établir dans les parages.

La réserve naturelle Chance. Ce nom lui plaisait non seulement parce que c'était le sien, mais aussi parce que les animaux auraient une chance de bien vivre ici. Et que les gens en auraient une de les observer, de les étudier, de les soigner.

Un jour cela viendrait. Toutefois, elle avait d'abord beaucoup à apprendre. Autrement dit, commencer par quitter ce qu'elle aimait le plus.

Pourvu que Cooper tienne sa promesse de venir, ne serait-ce que quelques semaines, avant qu'elle doive partir. Il était déjà revenu, comme son couguar. Pas tous les étés, mais assez souvent. Deux semaines l'année qui avait suivi sa première visite, et puis l'été entier l'année d'après, lorsque ses parents avaient divorcé.

Quelques semaines par-ci, un mois par-là, ils finissaient toujours par se retrouver. Même si lui passait son temps à parler des filles qu'il avait laissées derrière lui. Seulement il y avait deux ans qu'elle ne l'avait pas vu.

Il devait absolument venir, cette fois-ci.

Elle referma sa gourde en soupirant.

Et tout se passa très vite.

Sa jument frémit, broncha. Alors que Lilly serrait les doigts sur sa rêne, le félin surgit au milieu des hautes herbes. Tel un boulet silencieux, il bondit sur l'un des bisonneaux, semant la pagaïe dans le petit troupeau. Malgré les beuglements de la mère, malgré l'intervention du bison qui chargea aussitôt, il entraîna sa proie.

Tout en ressortant son appareil photo, Lilly bloqua les jambes sur sa monture pour la retenir.

Les griffes avaient jailli, l'odeur du sang flottait dans l'atmosphère. Affolée, la jument fit un écart.

– Arrête ! murmura sa cavalière. Il ne s'occupe pas de nous. Il a eu ce qu'il voulait.

Le bison reculait, le flanc marqué de longues balafres ; bientôt, tout le troupeau battit en retraite pour laisser le couguar dévorer tranquillement sa proie.

Il émit alors une sorte de ronronnement de triomphe. À travers les herbes, son regard doré se posa sur celui de Lilly et la fixa. Elle frissonna mais ne lâcha pas pour autant son appareil et prit deux clichés du félin au milieu de la prairie rougie par le sang.

Dans un feulement menaçant, il emporta sa proie parmi les buissons, à l'ombre des pins et des bouleaux.

– Elle a des petits à nourrir, conclut Lilly à haute voix.

Sortant son magnétophone, elle se mit à énoncer d'une voix fébrile :

« Vu couguar femelle, d'à peu près deux mètres de long, depuis le museau jusqu'au bout de la queue. Dans les quarante kilos. Couleur fauve typique. Suit et attaque sa proie, un petit bison qui paissait au milieu de cinq adultes. Défend sa proie contre le taureau, l'emporte dans la forêt, sans doute dérangée par ma présence. Si cette femelle a des petits, ils doivent être encore trop jeunes pour accompagner leur mère à la chasse. Elle va sans doute bientôt les sevrer. Incident enregistré à... 7 h 25 du matin, en ce 12 juin. »

Malgré son envie, elle n'allait pas commettre l'erreur de suivre la trace du félin. Rien de plus féroce qu'une mère qui cherche à protéger ses petits.

– On en reste là, décida-t-elle. Il est temps de rentrer.

Pressée de noter tous ces détails dans son cahier, elle emprunta le chemin le plus direct. On était au milieu de l'après-midi lorsqu'elle retrouva son père et l'employé à mi-temps en train de réparer la barrière d'une prairie.

Le bétail s'éloigna du cheval, que sa cavalière finit par arrêter devant la vieille Jeep.

– Ça va, ma fille ? lui lança Josiah.

Tandis qu'elle mettait pied à terre, il caressa l'encolure de la jument.

– C'était comment, là-haut ?

– Tout s'est bien passé. Salut, Jay.

Plutôt avare de paroles, Jay porta un doigt à son chapeau en guise de réponse.

– Tu veux un coup de main ? demanda Lilly à son père.

– Non, ça va. C'est un élan qui a renversé la clôture.

– J'en ai aperçu plusieurs, moi aussi, ainsi que des bisons. J'ai même vu un couguar emporter un bisonneau.

– Un félin ?

Elle jeta un coup d'œil vers Jay. Elle connaissait ce regard. Pour lui, un couguar ne représentait qu'un prédateur.

– À une demi-journée d'ici. C'est une femelle, avec assez de gibier pour la nourrir, elle et sa portée si elle en a une. Elle n'a aucun besoin de descendre s'en prendre à notre bétail.

– Ça va, toi ? intervint son père.

– Oui. Elle se moquait de ma présence. Les couguars ne considèrent pas les humains comme des proies.

– Quand ils ont faim, ils s'attaquent à n'importe quoi, ces enfoirés, marmonna Jay.

– Le chef du troupeau de bisons doit être d'accord avec vous. Mais je n'ai vu aucune trace de félin sur la route du retour. Je n'ai pas l'impression qu'elle ait à ce point étendu son territoire.

Comme Jay retournait vers la clôture en haussant les épaules, Lilly adressa un sourire à son père.

– Bon, si tu n'as pas besoin de moi, j'y vais. J'ai envie d'une bonne douche et d'un thé glacé.

– Dis à ta mère qu'on en a encore pour quelques heures.

Une fois qu'elle eut pansé et nourri sa jument, elle se désaltéra puis alla rejoindre Jenna dans le potager et lui prit sa houe pour se mettre à sarcler à son tour.

– C'était étonnant, cette façon qu'elle avait de se déplacer. Je sais que ce sont des animaux secrets, furtifs, pourtant, je me demande combien de temps elle est restée à guetter ce troupeau, à choisir sa proie, à déterminer le moment favorable ; pas un instant je ne me suis doutée de quoi que ce soit. Je n'ai pas été bonne, sur ce coup. Il va falloir que je m'améliore.

– Ça ne t'a rien fait de la voir tuer ?

– Ça s'est passé si vite ! Propre et sans bavure. Même le bisonneau n'a dû se rendre compte de rien. Et puis elle faisait son boulot. Peut-être que si j'avais eu le temps d'y réfléchir je me serais apitoyée. C'est vrai qu'il était mignon, au milieu des fleurs, pourtant... ça va te sembler bizarre, mais c'était comme un rituel quasi religieux.

Marquant une pause, elle s'essuya le front.

– Tu vois, j'étais là, j'ai tout vu et ça n'a fait que me renforcer dans l'idée de ce que je voulais faire ; je sais quelles études je dois poursuivre pour y parvenir. Et j'ai pris des photos. Avant, pendant et après.

– Ma chérie, je ne voudrais pas faire la fine bouche alors que je suis moi-même éleveuse de bétail, toutefois, je n'aimerais pas voir un couguar en train de dévorer un bisonneau.

Le sourire aux lèvres, Lilly reprit son travail.

– Et toi, tu savais déjà quel métier tu voulais faire, à mon âge ?

– Je n'en avais pas la moindre idée.

À son tour, Jenna se remit à arracher les mauvaises herbes qui entouraient les plants de carottes. Elle avait la main vive, un corps long et souple, comme sa fille.

– Mais l'année suivante, ajouta-t-elle, ton père est apparu dans le paysage. Il m'a jeté un coup d'œil coquin et j'ai décidé qu'il serait l'homme de ma vie ; je ne lui ai pas laissé le choix.

– Et s'il avait voulu retourner dans l'Est ?

– J'y serais partie avec lui. À l'époque, je n'étais pas tellement attachée à cette terre. J'ai commencé à l'aimer en même temps que ton père.

Elle repoussa son chapeau pour mieux considérer les rangs de carottes et de tomates, les champs de soja et les pâturages.

– Tandis que toi, conclut-elle, je crois que tu l'as aimée dès ton premier souffle.

– Je ne sais pas où j'irai. J'ai tellement à apprendre et à voir... Mais je reviendrai toujours ici.

– J'y compte bien, dit Jenna en se relevant. Tiens, donne-moi ce sarcloir ; rentre te préparer pour le dîner. J'arrive. Tu m'aideras à la cuisine.

Lilly courut vers la maison en ôtant son chapeau, qu'elle tapa contre son pantalon pour en chasser la poussière. Une longue douche fraîche lui ferait le plus grand bien. Après le repas, elle noterait ses différentes observations et, le lendemain, elle irait porter ses films en ville pour les faire développer.

Voilà un moment qu'elle économisait pour s'acheter un appareil photo numérique, ainsi qu'un ordinateur portable. Elle avait remporté une bourse d'études, ce qui l'aiderait à vivre toute l'année mais certainement pas à couvrir ce genre de dépenses. Frais de scolarité et de laboratoire, logement, livres, transports, etc.

Elle allait pousser la porte d'entrée quand elle entendit un moteur tonitruant à proximité ; elle contourna la maison pour voir qui faisait un tel tapage.

Les mains sur les hanches, elle regarda s'approcher la moto ; on en voyait beaucoup dans les parages, surtout en été. Pourtant, malgré l'énorme casque qui cachait une partie du visage et les cheveux du pilote, elle reconnut sa moue et courut dans sa direction en éclatant de rire. Il s'arrêta derrière la fourgonnette familiale, enjamba le cadre tout en ôtant son casque, qu'il déposa sur la selle avant d'accueillir la jeune fille au vol.

– Cooper ! Tu es là.

– J'avais promis.

– D'essayer, rectifia-t-elle.

Comme elle le serrait dans ses bras, une vague de chaleur inattendue la parcourut. Il avait changé. Le jeune garçon qu'elle connaissait avait fait place à un homme.

– Tu vois, j'ai réussi, insista-t-il en la dévisageant. Toi, tu as grandi !

– On dirait. Mais j'ai dû atteindre ma taille définitive, maintenant. Et toi aussi.

Plus grand, plus fort… sans parler de cette barbe de deux jours qui lui donnait un air délicieusement négligé. Il portait les cheveux plus longs que d'habitude, bouclés autour du visage, comme pour mieux souligner ses yeux bleu glacier.

La prenant par la main, il regarda la maison.

– Elle n'a pas changé, on dirait, même si vous avez repeint les volets.

– Il y a longtemps que tu es là ? Personne ne m'a rien dit.

– Ça doit faire dix secondes. J'ai appelé mes grands-parents depuis Sioux Falls mais je leur ai demandé de n'avertir personne.

S'il lui lâcha la main, ce fut pour poser le bras sur son épaule.

– Je voulais te faire la surprise.

– C'est réussi !

– Je suis passé ici avant d'aller chez eux.

D'un seul coup, elle se rendit compte que tout ce qu'elle aimait le plus au monde se trouvait réuni autour d'elle pour l'été.

– Viens, il y a du thé glacé. Depuis combien de temps tu pilotes cet engin ?

– Presque un an. J'avais envie de traverser le pays à moto.

Au pied des marches, il s'arrêta pour la dévisager à nouveau.

– Quoi ? demanda-t-elle.

– Tu es… bien.

– Mais non, marmonna-t-elle. Je rentre d'un tour dans l'arrière-pays. Si tu avais attendu une demi-heure de plus, tu m'aurais trouvée propre et coiffée.

– Je te jure que tu es très bien comme ça. Je suis content de te revoir, Lilly.

– Je savais que tu reviendrais, murmura-t-elle en se blottissant contre lui. J'aurais dû me douter que ce serait aujourd'hui, puisque j'ai aperçu le couguar.

– Quoi ?

– Je vais te raconter. Viens, Coop. Bienvenue à la maison.

Elle attendit que ses parents soient rentrés, et se chargent de leur hôte, avant de monter prendre sa douche, qu'elle écourta au minimum. Rapide comme l'éclair, elle se maquilla légèrement et préféra tirer en arrière ses cheveux encore mouillés plutôt que de prendre la peine de se faire un brushing.

Renonçant aux boucles d'oreilles, trop ostensibles à son goût, elle opta pour un jean propre et une chemise blanche. Tenue naturelle, décontractée.

Son cœur battait à se rompre.

Bizarre autant qu'étrange. Son meilleur ami qui la mettait dans un tel état…

Il avait tellement changé, aussi, tout en restant le même ! Ses joues s'étaient creusées, sa mâchoire s'était affermie ; il avait le teint bronzé, ce qui lui rappela qu'enfant il devenait noir dès les premiers rayons de soleil. Quant à ses yeux si bleus, ils semblaient la transpercer jusqu'au plus profond d'elle-même.

Elle regrettait de ne pas l'avoir embrassé. Ne serait-ce que sur la joue. Sans doute rirait-il s'il savait ce qu'elle était en train de penser. Après avoir repris son souffle, elle descendit lentement l'escalier.

De la cuisine montaient les exclamations de sa mère, les plaisanteries de son père, la voix de Coop. Celle-ci n'était-elle d'ailleurs pas plus grave qu'auparavant ?

De nouveau, elle s'arrêta pour respirer, s'efforça de sourire et entra dans la pièce.

Cooper s'interrompit au milieu d'une phrase, cligna des yeux sans cacher sa surprise. Une onde de plaisir la traversa.

– Tu restes dîner ? lui demanda-t-elle.

– On essayait de le convaincre, dit Jenna, mais Lucy et Sam l'attendent. Je vous invite tous dimanche à un pique-nique.

– Avec plaisir, s'empressa de répondre Coop. Ça me rappellera le premier, que je n'ai jamais oublié. On pourrait ensuite frapper quelques balles.

– Je parie que je peux encore te battre, commenta Lilly en souriant.

Pour sa plus grande joie, il cligna de nouveau des yeux.

– On verra ça.

– J'aurais bien aimé que tu m'emmènes faire un tour sur ton nouveau jouet.

– C'est une Harley, précisa-t-il.

– Qu'est-ce que tu attends pour me montrer ce qu'elle a dans le ventre ?

– Dimanche, sans…

– Non, maintenant, si ça ne te dérange pas.

Elle se tourna vers sa mère.

– Une petite demi-heure ?

– Euh… tu as des casques, Cooper ?

– Oui, j'en avais acheté un second dans l'idée…

– Tu t'es pris combien de contraventions sur cet engin ? s'enquit Josiah.

– Aucune depuis quatre mois.

– Ramène-moi ma fille dans l'état où tu l'as trouvée.

– Promis. Merci pour le thé. À dimanche.

Il se leva et entraîna Lilly sous l'œil de sa mère.

– Eh bien…, murmura celle-ci à l'adresse de son mari.

– Comme tu dis…

Dehors, Lilly examina le casque que lui tendait Cooper.

– Alors tu vas m'apprendre à piloter cette machine ?

– Peut-être.

– Je suis sûre que je me débrouillerai bien.

– Je n'en doute pas. En attendant, tu t'installes à l'arrière.

Ce qu'elle fit, lui enserrant la taille de ses bras.

– Arrache-toi, Cooper !

Il ne se le fit pas dire deux fois, et le moteur vrombit, suscitant un cri de joie de sa passagère.

– C'est presque aussi bien qu'à cheval ! lança-t-elle.

– Et encore, tu vas voir sur l'autoroute ! Accroche-toi.

Elle en avait bien l'intention.

Cooper mesurait le grain sous les flots de soleil qui passaient à travers la fenêtre de l'écurie. Il entendait sa grand-mère appeler les poules, qui arrivaient en caquetant. Dans leurs stalles, les chevaux piaffaient et s'ébrouaient.

Étonnant comme rien n'avait changé : les odeurs, les bruits, la qualité de la lumière et des ombres. Voilà deux ans qu'il n'avait pas nourri, ni pansé un cheval, ni avalé de galettes d'avoine dans la cuisine.

Pourtant, cela semblait remonter à la veille.

Quoi de plus rassurant que ce rituel alors que tout, dans sa vie, allait à cent à l'heure ? Il n'avait pas oublié ce rocher au bord du torrent où il s'était étendu auprès de Lilly, des années auparavant.

Elle savait ce qu'elle voulait, on ne pouvait dire le contraire. Et elle n'avait pas changé sur ce point.

Quant à lui, il n'en savait strictement rien.

La maison, les champs, les collines. Toujours les mêmes. Jusqu'à ses grands-parents, plus jeunes, plus en forme que jamais ; à croire que les années n'avaient pas de prise sur eux.

Ce qui n'était certes pas le cas de Lilly.

Quand était-elle devenue aussi… remarquable ?

Deux ans auparavant, elle n'était encore que Lilly. Certes, elle avait toujours été jolie, mais, jusque-là, il ne l'avait pas vraiment considérée comme une femme.

Elle révélait ces courbes souples, ces lèvres pulpeuses, ces yeux qui lui envoyaient une décharge électrique chaque fois qu'elle le regardait.

Il ne fallait pas penser à elle de cette façon. Elle était sa meilleure amie, avait-il le droit de lorgner ses seins ? De se troubler quand elle les appuyait contre son dos sur la moto ? Pas question de se mettre à rêvasser sur leur fermeté, à s'imaginer promenant les mains sur son corps. Pourtant, il s'y était laissé aller plus d'une fois.

Il brida une pouliche à débourrer, comme le lui avait demandé son grand-père, et la conduisit vers le corral.

Le bétail nourri et abreuvé, les œufs ramassés, Lucy vint s'installer sur la clôture pour les regarder travailler.

– Elle n'est pas commode ! observa-t-elle en regardant l'animal ruer.

– Elle a de l'énergie à revendre.

– Tu lui as trouvé un nom ?

Cooper sourit. Depuis Jones, il avait chaque année le droit de baptiser un poulain, qu'il ait ou non passé l'été au ranch.

– Elle a une jolie robe caramel, je vais l'appeler Rouquine.

– Bien vu. Tu sais t'y prendre avec les chevaux, Cooper !

– J'avoue qu'ils me manquent.

– Et, quand tu es là, tu regrettes la côte est. C'est normal. Tu es jeune, tu n'es pas encore fixé.

– J'ai presque vingt ans, nanny. Il me semble que je ne devrais pas tarder. Quand j'y pense, à mon âge, vous étiez mariés, papy et toi.

– Autres temps, autres mœurs. De nos jours, vingt ans, c'est plus jeune qu'autrefois, pour certaines choses, du moins. Tu as encore de la marge.

Il la dévisagea : cheveux courts, légèrement bouclés, peut-être un peu plus de rides autour des yeux, mais, globalement, la même. Il savait qu'elle le comprendrait s'il lui disait ce qu'il avait sur le cœur.

– Tu aurais préféré profiter davantage de ta liberté ? interrogea-t-il soudain.

– Non, parce que je me retrouve ici, assise sur cette barrière à observer mon petit-fils en train de dresser une pouliche. Mais ça n'est pas comme pour toi. Je me suis mariée à dix-huit ans, j'ai eu mon premier enfant avant mes vingt ans et j'ai passé le plus clair de ma vie à l'est du Mississippi. Ce n'est pas ta destinée, Cooper.

– Je ne sais pas quelle est ma destinée…

Il écarquilla soudain les yeux.

– Premier ? Tu as dit premier enfant ?

– Nous en avons perdu deux après ta mère. Ça a été très dur. Et on en souffre encore. C'est ce qui nous a tant rapprochées, Jenna et moi. Elle a eu un enfant mort-né puis a fait une fausse couche après Lilly.

– Je ne savais pas.

– Ça arrive, on n'y peut rien. Parfois, on en tire quand même de bonnes choses. Je t'ai, toi, maintenant. Quant à Jenna et à Josiah, ils ont Lilly.

– Elle a l'air de savoir ce qu'elle veut.

– C'est sûr qu'elle poursuit son objectif.

– Et… elle voit quelqu'un ? demanda-t-il d'un air dégagé.

– Personne en particulier, pour autant que je sache. Le fils Nodock lui a bien tourné autour pendant un certain temps, mais elle n'a pas eu l'air intéressée.

– Quoi ? Gull ? Mais il a vingt-deux ou vingt-trois ans. Il est beaucoup trop âgé pour elle.

– Pas Gull, Jesse, son jeune frère. Il doit avoir ton âge. Pourquoi, elle te plaît ?

– Moi ? Lilly ? Non. Enfin… on est amis, c'est tout. Pour moi, c'est comme une sœur.

L'expression impénétrable, Lucy frappa la barrière du talon.

– Ton grand-père et moi étions amis avant de nous fiancer. Cela dit, je ne crois pas qu'il m'ait jamais considérée comme une sœur. Enfin, cette petite, elle a des idées derrière la tête, elle sait où elle va.

– Elle l'a toujours su.

Quand il eut achevé ses tâches de la journée, Cooper eut envie de seller un cheval pour une longue promenade. Il aurait aimé prendre Jones, mais le poulain qu'il avait en partie dressé était devenu l'une des principales attractions des balades touristiques organisées par ses grands-parents.

Alors qu'il venait d'opter pour un grand hongre rouan baptisé Tick, il vit arriver Lilly. À contrecœur, il dut reconnaître avoir soudain la bouche sèche. Elle portait un jean et un chemisier rouge, des bottes usées et un large chapeau gris à bords plats qui recouvrait sa chevelure noire.

Arrivée à hauteur de la clôture, elle tapota la sacoche jetée sur son épaule.

– J'ai apporté un pique-nique que je compte bien partager. Ça intéresse quelqu'un ?

– Possible.

– L'ennui, c'est qu'il me faut un cheval. J'en échange un contre une portion de poulet froid.

– Choisis celui que tu veux.

Penchant la tête de côté, elle tendit le menton vers une jument pie.

– Celle-ci me plaît bien.

– Je vais te chercher une selle et prévenir mes grands-parents.

– Je suis déjà passée par la maison. Ils sont d'accord. On a encore une grande partie de la journée pour nous, autant en profiter. Je sais où est la sellerie. Occupe-toi donc de ton propre cheval.

Amis ou non, il ne voyait pas de mal à la regarder s'éloigner dans son jean moulant.

Quand ils furent prêts, Cooper souleva la sacoche, non sans difficulté.

– Ça en fait, du poulet !

– J'ai aussi emporté mon magnétophone, mon appareil photo et… des trucs. Tu sais que j'aime enregistrer mes impressions quand je monte dans les collines. Si on allait du côté du torrent ? Ensuite, on pourrait prendre l'embranchement à travers la forêt pour un bon petit galop, tu verras, c'est un très joli coin.

Il lui jeta un regard entendu.

– Le territoire du couguar ?

– Les deux que j'ai repérés cette année occupaient en effet cette région, mais ce n'est pas pour ça que je veux t'y emmener. C'est juste parce que je trouve la promenade sympa, avec cette petite rivière qui coule vers la forêt. Cela dit, on en a pour une bonne heure avant d'y arriver, alors, si tu préfères quelque chose de plus proche…

Il sauta en selle, enfonça son chapeau.

– Non, ce sera juste ce qu'il me faut pour m'ouvrir l'appétit. Dans quelle direction ?

– Sud-ouest.

– Parfait.

Éperonnant leurs montures, ils partirent au petit trot à travers champs.

Lilly n'avait pas oublié l'époque où elle était meilleure cavalière que lui. À présent, elle devait admettre qu'ils se valaient. Plus légère, plus rapide, la jument lui donnait l'avantage, si bien qu'elle atteignit en tête les premiers bosquets.

Le sourire aux lèvres, les yeux brillants, elle se pencha pour flatter l'encolure de l'animal.

– Où montes-tu, à New York ? demanda-t-elle lorsqu'il la rejoignit.

– Je ne monte pas.

– Attends ! Tu n'as pas enfourché un cheval depuis deux ans ?

– Non. Mais c'est comme la bicyclette, ça ne s'oublie pas.

Intriguée, elle dirigea sa jument au pas à travers les pins.

– Comment arrives-tu à te passer d'un truc que tu aimes ?

– Je fais autre chose. Par exemple, de la moto ou de la musique.

– Quand tu ne cours pas après les filles.

Il eut un sourire taquin.

– Elles ne courent pas si vite que ça.

– J'imagine. CeeCee ne t'en veut pas trop de la laisser tomber tout l'été ?

Comme ils traversaient une clairière bordée de bouleaux, Cooper répondit d'un ton songeur :

– Ça va, elle a ses occupations et moi les miennes.

– Je croyais que vous étiez très liés.

– Pas tant que ça. Et moi j'ai entendu dire que tu sortais avec Jesse Nodock.

– Tu rigoles ! s'esclaffa-t-elle. Il est gentil, mais c'est un abruti. En plus, il n'y a qu'une chose qui l'intéresse, la bagarre.

– La bagarre ? Tu te bats avec Nodock ?

– Non. Mais je suis sortie une ou deux fois avec lui. Je n'aime pas sa façon d'embrasser. Pas très nette, si tu veux mon avis. Il aurait besoin d'améliorer sa technique.

– Tu t'y connais tant que ça en technique ?

Elle lui décocha un sourire en biais.

– J'ai suivi quelques cours particuliers.

Comme ils marchaient de front, elle lui prit le bras puis tendit l'index devant eux. Sous les arbres, une harde de cervidés s'était immobilisée pour les regarder. Elle sortit son magnétophone.

– Six cariacous, quatre biches, deux faons. Ils sont adorables, non ? Un cerf est passé par là il n'y a pas longtemps.

– Comment le sais-tu ?

– Observe l'écorce, petit New-Yorkais. Il y a laissé des marques avec ses bois et certaines sont encore fraîches.

Cela faisait longtemps qu'elle ne lui avait pas donné ses cours sur la nature, sur les pistes de chasse. Et cela lui avait manqué.

– Qu'est-ce que tu vois encore ?

– Des traces de marmotte et de daim. Il y a un écureuil, dans cet arbre. Tu as des yeux, non ?

– Pas comme les tiens.

– Un félin est passé par là, mais ça fait longtemps.

Lui ne regardait qu'elle. Il ne pouvait faire autrement, alors qu'elle avait le visage baigné de soleil et qu'elle posait sur lui des prunelles si noires, si vivantes.

– Encore une fois, comment le sais-tu ?

– Tu vois ces éraflures ? Elles proviennent du couguar, mais elles sont anciennes, sans doute laissées par un mâle qui voulait marquer son territoire pendant la saison des amours. Il est parti depuis un moment déjà. Quand ils se sont trouvé une femelle, ils ne restent pas avec elle ni avec la petite famille. Ils baisent, et au revoir la compagnie !

– Tu as de ces fréquentations !

Éclatant de rire, elle éperonna sa jument.

4

Ils eurent tôt fait de s'enfoncer dans une confortable routine : journées bien remplies à travailler sous le soleil, orages fréquents. Lilly passait presque tous ses moments de liberté en compagnie de Coop, en randonnée équestre ou pédestre, à frapper des balles ou à l'accompagner sur sa moto pétaradante. Elle s'étendait dans l'herbe auprès de lui pour compter les étoiles ou bien ils pique-niquaient au bord du torrent.

Pas une fois il ne fit une tentative d'approche.

Elle ne comprenait pas. Avec Jesse, il avait suffi d'un regard pour qu'il se jette sur elle. De même avec Dirk Pleasant, alors qu'elle avait juste fait quelques tours de grande roue en sa compagnie à la fête foraine.

Elle savait comment un garçon regardait une fille quand elle lui plaisait. Et elle avait vu ce regard chez Coop.

Alors, qu'attendait-il ?

Se répétant une dernière fois ce qu'elle allait faire, elle conduisit la moto presque jusqu'au bout du chemin de ferme, fit demi-tour et rejoignit Cooper, qui la regardait approcher.

– Bon, maugréa-t-elle, j'ai déjà fait six fois l'aller et retour. Tu vas bien finir par me laisser la prendre sur la route. Allez, monte avec moi !

– Tu as failli tomber au dernier virage.

– Failli, ça ne compte pas.

– Pour ma moto, si. Je n'ai même pas fini de la payer. Si tu as envie de faire une balade, c'est moi qui pilote.

– Allez !

Elle descendit, ôta son casque en agitant ses cheveux et lui prit la bouteille de Coca qu'il tenait à la main, non sans le gratifier de ce regard sensuel qu'elle avait tant travaillé dans la glace.

– Allez, insista-t-elle, juste un aller et retour sur trois kilomètres.

Ce disant, elle lui posa l'index sur la gorge, descendit doucement vers sa poitrine.

– Qu'est-ce que tu fais ? demanda-t-il d'une voix sourde.

– Si tu poses la question, c'est que je m'y prends mal.

Il ne recula pas ; elle n'ôta pas la main de sa poitrine, sentit les battements de son cœur s'accélérer. Certainement un bon signe.

– Méfie-toi de la façon dont tu abordes les garçons, Lilly. Ils ne sont pas tous comme moi.

– Tu es le seul que je drague.

Une lueur de colère traversa les yeux bleus de Coop. Elle s'attendait à tout, sauf à cela.

– Je ne suis pas un mannequin d'entraînement ! siffla-t-il.

– Qui a dit que je m'entraînais ?

Elle posa la bouteille sur la selle.

– Merci pour la leçon, ajouta-t-elle.

Vexée et gênée, elle se dirigea vers la clôture.

Apparemment, le petit New-Yorkais ne s'intéressait qu'aux filles de la ville. Grand bien lui fasse ! Elle n'avait pas besoin de lui pour…

Elle sentit une main se fermer sur son bras. Il l'attira si brusquement qu'elle se cogna contre lui.

– Qu'est-ce qui te prend ? lança-t-il.

– Toi, qu'est-ce qui te prend ? rétorqua-t-elle. Tu ne veux pas me laisser conduire ta moto sur quelques kilomètres, tu ne veux pas m'embrasser. Tu me traites comme si j'avais encore neuf ans. Si je ne t'intéresse pas, autant le dire tout de suite au lieu de…

Il la fit taire en appliquant la bouche sur la sienne si soudainement qu'elle en eut le vertige. Rien à voir avec les autres garçons.

Il avait les lèvres tièdes, la langue agile. D'un seul coup, elle se sentit exploser, comme libérée d'une tension. Lumière et chaleur.

Le souffle court, elle finit par le repousser.

– Minute, papillon !

Mais à quoi bon chercher sa respiration quand elle n'avait qu'une envie, recommencer sur-le-champ ? Elle se jeta contre lui avec une force qui les renversa tous deux à terre.

Elle lui avait bloqué le cœur. Il aurait juré que ses battements avaient cessé au moment où il avait commis la folie de l'embrasser. Sur le moment, il avait cru signer son arrêt de mort et puis tout avait rejailli dans un puissant élan vital.

Et il se retrouvait en train de rouler avec elle dans l'herbe qui bordait le chemin de la ferme. Il avait tellement envie d'elle qu'à son contact il ne put s'empêcher de pousser un geignement.

– Ça fait mal ? Attends…

– Ne touche pas ! cria-t-il d'une voix presque suppliante.

Qu'elle continue, et il ne répondrait plus de rien…

S'écartant d'elle, il s'assit dans l'espoir que le sang lui battrait moins les tempes.

– Qu'est-ce qui nous arrive ? balbutia-t-il.

– Tu as voulu m'embrasser.

Les yeux brillants, elle s'assit près de lui.

– Et puis c'est allé plus loin.

– Lilly, écoute…

– Je suis d'accord. Tu seras mon premier.

Elle souriait à pleines dents.

– Avec toi, ce sera bien, continua-t-elle. Maintenant, j'en suis sûre.

Elle crut lire une expression d'effroi sur son visage.

– Tu sais que tu ne pourras pas revenir en arrière…

– Tu as envie de moi, j'ai envie de toi, souffla-t-elle. Qu'est-ce qu'on attend ?

Elle se pencha vers lui, lui effleura les lèvres des siennes.

– J'ai aimé la façon dont tu m'as embrassée. Qu'est-ce qu'on attend ?

Revenu peu à peu de sa surprise, il secoua la tête en souriant.

– En principe, ce devrait être à moi de te proposer de faire l'amour.

– Tu ne me proposerais rien du tout si je n'en avais pas envie.

– Évidemment.

Elle posa langoureusement la tête sur son épaule. Et se releva d'un seul coup.

– Oh, là, là ! Tu as vu le ciel ? Là, au nord !

D'énormes nuages s'enroulaient autour d'une tornade à venir. Cooper prit la jeune fille par la main.

– Il faut rentrer.

– On est à des kilomètres de la maison. Ça va arriver avant. Tiens… là !

Le tourbillon venait de jaillir de la masse grise.

– Mes grands-parents !

– Non, ils sont loin de sa trajectoire. Il se dirige vers le Wyoming. On sent à peine le vent, ici.

– Et si ça dérive ?

Alors qu'il prononçait ces mots, il vit la tornade engloutir un groupe d'arbres.

– Ça ne dérivera pas. Regarde, Coop, derrière le mur de pluie, cet arc-en-ciel…

Il s'avisa que si elle regardait un arc-en-ciel lui ne voyait que la trombe noire dévaster tout ce qu'elle rencontrait sur son passage.

Ce qui en disait long sur leurs points de vue respectifs.

Devant la chambre de Lilly, Jenna poussa un soupir ; le rai de lumière sous la porte indiquait que sa fille n'était pas encore endormie. Elle avait vaguement espéré que, le temps qu'elle finisse de tout ranger, Lilly aurait éteint.

Elle frappa, ouvrit. Assise dans son lit, la jeune fille lisait, les cheveux répandus sur ses épaules.

– Tu travailles encore ?

– J'étudie un texte sur l'écologie et sur la gestion de la faune et de la flore. Je veux être prête pour le début des cours, et même prendre de l'avance. Il faut être parmi les meilleurs si on veut obtenir de bons sujets de recherche. Je te promets qu'il n'y aura pas beaucoup de candidats devant moi.

– Ton grand-père disait déjà la même chose. Qu'il s'agisse de ferrer les chevaux, de suivre les marchés, de discuter politique ou de jouer à la belote, il voulait toujours l'emporter sur les autres.

Elle était encore si jeune, cette gamine, si enfantine à certains points de vue. Et pourtant…

– Tu t'es bien amusée, ce soir ?

– Oui. Je sais que la plupart des filles de mon âge trouvent les soirées western trop ringardes, mais moi j'aime bien. Et puis ça fait plaisir de voir tous les voisins s'amuser, surtout papa et toi, quand vous dansez.

– Avec une musique aussi entraînante, c'est difficile de rester assis.

Jenna jeta un coup d'œil au livre, aperçut des schémas abscons.

– Qu'est-ce que c'est que ça ?

– Oh, juste des équations qui mesurent la densité de la faune par rapport au territoire. Tu vois, là, on a une formule pour le calcul de la moyenne dans chaque propriété. Et ça, c'est la variante représentée par…

Elle s'interrompit en souriant.

– Maman, ça t'intéresse ?

– Tu as oublié comme je t'aidais à faire tes devoirs de maths quand tu étais petite ?

– Non.

– Voilà, tu as ta réponse. Cela dit, tu n'as pas beaucoup dansé, ce soir.

– On préférait écouter la musique, et puis il faisait si beau dehors !

– Vous êtes plus que des amis, maintenant, Cooper et toi.

Lilly se raidit quelque peu.

– Maman…

– Tu sais très bien que nous l'aimons beaucoup. C'est un jeune homme bien et vous tenez l'un à l'autre, ça se voit. Vous n'êtes plus des enfants. Quand on passe le stade de l'amitié, on n'est plus loin de l'amour.

– On n'en est pas là.

– Bon, tant mieux, parce que, le jour où ça se produira, je veux que vous soyez prêts tous les deux.

Elle sortit de sa poche une boîte de préservatifs.

– Que vous preniez des précautions.

Sa fille prit un air ahuri.

– Maman…

– Il y a des filles qui estiment que c'est au garçon de s'en occuper. Mais tu es assez indépendante pour ne te fier qu'à toi-même. J'aimerais que vous attendiez encore un peu. Toutefois, si ce n'est pas le cas, tu dois au moins me promettre de te protéger.

– Promis. Je voudrais que ça marche avec lui. Je veux dire… avec lui je me sens si… si… oppressée dans le cœur et dans la tête… J'arrive à peine à respirer. Et quand il m'embrasse, c'est comme si… Enfin, c'est comme ça doit être. Je voudrais tant que ça marche avec lui… Il freine des quatre fers parce qu'il croit que je ne suis pas prête. Mais je le suis.

– En tout cas, tu viens de me rassurer. Je suis contente qu'il ne te mette pas la pression.

– En fait, si quelqu'un met la pression, ce serait plutôt moi.

– Lilly, nous avons déjà parlé de tout ça, de tes responsabilités devant l'amour. Sans compter que tu as grandi dans une ferme. Pourtant, si tu as encore des questions, n'hésite pas.

– D'accord. Au fait, papa sait que tu m'as donné des préservatifs ?

– Oui. Nous en avons discuté.

Prendre ses responsabilités… sa mère avait raison, comme toujours. Lilly réfléchissait, tout en préparant ses affaires. Une femme devait savoir ce qu'elle avait à faire.

Elle rangea les sacoches dans la fourgonnette, contente que ses parents soient partis en ville, ce qui lui évitait d'avoir à s'expliquer en long, en large et en travers.

Les grands-parents de Cooper se doutaient-ils de quelque chose ?

Au fond, peu importait, songea-t-elle en démarrant, toutes vitres ouvertes. Elle avait trois jours de liberté devant elle. Dans quelques semaines, elle prendrait la route de l'université et entamerait une nouvelle phase de sa vie.

Sans doute aurait-elle dû se sentir anxieuse ; ce n'était pourtant pas le cas. Enthousiaste, gaie, oui, mais pas anxieuse.

La jeune fille alluma la radio et chanta à tue-tête durant son trajet à travers les collines. Devant les fermes qu'elle dépassait, elle voyait des hommes réparer leurs clôtures, des vêtements sécher dans le vent. Elle ne put s'empêcher de s'arrêter pour prendre des photos et quelques notes lorsqu'elle aperçut un troupeau de bisons au milieu d'une prairie.

Comme elle arrivait au ranch, Cooper achevait de seller deux chevaux. Elle le héla d'un sifflement, vint à lui armée des deux sacoches.

– C'est quoi, tout ça ? demanda-t-il.

– Une surprise.

– Tu es chargée comme si on partait pour une semaine. On en a juste pour quelques heures.

– Tu me remercieras plus tard. Tu es seul ?

Il installa les sacoches sur les selles, et tous deux se juchèrent sur leurs montures.

– Mes grands-parents ont dû partir en ville. Ils ne devraient pas tarder, mais ils m'ont dit de ne pas les attendre si on était prêts.

– Je suis prête, tu peux me croire. Tiens, au fait, j'ai bavardé avec ma future camarade de chambre. On a reçu les listes, et elle voulait prendre contact. Elle vient de Chicago et étudie l'élevage et l'agriculture. Je suis sûre qu'on s'entendra bien. Enfin, j'espère, ce sera la première fois que je partagerai ma chambre.

– Tu vas bientôt le savoir.

– Oui. Et toi, tu t'entends bien avec ton coloc ?

– Il est souvent défoncé, mais ça ne me dérange pas.

– J'espère me faire des amis. Il paraît que ceux de la fac, on les garde pour la vie.

Ils avançaient d'un pas tranquille sous un immense ciel bleu.

– Et toi, demanda-t-elle, tu as déjà fumé ?

– Ça m'est arrivé une fois ou deux, mais je ne recommencerai pas : tout le monde le faisait, et j'avais l'herbe à portée de la main. Sur le moment, ça fait un peu drôle, jusqu'à ce que tu te prennes une énorme migraine. Franchement, ça n'en vaut pas la peine.

– Tu auras encore le même coloc cette année ?

– Il s'est fait virer. Bizarre, non ?

– Tu vas devoir tout recommencer avec un autre.

– Non, parce que je n'y retourne pas.

– Quoi ?

Elle arrêta net sa jument, mais Cooper continua d'avancer, si bien qu'elle dut le rejoindre au petit trot.

– Comment ça ? Tu ne retournes pas dans l'Est ?

– À la fac. J'en ai marre.

– Mais tu n'as que… tu n'as pas… Qu'est-ce qui s'est passé ?

– Rien. Justement. Ça ne me mènera nulle part, en tout cas pas où j'ai envie d'aller. C'est mon père qui a voulu m'orienter vers le droit. Il paiera mes études tant que je ferai ce qu'il voudra. Mais ça, c'est fini.

Elle le voyait serrer les dents, le regard fixe, signes qui ne trompaient pas.

– Je ne veux pas être avocat, et surtout pas dans ce genre de cabinet de luxe. Quand je pense que j'ai passé mon enfance à essayer de lui faire plaisir, à guetter son approbation ! Tout ça pour en arriver où ? Il ne paie mes études que pour que je fasse ce qu'il veut. Il était furax que je n'entre pas à Harvard. Tu te rends compte ?

– Tu aurais très bien pu y entrer si tu avais voulu.

– Mais non, Lilly ! Toi, tu aurais pu, c'est toi, l'intello, le petit génie.

– Tu es intelligent…

– Ça ne suffit pas. Pour ce genre d'études, il faut autre chose. De toute façon, j'ai horreur de cette vie-là.

Au-delà de la colère perçait une immense tristesse.

– Je me sentais coincé. Avec lui, on n'a pas le choix, comme s'il avait toujours raison. C'est pour ça qu'il réussit dans son métier. Seulement je n'ai aucune envie de suivre la même voie que lui. Cela fait longtemps que j'avais l'impression de m'engager dans une voie qui ne me convenait pas. Maintenant, c'est fini.

– Je regrette que tu ne me l'aies pas dit avant. On aurait pu en parler.

– Peut-être. Je n'en sais rien. Tout ce que je sais, c'est que tout ça venait de lui, pas de moi ; ça tournait autour de mon père et de ma mère, de leurs éternelles disputes, de leur culte des apparences. Ça aussi, c'est fini.

– Tu t'es fâché avec tes parents avant de partir ?

– Quand même pas. Je leur ai dit ce que j'avais sur le cœur et ils m'ont fixé un ultimatum. Ou je passais l'été en stage dans le cabinet familial ou ils me coupaient les vivres.

Ils traversèrent un ruisseau en silence. Dans le clapotis de l'eau sur les sabots, Lilly tâchait d'imaginer la situation. Jamais ses parents ne l'auraient ainsi lâchée, en aucune circonstance.

– C'est pour ça que tu es venu.

– J'en avais l'intention, de toute façon. J'ai assez d'argent pour me payer un logement. Je ne suis pas très exigeant. D'autant que je ne comptais pas retourner vivre avec ma mère. Je ne remettrai jamais les pieds là-bas.

Un souffle d'espoir la traversa.

– Et si tu restais ici, avec tes grands-parents ? Ils ne demanderaient que ça. Tu pourrais les aider au ranch. Tu pourrais même t'inscrire à des cours…

Au regard qu'il lui jeta, elle sentit cet espoir s'envoler aussitôt.

– Je ne souhaite pas reprendre mes études, Lilly. Ce n'est pas mon truc. Toi, c'est autre chose. Tu as choisi ce que tu veux faire depuis le jour où tu as vu ce couguar.

– Je ne savais pas que tu allais si mal. Si tu ne voulais pas être avocat, c'était injuste de la part de ton père…

– Le mal ne vient pas de lui mais plutôt de moi. Je ne suis pas fait pour les études, point.

– Mais tu ne resteras pas là pour autant.

– Pas pour le moment, en tout cas. Je ne sais pas ce que je veux faire, au juste. La solution de facilité consisterait à rester ici. J'ai un logement, un travail, ma famille et toi.

– Mais…

– Mais ce serait mettre la charrue devant les bœufs. Il faut que je me réalise. Ici, je suis le petit-fils de Sam et Lucy. Or j'ai envie d'être moi. Je me suis inscrit à l'école de police.

Elle faillit en perdre l'équilibre.

– La police ? Où as-tu pêché cette idée ? Jamais tu n'as dit que tu voulais devenir flic.

– Durant mes études de droit, j'ai un peu abordé le fonctionnement des services d'ordre et la criminologie. C'est la seule chose qui m'ait intéressé en deux ans. La seule matière où je me sois distingué. Il me reste une bourse pour assurer cette formation et j'aurai vingt ans quand je commencerai. Ça va durer six mois, je suis certain que je m'en sortirai bien. Alors j'ai envie d'essayer. Il me faut quelque chose qui me soit propre. Je ne sais pas comment te l'expliquer.

– Tu en as parlé à tes grands-parents ?

– Pas encore.

– Et tu travailleras à New York ?

– Pour une fois que je ferai ce qui m'intéresse… Je croyais que tu comprendrais.

– Bien sûr.

Lilly le regrettait presque. Elle aurait aimé le voir s'installer là, auprès d'elle.

– Seulement c'est si loin…

– Je reviendrai dès que je le pourrai. Peut-être pour Noël.

– Moi aussi, je pourrais aller à New York. Par exemple pendant les vacances de février ou… l'été prochain.

Il parut presque rasséréné.

– Je te ferai visiter. Il y a tellement de choses à voir, là-bas, tellement à faire… J'aurai mon appartement. Ce ne sera pas très grand mais…

– Peu importe.

Ils s'arrangeraient. Mais les choses ne lui semblaient pas aussi faciles en ce qui concernait leurs relations.

– Tu sais qu'il y a des flics dans le Dakota du Sud aussi, précisa-t-elle avec un sourire. Tu pourrais un jour devenir le shérif de Deadwood.

L'idée le fit rire.

– Il faut d'abord que je termine cette école. Il y a plein de gens qui échouent.

– Pas toi. Tu réussiras. Tu rendras service à la société, tu résoudras des crimes pendant que je passerai mon diplôme pour sauvegarder la vie sauvage.

Nora Roberts

Elle se dirigea vers le coin qu'elle avait choisi. Il fallait que ces instants soient parfaits. Pas question de laisser un avenir incertain les gâcher.

Le soleil filtrait à travers les branches pour venir scintiller sur les eaux du torrent. De petites fleurs des champs s'épanouissaient dans la lumière et les chants des oiseaux servaient de musique de fond.

Ils mirent pied à terre, attachèrent les chevaux. Lilly ouvrit sa sacoche.

– On devrait commencer par dresser la tente.

– La quoi ?

– Je voulais te réserver la surprise. On a deux jours. Tes grands-parents et mes parents sont d'accord.

Elle posa les mains sur son torse.

– Et toi, tu veux bien ?

– Ça fait un moment qu'on n'a pas campé. La dernière fois, je partageais ma tente avec ton père. Mais les choses ont changé, Lilly.

– Je sais. C'est pour ça qu'on a une seule tente et un seul sac de couchage.

Elle lui effleura les lèvres.

– Ça te dit, Cooper ?

– Tu le sais bien.

Il la serra dans ses bras, l'embrassa subitement avec une telle vigueur qu'elle en fut remuée.

– Enfin, Lilly, tu le sais bien ! Si tu étais sûre de toi, tu ne me poserais pas la question. Mais… nous ne sommes pas prêts. Une tente, ça ne suffit pas pour ce qui nous intéresse, du moins pas une tente de la taille de celle qui se trouve dans ta sacoche.

Elle se blottit contre lui en riant.

– J'ai une boîte de capotes.

– Pardon ?

– De préservatifs. J'ai une boîte de préservatifs.

– Une boîte ? À quoi va servir celle que j'ai apportée, alors ? Où est-ce que tu te l'ai procurée ?

– C'est ma mère qui me l'a donnée.

– Ta…

Fermant les yeux, il s'assit sur un rocher.

59

– Ta mère t'a donné une boîte de préservatifs et t'a laissée venir ici avec moi ?

– En fait, elle me les a donnés il y a une semaine et m'a fait promettre d'être prudente. Alors voilà.

Un peu pâle, Cooper se frotta les mains sur la toile de son jean.

– Ton père est au courant ?

– Bien sûr. Il n'est pas à la maison en train de charger son fusil, rassure-toi.

– Ça fait bizarre, quand même. Je vais avoir le trac, maintenant.

– Pas moi. Aide-moi à dresser la tente.

Il se releva, et tous deux se mirent à la tâche.

– Tu l'as déjà fait ?

Il haussa les sourcils.

– Tu ne parles pas de camper, là. Oui, mais pas avec quelqu'un qui… ne l'avait jamais fait. Tu risques de souffrir et je ne sais même pas si c'est agréable pour les filles la première fois.

– Je te le dirai. On pourrait commencer maintenant.

– Maintenant ?

– Oui, j'ai prévu une couverture supplémentaire. Et, comme tu as apporté tes propres préservatifs, on pourrait les utiliser d'abord. Tout est prévu. On est tranquilles.

– Tu es vraiment spéciale.

– Montre-moi ce qu'il faut faire, tu veux ? Tu es la seule personne avec qui j'aie envie d'apprendre.

Il l'embrassa, encore debout sur la couverture, au soleil. Il y mit toute la tendresse, tous les égards possibles.

Évidemment, elle avait raison. Cela ne devait, ne pouvait que se passer là, dans ce monde qui leur appartenait, où ils avaient appris la vie ensemble. Ils s'agenouillèrent face à face et elle poussa un grand soupir contre sa bouche. Il lui caressa les cheveux, le dos, le visage, pour finir par poser les mains sur sa poitrine.

Alors il lui ôta sa chemise, et, dans un sourire, elle fit de même pour lui. Elle retint son souffle lorsqu'il lui défit son soutien-gorge puis ferma les yeux en soupirant.

– Tu as le corps tout doré, remarqua-t-il.

– Tu n'as pas encore tout vu. Je sens vibrer en moi des nerfs dont j'ignorais l'existence. J'ai l'impression de bouillir de partout. C'est la même chose pour toi ?

– À cette différence près que je connaissais leur existence, Lilly.

Là-dessus, il lui embrassa les seins, y promena une langue gourmande qui la fit gémir de plaisir. Elle l'entoura de ses bras, comme pour l'inciter à poursuivre, et ne le lâcha pas alors qu'ils tombaient sur la couverture.

Elle ne s'attendait pas à tant de sensations, à cette tempête qui lui agitait tout le corps. Rien de ce qu'elle avait lu, ni dans les romans ni ailleurs, ne l'avait préparée à ce qu'elle éprouvait. À son tour, elle lui lécha les épaules, la gorge, le visage, comme pour mieux le goûter et s'en nourrir. Il descendit vers la ceinture de son jean pour l'ouvrir d'une main fébrile, la faisant frissonner d'émoi.

Pourtant, il recula lorsqu'elle entreprit de faire de même avec lui.

– Il faut que je…, souffla-t-il en fouillant dans sa poche. Avant d'oublier, de perdre la tête…

Il sortit le préservatif puis se déshabilla sous les yeux avides de la jeune fille. Alors seulement il se précipita vers elle et se remit à l'embrasser sur tout le corps.

Lentement, méthodiquement, il progressa vers elle, la préparant avec douceur. Et, noyée dans un monde où rien ne comptait plus que ses perceptions à fleur de peau, elle le sentit entrer peu à peu en elle, la relâcher, revenir. Instinctivement, elle se cambra pour mieux s'offrir à lui.

Jusqu'au moment où elle rouvrit les paupières pour ne voir que l'intense regard bleu posé sur elle. Cela faisait mal. Un court instant, la douleur fut si forte qu'elle faillit submerger son plaisir.

– Pardon, souffla-t-il en la sentant se raidir.

S'agrippant à ses hanches, elle l'attira en elle. La douleur revint, plus aiguë, plus brûlante encore. Cette fois, il était en elle. Avec elle.

Elle dut encore s'accrocher pour rester en communion avec lui, mais, bientôt, elle le sentit remuer en elle.

Il s'était mis à trembler, et ce fut comme si le sol au-dessous d'eux vibrait des mêmes convulsions. En elle, tout explosait.

Comme le plaisir parvenait à submerger la douleur, elle ne réprima plus le long cri qui lui jaillit de la gorge.

5

Ils plongèrent dans le torrent pour se laver et s'envoyer de l'eau à la figure en riant.

Encore mouillés, à demi nus, ils se jetèrent sur la nourriture que Lilly avait apportée. Laissant ensuite les chevaux sommeiller sous les arbres, ils allèrent marcher un peu.

Elle s'arrêta sous les pins pour lui montrer des traces.

– Tiens, une meute de loups. Les rivaux naturels des félins. En général, ils ne s'affrontent pas, parce qu'il y a bien assez de gibier pour tous.

Il lui posa la main sur l'épaule.

– J'aurais dû me douter que tu avais une raison de m'amener ici.

– Je me demandais si nous étions sur le territoire de la femelle couguar que j'ai repérée, mais, en fait, elle doit habiter plus loin, vers l'ouest, à cause des loups. Il va falloir prévoir un refuge.

– Pour quoi faire ?

– Pour protéger ces espèces menacées. On les tue, on les blesse, on les capture pour en faire des animaux de compagnie et puis on se rend compte qu'ils ne s'adaptent pas. J'essaie toujours de convaincre mon père, mais j'y arriverai.

– Ici ? Dans les collines ?

– Ici, à Paha Sapa, les « collines noires » pour les Indiens Lakota, une terre sacrée. Ça semble justifié, non ? Surtout pour ce que je veux y faire.

– C'est chez toi. Tu as raison. Mais ça m'a l'air un peu difficile…

– Je sais. J'ai vérifié comment étaient conçues les autres réserves. J'ai encore beaucoup à apprendre ; on chevaucherait un peu dans le parc national, ce qui devrait parler en notre faveur et nous valoir des aides. Mais il nous en faudra beaucoup.

À mesure qu'elle parlait, il avait l'impression de la voir s'éloigner de lui.

– Tu vas devoir beaucoup réfléchir, commenta-t-il.

– C'est sûr. Je vais y consacrer toutes mes études, préparer un modèle viable. Papa sait que je ne serai jamais agricultrice ni éleveuse. Il l'a toujours su.

– Tu ne connais pas ta chance.

– Oh si ! souffla-t-elle en lui prenant la main. Et si un jour tu t'aperçois que tu ne tiens plus trop à faire carrière à New York, tu pourras revenir ici nous donner un coup de main.

– Ou devenir le shérif de Deadwood.

Elle se jeta dans ses bras.

– Je ne veux pas que tu disparaisses, Cooper !

– Il n'en est pas question, assura-t-il en l'étreignant.

– Je ne veux vivre avec personne d'autre que toi.

Posant la joue sur sa tête, il regarda le sentier derrière eux.

– Je reviendrai, comme toujours.

Cette nuit-là, sous les étoiles, elle se blottit dans ses bras et entendit les feulements du couguar.

Son talisman, son porte-bonheur.

Tout en se demandant pourquoi elle ressentait un tel vague à l'âme, elle posa la tête sur sa poitrine et s'endormit.

Jenna regardait par la fenêtre l'orage qui grondait dans le lointain et menaçait d'arriver sur eux. Ce n'était ni la première ni la dernière fois qu'ils risquaient de subir une tempête. Elle aperçut sa fille et Cooper arriver à cheval ; en compagnie de Josiah et de Sam, ils rentraient d'une inspection des clôtures de la propriété.

Même à cette distance, on voyait bien que ces deux-là étaient amants : si jeunes, si épris l'un de l'autre...

– Il va lui briser le cœur.

– J'aimerais pouvoir jurer que non.

Lucy lui posa une main sur le dos.

– Elle croit que tout va se passer selon ses désirs, comme elle l'a prévu. Je ne pourrais la convaincre du contraire, elle refuserait de me croire.

– Il l'aime.

– Oh, je sais, je sais ! Pourtant, il va s'en aller. C'est comme ça. Pour elle, les choses ne seront plus jamais comme avant. Elle a franchi un cap et ne pourra revenir en arrière.

– Nous espérions qu'il allait rester. Quand il nous a dit qu'il ne retournait pas à la fac, j'ai cru que c'était gagné, qu'il allait finir par reprendre le ranch. Jusqu'à ce qu'il annonce ce qu'il avait décidé.

– Entrer dans la police… Qu'en penses-tu, Lucy ?

– Ça me fait un peu peur. D'un autre côté, j'espère qu'il s'y épanouira, qu'il y trouvera une certaine fierté.

– Moi, ce que je redoute le plus, c'est qu'il lui demande de venir avec lui et qu'elle accepte. Elle est jeune et amoureuse, elle n'a pas froid aux yeux. Comme les filles de son âge.

Jenna saisit le pichet de limonade.

– Elle va suivre son cœur, et il risque de l'entraîner bien loin d'ici.

– Je sais. Ça m'a fait un drôle d'effet quand ma Missy est partie, du jour au lendemain.

Comme si elle était chez elle, Lucy alla chercher des verres dans le placard.

– Heureusement, ajouta-t-elle, il ne ressemble pas à sa mère. Pas plus que ta fille, d'ailleurs. Missy ne pense qu'à elle. Elle n'est pas méchante mais elle n'a pas de cœur, c'est tout.

Son verre plein à la main, elle revint vers la fenêtre.

– Ces deux-là ont l'air de chercher autre chose. Mais ta fille sait ce qu'elle veut, tandis que mon petit-fils…

– Je ne sais pas si tu as oublié ton premier amour. Moi, c'était Josiah, je n'ai donc pas eu ce problème. Je ne veux pas qu'elle souffre, Lucy. Or ils vont souffrir tous les deux.

– Ils ne se perdront jamais de vue. Ils sont trop liés. Mais nous ne pouvons rien pour eux… que regarder venir l'orage.

– Je sais.

Précédant de peu la pluie, le vent soufflait par rafales et les éclairs bataillaient au-dessus des collines à coups de lueurs bleutées, aveuglantes. La foudre atteignit un peuplier qu'elle fendit en deux.

– Il est mauvais, celui-là, observa Lilly, installée sur le perron à l'arrière de la maison.

Dans la cuisine, les chiens se cachaient sous la table en geignant. La tourmente pouvait s'éloigner aussi vite qu'elle était arrivée. Mais la grêle pouvait aussi tout détruire sur son passage, récolte et bétail. Au milieu des collines, les animaux trouveraient refuge dans leurs tanières, dans des grottes, ou même parmi les hautes herbes et la broussaille. Comme les gens dans leurs maisons ou leurs voitures.

Le tonnerre retentit, secouant la vallée.

– On n'a pas ça, à New York, remarqua Coop.

– En ville, c'est une plaie ; ici, c'est une aventure qui peut parfois tourner à la tragédie.

– Va chercher un taxi en centre-ville en plein orage, ma belle. Crois-moi, c'est l'aventure.

Il fut interrompu par un déluge qui s'abattit avec une violence folle. Lilly se tourna vers Cooper pour l'embrasser tout aussi passionnément. Rebondissant sur le sol, la pluie leur arrosait furieusement les pieds, attisée par le vent qui agitait les anciennes cloches d'appel disposées autour des granges et des dortoirs.

Elle s'écarta, non sans lui avoir mordillé la lèvre.

– Chaque fois que tu entendras le tonnerre, tu te souviendras de ça.

– Où est-ce qu'on peut s'isoler ?

Elle jeta un coup d'œil vers la fenêtre de la cuisine déserte. Ses parents et les Wilks s'étaient installés sur la véranda de devant pour regarder l'orage.

– Viens vite !

Riant aux éclats, elle l'attrapa par la manche et l'entraîna sous les trombes d'eau. Ils étaient trempés jusqu'aux os lorsqu'ils atteignirent l'écurie.

Un éclair déchira le ciel tandis que tous deux poussaient en hâte la porte pour se jeter à l'intérieur. Dans leurs stalles, les chevaux s'agitaient, inquiets d'entendre la pluie tambouriner sur le toit et le tonnerre gronder.

Dans le grenier à foin, les deux jeunes gens ôtèrent en hâte leurs vêtements mouillés.

Ce serait leur dernière journée ensemble. Cooper dirait au revoir à Josiah, à Jenna, et à Lilly.

Ils gagnèrent à cheval leur coin favori, au bord du torrent où s'épanouissaient les fleurs des champs.

– Si on continuait un peu ? proposa-t-elle. On reviendra ici, mais, quand on s'arrêtera, ce sera la dernière fois. Alors on pourrait pousser un peu plus loin.

– J'essaierai de revenir pour Thanksgiving. Ce n'est pas si loin.

– Non, pas si loin.

– Pour Noël, c'est sûr.

– Pour Noël, c'est sûr. Je pars dans huit jours.

Elle n'avait pas commencé à préparer ses bagages. Elle préférait attendre que Cooper soit parti. Un peu comme un symbole : tant qu'il serait là, rien ne bougerait, rien ne changerait.

– Pas trop le trac d'entrer à l'université ?

– Le trac, non. Je suis juste un peu curieuse. D'un côté, j'ai hâte de voir ce qu'il en est, de commencer. D'un autre, je voudrais que tout s'arrête. Je n'ai pas envie d'y réfléchir aujourd'hui. On verra plus tard.

Elle lui prit la main, et ils restèrent silencieux, la tête pleine de questions qui ne trouveraient pas de réponse.

Ils passèrent devant une petite cascade engorgée par les orages d'été, traversèrent une prairie verdoyante. Refusant de se laisser abattre, elle sortit son appareil photo.

– Eh !

Il sourit quand elle braqua son objectif sur lui. Puis, comme leurs chevaux marchaient de concert, elle se rapprocha de lui et prit la photo à bout de bras.

– Tu vas nous couper la tête, observa-t-il.

– Je suis sûre que non. Je t'enverrai une épreuve : Cooper et Lilly dans l'arrière-pays. On verra ce que tes collègues policiers en penseront.

– Ils se diront que j'ai de la chance.

Ils galopèrent un peu parmi les pins et les bouleaux, jusqu'à ce que Lilly arrête sa monture.

– Le couguar est passé par là. La pluie a balayé presque toutes les pistes, mais il reste les traces sur les troncs d'arbres.

– La femelle ?

– Peut-être. On n'est pas loin de l'endroit où je l'ai aperçue la dernière fois.

Cela remontait à deux mois. Les petits devaient être sevrés à présent et assez grands pour que leur mère les emmène avec elle à la chasse.

– Tu vas essayer de la repérer ?

– Oui. Seulement je ne suis pas certaine d'y parvenir. Avec toute cette eau, elle a pu changer d'habitudes, mais pas forcément. Ce serait une chance qu'on la voie ensemble pour ton dernier jour, comme ça nous est arrivé pour ton premier jour.

À tout hasard, il avait pris le fusil, sans lui en parler, car Lilly ne serait jamais d'accord avec ce genre de mesure.

– On y va, approuva-t-il.

À la recherche d'indices, elle prit la tête.

– Dommage que je ne sois pas une bonne pisteuse.

– Tu égales ton père, maintenant. Tu es peut-être même meilleure.

– Je n'en suis pas certaine. J'aurais dû m'entraîner davantage cet été.

Elle lui décocha un sourire avant d'ajouter :

– Sauf que j'ai été distraite.

Elle s'arrêta, dirigea son cheval vers la droite.

– Tiens, des traces de couguar ! Ça remonte à hier ou à avant-hier. Nous sommes sur son territoire ou sur celui d'une autre femelle.

– Pourquoi pas d'un mâle ?

– Parce que, en dehors de la saison des amours, ils se tiennent à l'écart. Le moment venu, ils rappliquent : « Salut, poupée, tu en as envie et moi aussi. C'est sûr, je t'aime. Je vais t'honorer toute la matinée. Ensuite, je me barre. »

Il écarquilla les yeux.

– Tu n'as aucun respect pour les mâles.

– Oh, pas systématiquement. Certains d'entre vous sont sympas. Et puis toi, tu m'aimes.

Elle se ravisa soudain, regrettant de ne pouvoir ravaler ces paroles. Alors elle posa sur lui un regard inquiet.

– N'est-ce pas ?

– Je n'ai jamais éprouvé pour personne ce que j'éprouve pour toi. Et puis je t'honore toujours le matin.

Au fond d'elle-même, Lilly n'était pas ravie de cette réponse. Les paroles lui convenaient, mais ne les avait-elle pas suscitées ?

Elle poursuivit son chemin vers les hautes herbes où elle avait vu le félin s'emparer du bisonneau. Elle y trouva d'autres traces. De couguar et de daim. La prairie piétinée par une harde de cervidés.

Cependant, rien ne bougeait autour d'eux.

– Joli coin, observa Coop. On est toujours sur vos terres ?

– Oui. Ma mère m'a raconté qu'autrefois il y avait des ours, mais on les a trop chassés. Le couguar et le loup sont restés, seulement il faut les chercher pour les trouver. Dans ces collines, toutes sortes d'espèces s'entrecroisent… Regarde ! Il y a du sang.

– Où ?

– Sur cet arbre. Sur le sol également. Des taches déjà sèches.

Elle sauta à terre.

– Attends ! Si cette femelle est sur son terrain de chasse, elle ne sera pas contente de t'y trouver.

– Pourquoi ce sang si haut sur l'arbre ?

Sortant son appareil photo, elle s'en approcha.

– Même si elle avait attrapé une biche ou un daim, ce ne sont pas des traces normales de bagarre.

– Parce que tu connais les normes, toi ?

– En principe, oui. Et abaisse ce fusil, je ne veux pas que tu la prennes pour cible.

– Moi non plus.

S'il s'était entraîné dans un champ de tir, c'était bien le seul endroit où il ait jamais utilisé une arme à feu. Et il se refusait à tuer un animal, surtout ce genre de félin.

Lilly s'était mise à fouiller les alentours.

– On dirait qu'elle a emporté sa proie par là. Tu vois ces traces ? Et encore plus de sang. Il y en a par terre, dans les broussailles ; elle a entraîné le bisonneau un peu plus loin, vers l'est. Peut-être qu'elle a changé de tanière, ou alors il s'agit d'un autre félin. Faisons comme si de rien n'était. Tant qu'on n'a pas l'air de les menacer, elle ou ses petits, on ne risque rien.

En suivant la piste, elle découvrit également des traces de pas humains, ce qui ne la surprit guère ; sans doute le couguar s'était-il déplacé pour éviter des promeneurs.

– Si je pouvais les prendre en photo, elle ou ses petits…

Elle s'arrêta, renifla.

– Tu sens cette odeur ?

– Oui, maintenant que tu le dis. Une bête morte, peut-être. Attends, j'y vais, reste derrière moi.

– Mais…

– Tu te mets derrière le fusil ou on s'en va ! Je suis plus fort que toi, Lilly.

– Tu veux jouer les machos.

– Si tu le dis.

Suivant les odeurs, ils inspectèrent buissons et rochers autour d'eux.

– Je me demande, soupira Lilly, comment elle peut avaler des proies qui empestent à ce point. En fait, elle l'a sans doute abandonnée après en avoir mangé un morceau. Elle a dû être dérangée. Regarde encore tout ce sang, là-bas. Attention, si elle estime que cette dépouille lui appartient, elle ne tardera pas à nous le faire savoir. J'ai hâte de voir de quoi il s'agit.

– Il s'agit d'un mort.

– Oui, mais de quelle espèce ? Ça m'intéresse… Oh, mon Dieu ! Cooper !

À son tour, il vit. Une proie humaine.

Lilly n'était pas fière de sa réaction : les jambes flageolantes, prise de vertige, elle avait bel et bien failli s'évanouir.

Elle ne parvint à noter ses repères que parce que Cooper lui avait ordonné de rester derrière. Elle s'obligea à tout observer avant d'aller rejoindre son cheval pour prendre de l'eau dans sa sacoche et boire à grandes goulées.

Finalement, elle retrouva assez de maîtrise pour marquer les lieux à l'intention de ceux qui viendraient bientôt chercher le cadavre. Sur le chemin du retour, Cooper garda son fusil à portée de main.

Elle pouvait dire adieu à leur dernière étreinte au bord du torrent.

– Range ton arme. Ce n'est pas un couguar qui a tué ce type.

– Cette femme, rectifia-t-il, si je me fie à la taille et au style de ses chaussures, ainsi qu'à ce qu'il reste de ses cheveux. Tu crois que ce sont les loups ?

– Non, je n'ai vu aucune trace de loup dans les parages. Ici, on est dans l'habitat du couguar, qui n'attaque pas l'homme. Ce n'est pas un animal qui l'a tuée.

– Enfin, Lilly ! Tu as vu la même chose que moi.

– Oui. Mais ça s'est passé après. Ils sont venus se nourrir une fois qu'elle était morte. Tiens, le sang qu'on a vu, au début, c'était trop haut dans l'arbre, et aucune trace de félin autour. En fait, il n'y en avait qu'à une dizaine de mètres de là. Je suis sûre que c'est un humain qui l'a tuée. Avant de l'abandonner sur place, de la livrer aux fauves.

– De toute façon, elle est morte. Il faut nous dépêcher d'aller avertir la police.

Dès que le sentier s'élargit, ils lancèrent leurs montures au galop.

Le père de Lilly leur donna du whisky, juste une gorgée à chacun. La brûlure de l'alcool chassa les dernières nausées de la jeune fille. Si bien qu'elle put répondre aux questions des enquêteurs dès que ceux-ci se présentèrent.

– J'ai repéré les lieux, indiqua-t-elle au shérif adjoint Bates.

Celui-ci déplia une carte du comté, et Lilly put lui montrer le chemin qu'ils avaient suivi avant de découvrir le cadavre.

– Malgré les pluies récentes, il y avait encore beaucoup de sang. Celui qui l'a tuée l'a fait sous l'arbre que j'ai marqué parce que les éclaboussures montaient jusqu'à environ un mètre soixante-dix sur le tronc. Ensuite, il l'aura traînée sur la piste, là où le couguar a dû la trouver.

Bates prit note en hochant la tête. Il avait l'air tranquille, rassurant.

– Selon vous, mademoiselle Chance, pourquoi l'aurait-on tuée ? D'après ce que vous dites, je pencherais plutôt pour l'attaque d'un couguar.

– Vous en avez vu beaucoup, vous, des couguars qui attaquaient les hommes dans la région ?

– Ça peut arriver.

– D'abord, les félins prennent leurs victimes à la nuque, intervint Coop. Pas vrai, Lilly ?

– Si. Ils leur brisent les cervicales. Vite fait, bien fait.

– Quand on vous égorge, le sang gicle partout, tandis que là ça ressemblait plus à une traînée.

Bates haussa les sourcils.

– Dites-moi, je suis tombé sur une experte en couguars et en médecine légale ? Je tiendrai compte de vos remarques. Nous allons examiner tout ça.

– Vous allez devoir procéder à une autopsie pour déterminer la cause de la mort, dit Coop.

– En effet. Nous verrons bien s'il s'agit d'une attaque de couguar ou autre chose, rassurez-vous.

– Puisque Lilly vous dit que ce n'était pas un couguar !

– On n'a pas signalé la disparition d'une femme, récemment ? intervint la jeune fille.

– C'est possible, dit le policier en se levant. Nous allons vérifier tout ça. Il se peut que je revienne vous interroger.

Lilly demeura silencieuse jusqu'à ce que Bates ait rejoint les deux cavaliers qui l'accompagnaient.

– Il croit qu'on a raconté des histoires, maugréa-t-elle. Qu'on n'a vu qu'un cadavre de cerf et qu'on s'est monté la tête.

– Il va vite changer d'avis.

– Tu ne lui as pas dit que tu partais demain matin.

– Je peux rester un jour de plus, le temps qu'ils découvrent de qui il s'agit.

– Vous avez faim ? s'enquit Jenna.

Comme Lilly faisait non de la tête, sa mère l'attira contre elle.

– C'est terrible, maman ! Finir comme ça…

– Viens, je vais te faire couler un bain chaud.

Resté seul avec Coop, Josiah leur versa à chacun du café avant de revenir s'asseoir à côté de lui.

– Tu as protégé ma fille, aujourd'hui. Je sais qu'en règle générale elle est assez grande pour se débrouiller toute seule. Mais, là, elle avait besoin de toi et tu as assuré. Je ne l'oublierai pas.

– Je ne voulais pas qu'elle voie ça. Moi-même, je n'avais jamais assisté à un tel spectacle et j'espère que ça ne se reproduira pas. Seulement je n'ai pas pu l'empêcher de regarder.

– Tu as fait ce que tu as pu, c'est déjà bien. Cooper, je voudrais te demander une chose : ne lui fais pas de promesse que tu ne pourrais tenir. Elle est solide, ma fille, mais je ne veux pas qu'elle s'accroche à des illusions.

– Franchement, je ne vois pas ce que je pourrais lui promettre en ce moment. J'ai juste de quoi louer quelques mois un appartement pas trop cher. Il faut que je réussisse du premier coup l'école de police, et encore, un flic débutant, ça ne gagne pas beaucoup. Je toucherai un peu d'argent quand j'aurai vingt et un ans, les intérêts d'un compte ouvert à ma naissance. J'en toucherai davantage à vingt-cinq, et encore plus à trente. Et ainsi de suite. Sauf que mon père a menacé de tout bloquer, et il en est capable, jusqu'à mes quarante ans.

– Ce n'est pas demain la veille, remarqua Josiah en souriant.

– Tant pis, je vivrai chichement pendant un certain temps. Alors, vous voyez, je ne peux pas demander à Lilly de venir à New York. J'y ai beaucoup réfléchi. Je n'ai rien à lui offrir, là-bas ; au contraire, je la priverais de tout ce qu'elle aime. J'ai beau tenir à elle, je suis incapable de lui faire une promesse.

– Je comprends, et ça me suffit. Sale journée, pas vrai ?

– Catastrophique. Elle voulait voir ce couguar, me le montrer. Ça a mal tourné. Et je ne parle pas de la malheureuse abandonnée là-haut.

Elle s'appelait Melinda Barrett. Elle avait vingt ans. Elle était partie se promener dans les Black Hills. Étudiante, elle venait de l'Oregon, où vivait sa famille. Elle voulait devenir ranger.

Ses parents avaient signalé sa disparition le jour même où son corps avait été découvert, parce qu'elle aurait dû rentrer deux jours auparavant. Avant que le couguar s'en prenne à elle, on lui avait fracassé le crâne, poignardé la poitrine. On ne retrouva ni son sac à dos, ni sa montre, ni la boussole que son père lui avait offerte et qui lui venait de son père à lui.

À la demande de Lilly, Cooper était passé en début de matinée, à moto, à la ferme des Chance. Le meurtre de Melinda Barrett avait retardé son départ de deux jours.

Il la vit sur la véranda, avec les chiens qui lui tournaient autour, les collines dans le lointain. Jamais il n'oublierait cette scène.

Quand il coupa le moteur de son engin, les chiens vinrent réclamer des caresses. Quant à Lilly, elle se jeta dans ses bras.

– Tu promets de me téléphoner dès que tu arriveras à New York ?

– D'accord. Ça va ?

– Il s'est passé tant de choses… Je croyais qu'on aurait un peu plus de temps ensemble, tranquilles. Personne ne sait ce qui est arrivé à cette pauvre fille, ou s'ils le savent ils ne veulent pas le dire. Je ne peux pas m'empêcher de penser à elle. Et nous, on n'a pas eu le temps…

Se soulevant sur la pointe des pieds, elle l'embrassa.

– Je reviendrai bientôt, assura-t-il.

– Je sais que tu dois t'en aller, mais… tu as mangé quelque chose ? Tu n'as besoin de rien ?

Malgré ses larmes, elle s'efforçait de sourire.

– Tous les prétextes sont bons…

– J'ai pris mon petit déjeuner. Nanny m'a fait des galettes d'avoine. Elle sait que j'adore ça. Ils m'ont donné 1 000 dollars. Tu te rends compte ? Ils y tenaient absolument.

– Tant mieux.

Elle l'embrassa encore.

– Au moins, je saurai que tu ne meurs pas de faim dans un caniveau. Tu vas me manquer, Coop. Tu me manques déjà ! Va-t'en vite.

– Je t'appellerai. Toi aussi, tu vas me manquer.

– Bonne chance à l'école de police !

Il remonta sur sa moto, regarda Lilly une dernière fois.

– Je reviendrai.

– Reviens-moi, murmura-t-elle.

Elle le suivit des yeux jusqu'à ce qu'il ait complètement disparu. Dans la lumière du matin, elle s'assit par terre et prit les chiens dans ses bras pour mieux pleurer.

6

DAKOTA DU SUD

Février 2009

Le petit Cessna se mit à vibrer et à donner quelques secousses alors qu'il survolait les collines, les plaines et les vallées. Lilly changea de position. Non parce qu'elle avait peur, elle en avait vu d'autres, mais pour mieux voir le paysage sous ses pieds. Ses Black Hills blanches sous la neige de février n'offraient plus qu'une masse ronde de dômes et de coupoles enrubannés de cours d'eau gelés, ourlés de pins frémissants. Sans doute le vent au sol était-il aussi glacial et violent que dans le ciel.

Elle était folle de joie. Enfin, elle arrivait chez elle.

Ces six derniers mois venaient de lui offrir la plus incroyable des expériences : quasi morte de faim, de froid et de chaleur à vouloir étudier la vie des pumas dans les Andes. Elle avait profité à fond de sa bourse de recherche et espérait en tirer davantage grâce aux articles qu'elle allait rédiger.

Si on oubliait l'argent – même si elle ne pouvait guère se permettre ce genre de fantaisie –, tous ces kilomètres parcourus, tous ces hématomes, toutes ces courbatures disparaissaient de son souvenir à la pensée du puma doré aperçu en train de fondre sur sa proie dans la forêt tropicale, ou de celui qu'elle avait surpris, perché telle une idole au sommet d'une falaise.

Maintenant, elle ne songeait plus qu'à rentrer, à retrouver son propre habitat.

Ce n'était pas le travail qui manquerait. Ces six mois représentaient son plus long voyage d'étude, et elle avait eu beau demeurer en contact avec la maison, il allait falloir combler bien des lacunes.

Après tout, la réserve naturelle Chance n'était-elle pas son œuvre ? Cependant, avant de s'y consacrer pleinement, elle voulait passer au moins une journée à se reposer chez elle.

Elle étendit les jambes autant que le lui permettait son siège, croisa ses chaussures de randonnée à hauteur des chevilles. Cela faisait trente-six heures qu'elle voyageait, mais cette dernière étape balayait toute sa fatigue.

– Ça va secouer.

Elle jeta un regard en coin vers Dave, le pilote.

– Jusqu'ici, c'était calme comme un lac, marmonna-t-elle en serrant sa ceinture.

Elle ne craignait rien, ce n'était pas la première fois que Dave la ramenait chez elle.

– En tout cas, merci de faire ce détour pour moi.

– Pas de souci.

– Je t'invite à dîner avant que tu redécolles ?

– Une autre fois, peut-être. Là, je préfère repartir dès que j'aurai fait le plein. Tu t'es absentée longtemps, tu dois avoir hâte d'arriver chez toi.

– C'est vrai.

Durant la descente, le vent claqua contre le petit avion qui bondissait et se trémoussait. Lilly sourit quand elle aperçut la piste de l'aéroport municipal.

– Appelle-moi dès que tu repasses dans les parages, Dave. Ma mère te préparera un souper de roi.

– Avec plaisir.

Elle se pencha et finit par apercevoir la tache rouge au milieu du blanc : la voiture de sa mère, certainement.

Lorsque le train d'atterrissage toucha le tarmac, elle poussa un soupir de soulagement.

Peu après, Dave lui adressa un signe de la tête : elle pouvait sortir. Elle détacha sa ceinture, attrapa son sac marin, son sac à dos et son ordinateur portable, se pencha vers le pilote, qu'elle embrassa.

– C'était presque aussi bon qu'un souper de roi, commenta-t-il.

Alors qu'elle sautait à terre, elle vit Jenna se précipiter dans sa direction.

– Enfin te voilà ! murmura sa mère en l'étreignant. Bienvenue, ma chérie ! Tu m'as tellement manqué ! Laisse-moi te regarder !

Lilly huma avec délice son parfum mêlé de citron et de vanille.

– Tu es toujours tellement belle ! souffla-t-elle en lui passant la main dans les cheveux. Mais je n'arrive pas à m'habituer à cette coiffure courte. Ça te rajeunit encore plus.

– Et toi, tu es… magnifique. Comment peut-on revenir magnifique après six mois dans les Andes ? Après deux jours entiers d'avion, de train et de Dieu sait quoi ?

Se tournant vers le pilote, Jenna l'embrassa elle aussi.

– Merci de m'avoir ramené ma fille !

– J'adore faire ce détour pour elle.

Lilly ramassa ses bagages et laissa sa mère prendre l'ordinateur.

– Bon vol, Dave !

Elle s'assit dans la voiture à côté de sa mère.

– Ton père aurait voulu venir, mais on a un cheval malade.

– C'est grave ?

– Non, j'espère que non. Il voulait juste veiller sur lui.

La voiture écologique que ses parents avaient choisie était d'une propreté parfaite et offrait un habitacle plus large que celui du Cessna. Lilly étendit les jambes, poussa un soupir.

– Je rêve d'un long bain de mousse, d'un grand verre de vin. Et aussi du plus gros steak à l'ouest du Missouri.

– Ça tombe bien, nous avons tout cela à la maison.

– Je voudrais passer la soirée avec vous, le temps qu'on se retrouve un peu, avant de monter au chalet du refuge afin de me remettre au travail.

– Je t'aurais botté les fesses si tu m'avais dit autre chose.

– Bon, alors raconte-moi tout. Où en sont Josiah et Farley dans leur éternel tournoi d'échecs ? Qui se bat avec qui ? Qui épouse qui ? Tu noteras que je n'ai pas parlé de la réserve parce que, une fois que j'aurai commencé, personne ne pourra plus m'arrêter.

– Dans ce cas, je dirai que tout va bien. Je veux tout savoir de tes aventures. Les premières chroniques que tu nous as envoyées par courriel nous ont passionnés. Il faut absolument que tu écrives un livre, ma chérie.

– Ça viendra. J'ai déjà de quoi rédiger quelques solides articles que j'accompagnerai de superbes photos. Tiens, un matin, en sortant de ma tente, j'ai aperçu un puma dans un arbre ; même pas à vingt mètres de distance. Il me regardait comme s'il se demandait ce que je fabriquais là. Il y avait un peu de brume et les oiseaux commençaient à chanter. Tous mes compagnons dormaient encore. Cette bête m'a coupé le souffle. Je ne l'ai pas prise en photo. J'ai dû me faire violence pour penser à sortir mon appareil. Ça ne m'a pris que quelques secondes, mais, quand je suis revenue, le puma était parti. Enfin, je ne l'oublierai jamais.

Elle éclata de rire avant d'ajouter :

— Tu vois, je suis déjà lancée. Parle-moi plutôt de la maison, de ce qui se passe ici.

Dans la chaleur diffusée par le chauffage, elle ouvrit sa vieille veste de mouton.

— Regarde-moi cette neige ! Quand je pense qu'il y a deux jours je transpirais au Pérou… Raconte-moi quelque chose de nouveau.

— Je ne te l'ai pas dit quand tu n'étais pas là, parce que je ne voulais pas t'inquiéter, mais Sam est tombé et s'est cassé la jambe.

— Oh, mon Dieu ! Quand ? C'est grave ?

— Il y a quatre mois. Son cheval l'a déséquilibré en faisant un refus ; double fracture. Il était seul à ce moment-là. L'animal est rentré sans lui, c'est ce qui a alerté Lucy.

— Il va bien ?

— Ça va mieux. Pendant un moment, on a eu peur. C'est un homme solide, mais il a quand même soixante-seize ans ; il a fallu lui mettre des broches et il a longtemps porté un plâtre. Maintenant, il achève sa rééducation, il recommence à marcher avec une canne. Le médecin dit qu'il s'en sort bien, mais il ne sera plus jamais aussi alerte qu'avant.

— Et Lucy ? Elle réagit bien ? Avec le ranch, tout ce travail ? Elle a obtenu de l'aide, au moins ?

— Au début, ç'a été un peu dur, mais ils ont fini par s'organiser.

Jenna poussa un soupir qui semblait annoncer une suite.

— Lilly… Cooper est revenu.

La jeune femme tressaillit. Simple réflexe, se dit-elle. Juste quelques souvenirs qui frappaient un peu fort.

— Bon, tant mieux ! Il va leur donner un sérieux coup de main. Il doit rester longtemps ?

— Il est revenu, Lilly, répéta sa mère en lui prenant la main. Il vit au ranch, désormais.

— Ah bon !

Quelque chose frémissait en elle, mais elle préféra ne pas y prêter attention.

— Évidemment, s'empressa-t-elle d'ajouter. Où pourrait-il habiter s'il est rentré pour les aider ?

– Il est arrivé dès que Lucy l'a appelé, pour rester quelques jours, le temps d'obtenir la confirmation que Sam n'aurait plus à subir d'opération. Alors il est retourné sur la côte est pour y régler ses affaires avant de revenir. Il reste ici, désormais.

– Mais… je croyais qu'il travaillait à New York ?

Ce quelque chose lui enserrait maintenant la poitrine, l'empêchant de respirer.

– Je veux dire… quand il a quitté la police pour devenir détective privé, il… Je croyais que ça marchait bien pour lui.

– Moi aussi. Mais Lucy m'a dit qu'il avait vendu son agence pour s'installer ici. Je ne sais pas trop ce que ses grands-parents auraient fait sans lui, on les aurait tous aidés, c'est certain, mais rien ne vaut la famille. Je ne voulais pas t'en parler au téléphone ou par courriel.

Maintenant que son cœur commençait à s'apaiser, elle prit une longue inspiration et se sentit mieux.

– Tout ça s'est passé il y a longtemps, assura-t-elle. On est restés amis. Je l'ai vu il y a trois ou quatre ans, quand il a rendu visite à Sam et Lucy.

– Tu l'as vu moins d'une heure, avant de te rendre d'urgence en Floride pendant les deux semaines qu'il a passées ici.

– J'étais obligée. Les panthères de Floride sont en voie d'extinction. Mais je suis contente que Cooper ait pu revenir pour aider Sam et Lucy.

Le soleil sur la neige devenait tellement éblouissant qu'elle avait dû mettre des lunettes noires.

– Tu l'aimais.

– Oui. Mais c'est du passé. Ne t'inquiète pas.

Elle avait son travail, lui le sien. Pas de rancune mutuelle : ils n'étaient alors que des enfants. Ils avaient grandi.

Comme sa mère engageait la voiture sur le chemin de la ferme, Lilly s'interdit d'y penser davantage. La cheminée crachait une apaisante fumée, et deux chiens arrivaient en courant.

Soudain, elle se revit en train de sangloter entre deux de leurs ancêtres, par une chaude matinée d'été. Cela remontait à douze ans, quand ils s'étaient quittés sur la véranda. Pour être honnête, elle devait reconnaître que ces adieux avaient marqué la fin de leurs amours. En douze ans, elle avait eu tout le temps de surmonter cette déception.

Elle vit son père sortir de l'écurie pour venir à sa rencontre et chassa Cooper Sullivan de son esprit.

Aux embrassades succédèrent le chocolat chaud et les biscuits, en présence des deux chiens de chasse que ses parents avaient appelés Lois et Clark. Lilly contemplait la vue sur les prairies depuis la fenêtre de la cuisine, les champs, les collines, les pins, les scintillements du ruisseau. Jenna insista pour laver les vêtements qu'elle avait rapportés dans son sac de marin.

– Sans vouloir jouer les coquettes, j'aimerais savoir comment tu as pu te débrouiller avec une si maigre garde-robe pendant si longtemps.

– Question d'organisation… et il ne faut pas répugner à mettre des chaussettes sales quand on n'a plus le choix.

– Je vais te prêter un pull et un jean en attendant que tout ça soit propre. Monte prendre ton bain, emporte un verre de vin et repose-toi.

La jeune femme se glissa dans la baignoire que sa mère avait remplie. Quel bonheur, parfois, de se faire dorloter ! Le travail en plein air avait des aspects primitifs qu'il fallait désormais dépasser, ne serait-ce qu'en restant dans son bain jusqu'à ce qu'il refroidisse.

Maintenant qu'elle se retrouvait seule, qu'elle avait tout le temps, elle pouvait laisser Cooper envahir sa tête. Il était revenu alors que ses grands-parents avaient besoin de lui, ce qui était tout à son honneur. À vrai dire, nul ne pouvait contester cette loyauté-là.

Comment haïr un homme qui semblait vouloir consacrer sa vie à la protection de ses grands-parents ? D'autant qu'elle n'avait aucune raison de le haïr. Ce n'était pas parce qu'il lui avait broyé le cœur et foulé aux pieds les morceaux qui en restaient qu'elle allait le détester.

Elle s'enfonça dans l'eau, but une gorgée de vin.

Il ne lui avait jamais menti : cela aussi, elle devait le reconnaître.

Elle l'avait revu, pas à Thanksgiving, mais à Noël. Juste deux jours, mais elle l'avait revu. Et, comme il n'avait pu faire le voyage l'été suivant, elle avait accepté un travail dans une réserve californienne qui lui avait permis d'acquérir beaucoup de connaissances, après quoi, Cooper et elle étaient restés en contact, s'appelant aussi souvent que possible.

Pourtant, les choses avaient commencé à changer. Ne l'avait-elle pas senti sur le moment ? Ne s'en était-elle pas un peu doutée ? Il n'avait pu venir pour le Noël suivant et elle-même avait passé ses vacances d'hiver en voyage d'étude. Au printemps, lorsqu'ils s'étaient retrouvés à mi-chemin, ce fut pour constater que tout était fini. Il n'était plus le même, se montrait brusque, presque froid. Cependant, elle ne pouvait pas dire qu'il avait été cruel. Juste honnête.

Elle avait sa vie dans l'Ouest, lui dans l'Est. Il était temps de le reconnaître et d'admettre que cela ne marcherait jamais entre eux.

Je tiens à ton amitié. Je tiens à toi. Mais, Lilly, il faut regarder les choses en face, accepter ce que nous sommes.

Non, il n'avait pas été cruel, pourtant, cela l'avait bouleversée. Elle n'avait plus que sa fierté, cet orgueil qui lui avait permis de concéder, les yeux dans les yeux, qu'il avait raison.

Le mieux serait donc de l'affronter en face : dès qu'elle en aurait l'occasion, elle se rendrait chez Sam et Lucy. Tiens, elle irait jusqu'à lui offrir une bière et à lancer quelques balles avec lui.

Elle n'était plus une adolescente au cœur battant, travaillée par ses hormones, mais le Pr Lillyian Chance, cofondatrice de la réserve naturelle Chance, chez elle dans ce vaste domaine.

Elle avait voyagé, travaillé aux quatre coins du monde. Elle avait entretenu une longue liaison avec un homme, plus quelques autres moins sérieuses, mais elle avait vécu deux bonnes années avec Jean-Paul. Sans compter le temps consacré à ses voyages.

Aussi comment croire qu'elle ne pourrait affronter un ancien amour de jeunesse ? C'était du passé, un bon souvenir, en fin de compte.

Et qui devait le demeurer.

Elle revêtit le pull et le jean prêtés par sa mère et, apaisée par le bain, le vin, le plaisir de retrouver sa chambre, elle décida de s'offrir une sieste. Vingt minutes, se dit-elle en s'allongeant.

Elle dormit trois heures comme un bébé.

Le lendemain, elle s'éveilla une heure avant l'aube, fraîche et dispose. Elle en profita pour préparer un petit déjeuner à ses parents. C'était sa spécialité. Lorsque son père descendit, il trouva du bacon grillé et des pommes de terre sautées, ainsi que des œufs déjà brouillés dans un bol qui ne demandaient qu'à passer dans une poêle chaude.

Josiah demeurait très beau, avec ses cheveux toujours aussi fournis. Il renifla l'atmosphère tel un chien en arrêt et tendit un doigt vers sa fille.

– Je comprends maintenant pourquoi je me réjouissais tant de te voir revenir. Moi qui étais condamné aux mueslis tout préparés !

– Depuis quand on consomme de l'instantané dans cette maison ?

– Depuis que ta mère et moi l'avons décidé, il y a deux mois. J'ai promis de manger des céréales deux fois par semaine. C'est meilleur pour la santé.

– Ah ! Et, là, c'était le jour de ta punition.

Il lui tira sa queue-de-cheval en riant.

– Sauf quand tu es là.

– Bon, alors, une assiette riche en cholestérol pour toi. Ensuite, je t'aiderai un peu pour le bétail, avant de monter au refuge. J'en ai fait aussi pour Farley, mais le muesli lui a peut-être déjà coupé l'appétit…

– Rien ne peut lui couper l'appétit, il sera content de se gaver de bacon et d'œufs. Je t'accompagnerai là-haut, ce matin.

– Super ! Ensuite, si j'ai le temps, je passerai voir Sam et Lucy. Si tu as besoin de quelque chose en ville, je peux m'en charger.

– Je te ferai une liste.

Lilly retournait le bacon dans la poêle lorsque sa mère entra.

– Tu arrives juste à temps !

Jenna jeta un regard interrogateur à son mari.

– C'est elle qui a eu l'idée, se défendit-il. Je ne voulais pas lui faire de peine.

En entendant des pas résonner sur la véranda, Lilly se dit que ce devait être Farley.

Elle était à l'université lorsque ses parents l'avaient embauché, ou plutôt recueilli ; il n'avait alors que seize ans, abandonné par sa mère, il devait deux mois de loyer dans sa ville d'Abilene. Il n'avait jamais connu son père, juste les nombreux hommes qui se succédaient dans le lit de sa mère.

Habité du vague désir de monter au Canada, le jeune Farley Pucket avait pris la fuite en auto-stop pour ne pas payer ses dettes. Lorsque Josiah Chance l'avait fait grimper dans sa fourgonnette, à la sortie de Rapid City, l'adolescent n'avait que 35 centimes en poche et portait un coupe-vent pour se protéger des frimas de mars.

Jenna et Josiah avaient commencé par lui offrir un bon repas puis lui avaient proposé de remplir quelques tâches à la ferme contre un abri pour dormir. Ils avaient écouté, discuté, vérifié certains éléments de son histoire avant de lui donner du travail et une chambre dans l'ancien dortoir réservé aux employés, le temps qu'il se retourne.

Dix ans plus tard, il était toujours là.

Dégingandé, le cheveu filasse sous un large chapeau de cow-boy, l'œil bleu un rien endormi, il apparut dans un courant d'air hivernal.

– Waouh ! On se les gèle...

Jenna se redressa pour signaler sa présence, et il s'empourpra.

– Pardon ! J'avais pas vu que vous étiez là. Ça sent le bacon. C'était pas des céréales, aujourd'hui ?

– On fête quelque chose, dit Josiah.

Farley aperçut enfin Lilly et lui adressa un large sourire.

– Salut ! J'aurais pas cru que vous seriez déjà levée après ce voyage, le décalage horaire et tout.

– Bonjour, Farley. Le café est chaud.

– Ça sent rudement bon. Il va faire beau, aujourd'hui. La tempête est partie vers l'est.

Comme souvent, la conversation tourna autour de la pluie et du beau temps, du bétail, des tâches à remplir. Installée devant son petit déjeuner, Lilly avait l'impression de n'être jamais partie.

Une heure plus tard, elle chevauchait en compagnie de son père en direction du refuge.

– Tansy m'a dit que Farley avait passé de nombreuses heures comme bénévole à la réserve.

– On essaie tous de participer, surtout en ton absence.

– Papa, il adore cette fille !

Ancienne camarade de chambre de Lilly, Tansy avait pris la fonction de zoologiste dans l'équipe.

– Qui ça ? Tansy ? Mais non !

Il éclata de rire, se calma.

– C'est vrai ?

– J'ai compris quand il s'est si souvent porté volontaire, l'année dernière. Ça m'a fait drôle. Elle a au moins mon âge.

– Une vieille dame, quoi !

– En tout cas, elle a quelques années de plus que lui. Elle est jolie, intelligente, spirituelle, je n'aurais jamais cru – comme je l'ai découvert entre les lignes de ses courriels – qu'elle pouvait être attirée par lui.

– Tansy attirée par Farley ? Notre Farley ?

– Je me trompe peut-être, mais c'est mon impression. Notre Farley, comme tu dis... Tu sais, du haut de mes vingt ans, je trouvais que vous aviez tort de vous encombrer de lui. Je pensais qu'il allait vous voler, partir avec la fourgonnette, et qu'on n'en entendrait plus parler.

– Il n'a jamais volé un centime. Ce n'est pas son genre. Je l'ai immédiatement senti.

– Tu l'as senti, maman aussi sans doute, et vous aviez raison. Mais je ne me trompe pas quand je dis que ma copine fait les yeux doux à notre brave Farley.

Ils continuèrent au petit trot, le souffle des chevaux fumant sur la neige.

En arrivant à hauteur de la clôture qui séparait la ferme du refuge, Lilly éclata de rire. Ses collègues y avaient accroché une bannière :

Bienvenue à la maison Lilly !

Elle vit les traces laissées par de nombreux sabots ainsi que par des motoneiges. En janvier et février, rares étaient les visiteurs qui se promenaient dans la réserve. Mais les employés avaient largement de quoi s'occuper.

Lilly mit pied à terre pour ouvrir la barrière. Dès qu'ils pourraient se le permettre, elle la ferait remplacer par un dispositif électrique. Pour le moment, elle s'enfonçait jusqu'aux genoux dans la neige pour atteindre le loquet. Les gonds grincèrent quand elle l'ouvrit pour laisser passer son père et les chevaux.

– On n'est pas venu vous embêter ? demanda-t-elle. Je veux dire : les visiteurs.

– Oh, on ne voit qu'une ou deux personnes par-ci, par-là qui ne trouvent pas l'entrée principale. On leur indique le chemin.

– Il paraît que les écoles apprécient beaucoup ces excursions.

– Oui, ça plaît aux enfants. Tu as bien réussi ton affaire, Lilly.

– Merci…

Elle sentit la présence de l'animal avant de le voir, ses effluves sauvages dans l'atmosphère. À l'entrée du domaine, un loup-cervier se tenait sur un rocher. Tansy l'avait ramené du Canada, où il avait été capturé et blessé. Dans la nature, sa patte estropiée l'aurait condamné à mort. Ici, il ne courait plus aucun danger. On l'avait baptisé Rocco ; il dressa ses oreilles touffues à leur passage.

La réserve abritait des lynx et des couguars, ainsi qu'un vieux tigre racheté à un cirque et qu'ils avaient appelé Boris, et Sheba, une lionne qui avait servi, un temps, d'animal de compagnie à un excentrique. Il y avait aussi un ours, un loup, un renard et un léopard.

Dans un enclos, on avait installé de jeunes animaux ; les enfants pouvaient venir les caresser et mieux apprendre à les connaître. Il y avait là des lapins, des agneaux, une chevrette et un âne.

Tansy fut la première à repérer les cavaliers et courut dans leur direction. Le froid et la joie rosissaient son visage caramel.

– Te voilà ! s'exclama-t-elle. Viens m'embrasser ! Bonjour, Josiah. Vous devez être heureux d'avoir récupéré votre fille.

– C'est le moins qu'on puisse dire.

Lilly descendit de cheval pour étreindre son amie, qui lui déposa un baiser sonore sur les deux joues.

– Que je suis contente de te revoir !

– Et moi donc ! renchérit Lilly en caressant les cheveux noirs de Tansy.

– En apprenant que tu avais appelé Dave pour arriver ici un jour plus tôt, on a dû nettoyer en vitesse les traces des fiestas et des apéros qu'on s'offrait depuis ton départ.

– Ah ! je le savais. C'est pour ça que tu es le seul membre de l'équipe à venir m'accueillir ?

– Exactement. Les autres soignent leur gueule de bois.

Elle partit d'un grand rire avant d'ajouter :

– Bon, en fait, Matt est en train d'examiner Bill, qui a essayé d'avaler une serviette.

Bill, un jeune lynx, avait la réputation d'avaler n'importe quoi.

Lilly jeta un coup d'œil vers les deux chalets voisins, dont l'un abritait son domicile, l'autre une infirmerie.

– Il en a mangé beaucoup ?

– Non, mais Matt tenait à vérifier quand même. Quant à Lucius, il est scotché devant son ordinateur, et Mary est chez le dentiste. Ou, plutôt, elle y va. Eh, Eric, tu veux bien t'occuper de ces deux chevaux ? Eric est un de nos stagiaires. On fera les présentations plus tard. Allons…

Elle fut interrompue par le feulement d'un couguar.

– L'arrivée de maman n'est pas passée inaperçue, commenta-t-elle. Vas-y, on se retrouve à l'infirmerie dès que tu seras prête.

Lilly s'empressa de partir dans la direction des grondements. Il l'attendait en allant et venant. À son approche, le félin se frotta contre la clôture puis se dressa sur les pattes arrière. Et ronronna.

Six mois qu'il ne l'avait pas vue, sentie. Mais il ne l'avait pas oubliée.

– Bonjour, Bébé.

Elle tendit la main pour caresser l'épaisse fourrure fauve, et il lui donna un affectueux coup de tête.

– À moi aussi, tu m'as manqué.

Tout en souplesse et en muscles, il avait, à quatre ans, atteint sa maturité. Quand elle l'avait trouvé, avec son frère et sa sœur, orphelins et affamés, ils n'étaient pas encore complètement sevrés. Alors elle les avait nourris au biberon, soignés, protégés, le temps qu'ils soient assez âgés, assez forts pour retourner dans la nature.

Mais lui n'avait cessé de revenir.

Elle l'avait baptisé Ramsès, mais il restait Bébé pour les intimes.

L'amour de sa vie.

– Tu as été sage ? Oui, j'en suis certaine. Tu es le plus gentil. Et tu as bien surveillé tous les autres. Je savais que je pouvais compter sur toi.

Tandis qu'elle lui parlait et le caressait, Bébé ronronnait en la dévisageant de ses yeux d'or emplis d'amour.

Lilly tourna la tête, en entendant un mouvement derrière eux. Le dénommé Eric venait d'apparaître.

– On m'a dit qu'il se comportait comme un enfant avec vous, mais... je n'ai pas voulu le croire.

– Vous êtes nouveau ?

– Euh, oui... Eric Silverstone.

– Et qu'est-ce que vous désirez faire dans la vie ?

– Protéger la faune sauvage.

– Vous avez l'impression d'apprendre quelque chose, ici ?

– Beaucoup.

– Alors écoutez ça : ce couguar mâle adulte, *Felis concolor*, mesure à peu près deux mètres cinquante du bout de la queue à la tête et pèse dans les soixante-dix kilos. Il saute plus loin qu'un lion, un tigre ou un léopard, aussi bien à la verticale qu'à l'horizontale. Malgré tout, il n'est pas considéré comme un « grand félin ».

– Parce qu'il n'a pas leur larynx ni leur appareil hyoïdien. Il ne rugit pas.

– Exactement. Il ronronne comme un chat d'appartement. Ce qui n'en fait pas un animal domestique pour autant. On n'apprivoise pas un fauve, n'est-ce pas, Bébé ?

Il parut pousser un jappement d'approbation.

– Il m'aime. Il me connaît depuis qu'il est tout petit et il vit dans la réserve depuis l'âge de quatre mois. Il sait que les humains ne constituent pas des proies pour lui, mais, si l'un d'entre eux vient à le menacer, il se défendra. Ce sont des animaux fascinants, magnifiques, sûrement pas des peluches, même celui-là.

Cependant, elle ne se priva pas de passer la bouche à travers les barres de la clôture pour qu'il vienne y poser son museau.

– À plus tard.

Elle se mit en route vers le bureau en compagnie d'Eric.

– Tansy, reprit-il, m'a dit que c'est vous qui l'aviez recueilli avec son frère et sa sœur.

– Leur mère s'est battue avec un loup solitaire, du moins d'après ce que j'ai compris. Elle l'a tué pour qu'il ne lui enlève pas ses petits. Mais elle était trop atteinte pour survivre. J'ai trouvé son cadavre et son antre. Ce sont les premiers jeunes couguars que nous ayons eus ici.

Elle gardait une cicatrice sur le coude infligée par un des petits quand elle avait voulu les sortir de leur antre.

– Nous les avons gardés pendant environ six semaines, jusqu'à ce qu'ils soient assez forts pour se mettre à chasser, en limitant autant que possible tout contact avec les humains. Nous les avons marqués et relâchés, sans jamais cesser de les surveiller de loin. Sauf que Bébé a voulu rester. Son frère et sa sœur se sont acclimatés à la vie sauvage, mais pas lui, il revenait toujours. On peut étudier la biologie, le comportement, la taxinomie, ce qu'on veut, on ne saura jamais tout.

Elle se retourna pendant que Bébé se redressait en poussant un long cri de triomphe.

Dans le bureau, elle ôta son blouson ; elle entendit son père en grande discussion avec Matt dans l'infirmerie voisine. Un jeune homme armé d'une bouteille de Coca et d'un sourire confondant pianotait sur son clavier.

Lucius Gamble leva la tête à son arrivée.

– Ouais ! s'écria-t-il en lançant les bras en l'air. Vous voilà rentrée des tranchées !

Il se leva pour la serrer dans ses bras, et elle reconnut aussitôt son éternelle odeur de réglisse.

– Tout va bien, Lucius ?

– Parfait. Je mets à jour notre page Web avec de nouvelles photos. On nous a ramené un loup blessé il y a quelques semaines.

Renversé par une voiture. Matt l'a sauvé. Le site fait un tabac, avec cette histoire.

– On a relâché le loup ?

– Il boite encore. Matt craint qu'il ne puisse retourner dans la nature. C'est une vieille femelle. On l'a baptisée Xena.

– J'irai la voir. Je n'ai pas encore fait le tour du domaine.

– Les clichés que vous nous avez envoyés, je les ai mis en ligne et ça marche très bien.

Autour d'eux, les murs regorgeaient de posters et les brochures s'entassaient sur les étagères.

– On va tâcher d'organiser une réunion pour cet après-midi. Avertissez tout le monde, y compris les stagiaires et aussi les bénévoles qui pourront se libérer.

Elle passa une tête à la porte de l'infirmerie.

– Où est Bill ?

Matt se retourna.

– Je l'ai rendu à Tansy. Content de vous voir, Lilly.

Ils se serrèrent la main. Matt avait à peu près l'âge de son père, avec des cheveux gris, et portait des lunettes cerclées d'acier sur ses yeux bruns.

Au contraire de ce qu'elle avait perçu d'Eric, ce n'était pas un idéaliste mais un excellent vétérinaire qui acceptait de travailler pour un salaire de misère.

– Je rentre, annonça Josiah. Je vais tâcher de libérer Farley demain pour qu'il puisse vous consacrer quelques heures. Si tu as besoin de quelque chose, appelle-moi.

– Promis. Je te ferai tes courses et je les déposerai en fin d'après-midi.

Comme il sortait, elle annonça la réunion à Matt, appuyée sur un comptoir plein de plateaux et de médicaments.

– En attendant, ajouta-t-elle, je voudrais votre rapport sur la santé des animaux et leurs besoins médicaux. Disons à l'heure du déjeuner. Après quoi, je pourrai acheter ce qu'il vous manque.

– Entendu.

– Parlez-moi de notre dernière pensionnaire, Xena.

Un sourire illumina le visage sérieux de Matt.

– Elle a au moins huit ans.

– Ce qui fait très vieux, à l'état sauvage.

– C'est une dure, ses cicatrices le prouvent. Elle a pris un mauvais coup, mais la conductrice a fait plus que sa part : elle nous a téléphoné et est restée dans sa voiture jusqu'à notre arrivée, elle nous a même suivis jusqu'ici. Xena était trop amochée pour pouvoir bouger. Nous l'avons immobilisée et transportée pour pouvoir l'opérer d'urgence. C'était un peu jouer à pile ou face, étant donné son âge.

– Mais elle s'en est sortie.

– Oui, seulement elle ne recouvrera jamais l'usage complet de sa patte. À mon avis, il ne faut pas la relâcher ; elle ne tiendrait pas un mois.

– Dans ce cas, elle passera ici une paisible retraite.

– Vous savez qu'au moins l'un d'entre nous restait de garde la nuit pendant votre absence. C'était à mon tour, en début de semaine, et, à l'aube, j'ai dû arracher une dent à la reine mère.

Lilly pensa à leur vieille lionne.

– Pauvre Sheba, à ce rythme, elle n'aura plus de dents du tout. Comment va-t-elle ?

– C'est la plus énergique de nos anciens. Mais j'ai quelque chose à vous dire.

– Quoi ?

– Cette nuit-là, un homme ou une bête rôdait autour du domaine. J'ai vérifié avec la caméra de surveillance, mais je n'ai rien vu. Il fait trop noir à 2 heures du matin, même avec les lumières de sécurité. Pourtant, j'ai senti les animaux s'agiter, j'ai entendu des cris, des rugissements, des hurlements...

– Comme souvent la nuit, non ?

– Pire. Je suis sorti, mais je n'ai rien vu.

– Pas de traces ?

– Je n'ai pas vos yeux, non plus. Nous avons vérifié le lendemain matin. Les seules empreintes que nous ayons trouvées n'avaient rien d'animal ; pour moi, elles étaient humaines. Quelqu'un avait rôdé autour des gîtes, or il avait neigé la veille. C'était donc tout récent.

– Aucun animal n'a été blessé ? Pas une serrure n'a été forcée ?

– On n'a rien constaté de spécial, mais je suis prêt à parier qu'il y avait quelqu'un dans les parages qui m'observait. Il va falloir vous méfier, bien fermer vos portes.

– D'accord. Merci, Matt. Nous nous méfierons tous.

Elle se dit qu'on pouvait croiser les individus les plus bizarres par ici, des membres du mouvement contre les zoos au lobby des chasseurs, et tout ce qu'il y avait au milieu.

Ils recevaient toutes sortes d'appels, de lettres, de courriels de différents militants. Parfois menaçants. Il arrivait aussi que certains s'introduisent dans les bureaux, mais, jusque-là, sans provoquer de dégâts.

Elle adressa un signe à Lucius, ouvrit la porte.

Et faillit percuter Cooper.

7

Difficile de dire lequel des deux fut le plus surpris, le plus déconcerté. Mais ce fut Lilly qui fit un bond en arrière, même si elle se reprit vite. S'arrachant un sourire, elle donna une intonation amicale à sa voix.

– Eh, salut, Cooper !

– Lilly ! Je ne savais pas que tu étais rentrée.

– Hier.

Impossible de déchiffrer ce qu'il pensait.

– Tu te joins à nous ? proposa-t-elle.

– En fait, non. Tu as… la réserve a reçu un colis, dit-il en lui tendant un paquet.

Il ne portait pas de gants, et sa lourde parka était ouverte à tous les vents.

– J'étais parti poster un truc pour ma grand-mère, et, comme je devais rentrer au ranch, ils m'ont demandé si je pouvais m'en charger.

– Merci.

Elle mit le colis dans un coin puis sortit et ferma la porte afin de ne pas refroidir le chalet. Elle posa sur sa tête son éternel chapeau à bords plats avant d'enfiler un gant. Tous ces gestes pour se donner une contenance.

– Comment va Sam ? Je viens seulement d'apprendre qu'il s'était blessé.

– Physiquement, ça va. C'est un peu dur pour lui de ne pas pouvoir faire tout ce qu'il veut, aller où il veut, quand il veut.

– Je passerai chez vous dans la soirée.

– Ça lui fera plaisir ; à ma grand-mère aussi. Alors, c'était bien, l'Amérique du Sud ?

– Extraordinaire, mais je n'ai pas chômé.

Elle enfila son deuxième gant, descendit les marches du perron.

– Maman m'a dit que tu avais vendu ton agence de détective.

– De toute façon, j'avais l'intention de me reconvertir. Ça m'en a donné l'occasion… Je préfère cet endroit quand tu es là.

Elle écarquilla les yeux.

– Tu es déjà venu ?

– Oui, l'année dernière. Tu étais… je ne sais où.

Il semblait à son aise dans ce froid mordant, alors que le vent achevait d'emmêler son épaisse chevelure brune.

– C'est ton ami qui m'a fait visiter. Le Français. Il paraît que vous étiez fiancés.

Elle sentit son cœur se serrer.

– Pas exactement.

– En tout cas, tu as bonne mine, Lilly.

De nouveau, elle s'efforça de prendre une attitude aussi dégagée que lui.

– Toi aussi.

– Bon, j'y vais. Je préviendrai mes grands-parents que tu comptes passer les voir.

Un large sourire aux lèvres, elle fit volte-face pour se rendre dans l'enclos des petits félins. Elle ralentit sa marche jusqu'à entendre le moteur du pick-up gronder puis s'éloigner. Alors elle s'arrêta.

Finalement, les choses ne s'étaient pas si mal passées. C'était le premier pas qui coûtait, et elle s'en sortait plutôt bien. Quelque amertume, quelques bleus à l'âme. Rien de grave.

Cooper était vraiment superbe, les années l'avaient rendu un peu plus viril, le visage légèrement creusé… Un vrai tombeur.

Bon, elle s'en remettrait. Ils pouvaient redevenir amis. Pas comme autrefois, même avant d'être amants. Mais de bons copains. Comme leurs familles. De toute façon, ils ne pourraient s'offrir le luxe de s'ignorer, alors, autant se comporter le mieux possible l'un envers l'autre.

S'il y arrivait, elle y arriverait aussi.

Cooper jeta un coup d'œil dans son rétroviseur, mais Lilly ne se retourna pas et continua de marcher.

Tant pis. Il n'y pouvait rien.

Il l'avait prise au dépourvu. Et réciproquement, d'ailleurs. Mais, un court instant, elle n'avait pu cacher sa surprise, ni une ombre de contrariété.

Elle était devenue magnifique.

Elle avait toujours été jolie ; objectivement, il pouvait désormais affirmer que, dès l'âge de dix-sept ans, elle promettait de devenir une très belle femme. Ce qui s'était avéré quand elle eut atteint vingt ans. Cependant, elle venait de franchir brillamment l'ultime étape.

Sur l'instant, ses grands yeux noirs lui avaient coupé le souffle. Et puis elle avait souri, lui scrrant le cœur un autre petit instant. Ensuite, tout était rentré dans l'ordre.

Tout s'était passé entre eux le plus agréablement du monde. Comme il se devait. Il n'attendait rien d'elle et n'avait rien à lui offrir. Autant le savoir, puisqu'il était définitivement revenu.

En fait, cela faisait un moment qu'il l'avait envisagé. Il s'était même renseigné sur le processus à suivre pour vendre son agence puis son appartement. Il avait poursuivi son travail, remettant à plus tard les affres du déménagement. Et puis sa grand-mère avait appelé, si bien que, tous les éléments en main, il avait pu se libérer rapidement.

Sans doute se serait-il installé depuis longtemps à la ferme s'il n'y avait eu Lilly, l'obstacle Lilly, les regrets, l'incertitude. Maintenant, c'était fait ; tous deux allaient pouvoir reprendre une vie normale.

Avec cette réserve, elle avait créé une belle œuvre. Il ne savait comment lui dire son admiration d'avoir réalisé une ambition qui lui tenait à cœur depuis si longtemps. Jamais il n'oublierait le jour où elle lui en avait parlé pour la première fois, ce regard illuminé de l'intérieur, cette foi, au milieu du silence de la nature.

À la cuisine, il trouva Lucy en train de fermer le four.

– Ça sent bon !

– J'ai préparé deux tartes, annonça-t-elle en souriant. Tout le monde est parti sans problème ?

– Un groupe de quatre. Gull s'en occupe.

Le fils du maréchal-ferrant avait préféré devenir guide de randonnée équestre et garçon d'écurie chez les Wilks.

– Il fait beau, ajouta Coop. Il va les emmener sur des chemins faciles.

Il en profita pour se verser une tasse de café.

– Bon, je vais aller voir comment se portent les jeunes poulains et leurs mères.

– Si ça ne t'ennuie pas, tu pourrais proposer à Sam de t'accompagner ? Il a le cafard, en ce moment.

– Bien sûr. Il est là-haut ?

– Aux dernières nouvelles, oui.

Elle passa la main dans ses cheveux, qu'elle portait désormais courts, quasi en brosse, et d'un blanc éclatant. Cooper lui donna une accolade, l'embrassa sur une joue.

Durant les deux mois qui avaient suivi le retour de son grand-père de l'hôpital, on lui avait aménagé le salon en chambre à coucher afin qu'il n'ait pas d'escalier à monter. Il lui fallait alors un fauteuil roulant et de l'aide. Ce qu'il détestait.

Dès qu'il avait pu grimper une marche, et quoi qu'il lui en coûtât, il avait tenu à retourner dans la chambre qu'il partageait avec sa femme.

Par la porte entrouverte, Cooper le vit, assis devant la télévision, en train de se frotter un genou. Sam avait pris des rides, sans doute dues plus à la douleur et à l'exaspération qu'à l'âge. Et peut-être aussi à la peur. Apercevant son petit-fils, il se mit à marmonner :

– Rien d'intéressant à la télé. C'est sûrement elle qui t'a envoyé voir si j'allais bien, si j'avais envie de boire, ou de manger, ou de lire, alors tu peux retourner lui dire que non.

– En fait, je vais à l'écurie et j'aurais aimé que tu me donnes un coup de main. Mais si tu préfères regarder la télé…

– Arrête, avec ta psychologie de bazar ! Je ne suis pas né d'hier. Passe-moi plutôt mes bottes.

– Tout de suite.

Après les lui avoir apportées, Cooper ne proposa pas de l'aider à les enfiler, préférant parler affaires, de la randonnée qui venait de partir, mais aussi de son passage au refuge.

– Lilly a dit qu'elle viendrait vous voir aujourd'hui.

– Ça me fera bien plaisir, tant qu'elle ne se croit pas obligée de rendre visite au malade.

Sam se leva en s'appuyant sur sa canne.

– Qu'est-ce qui lui prend de gambader à longueur de journée dans ces collines pourries ?

– Je n'en sais rien. Je ne suis resté que quelques minutes.

Sam hocha la tête. Il marchait plutôt bien pour un homme qui avait subi un bel accident quelques mois auparavant. Pourtant, il conservait une certaine raideur qui contrastait avec l'extraordinaire souplesse dont il avait autrefois fait preuve.

– On se demande ce que tu as dans la tête, mon garçon.

– Pardon ?

– Une jolie fille comme ça, dont tout le monde sait qu'elle te plaisait tant à une époque… tu la retrouves et tu ne restes que quelques minutes avec elle ?

Dans l'escalier, Cooper passa devant lui pour pouvoir le rattraper s'il venait à trébucher.

– Elle avait des choses à faire et moi aussi. Tout ça remonte à très loin. Sans compter qu'elle est maintenant avec quelqu'un d'autre.

– Un étranger, maugréa Sam.

– Qu'est-ce que tu as tout à coup contre les étrangers ?

– À mon âge, on a le droit et même le devoir d'être grincheux. Et puis ça ne veut rien dire. Vous, les jeunes, ce n'est pas parce qu'une femme est avec quelqu'un que ça vous empêche de lui courir après.

– « Vous, les jeunes » ? C'est la nouvelle expression à la mode des vieux grincheux ?

– Ne sois pas insolent !

Là-dessus, il laissa Cooper l'aider à enfiler sa canadienne.

– On va passer par-devant, murmura Sam. Elle est dans la cuisine, je ne veux pas qu'elle vienne encore me casser les pieds avec ses inquiétudes et ses recommandations.

– D'accord.

Dans un soupir, il prit son vieux chapeau de cow-boy délavé par le temps et les intempéries.

– Tu es un bon garçon, Cooper, même si tu ne sais pas y faire avec les femmes.

Ils finirent par atteindre l'écurie, et Cooper fit mine de ne pas remarquer que Sam était à bout de souffle. Il aurait le temps de récupérer pendant qu'ils s'occuperaient des chevaux.

Trois poulains étaient nés cet hiver, et Cooper avait aidé à la mise bas du dernier, passant deux nuits auprès de la jument pour veiller sur elle.

Il se glissa dans le box, où la jument gardait toujours sa pouliche auprès d'elle, lui parlant doucement, la flattant de la paume tout en vérifiant sa température et ses pulsations cardiaques. Elle se laissait faire sans angoisse tandis que la pouliche donnait des coups de tête à Cooper pour attirer son attention.

Il se retourna, caressa sa jolie robe.

– Elle te considère comme son père, observa Sam. Tu lui as trouvé un nom ?

– Ce n'est pas très original, mais c'est ma petite princesse.

– C'est dit ! Princesse Cooper. Elle est à toi autant que tout le reste, tu le sais.

– Papy…

– Tu permets ? Ta grand-mère et moi en parlons depuis des années. Au début, on n'était pas sûrs que ça t'intéresserait, mais on a quand même fait venir le notaire. Tout te reviendra à notre mort. Alors, c'est le moment de me dire si tu en veux ou pas.

Cooper se redressa, et, aussitôt, la pouliche le lâcha pour téter.

– Bien sûr que j'en veux !

– Bon. Alors, tu comptes jouer toute la journée avec ces chevaux ou tu vas aussi voir les autres ?

Cooper sortit du box, le boucla et se dirigea vers le suivant. Sam marchait derrière de son pas martelé par les coups de canne.

– J'ai autre chose à te dire. À ton âge, on doit vivre seul. On n'habite pas auprès de vieux comme nous. Je sais, tu es venu pour nous aider. C'est normal, entre parents. N'empêche que je t'en suis reconnaissant. Mais tu ne vas pas habiter éternellement dans cette baraque.

– Tu me jettes dehors ?

– En quelque sorte. Trouve-toi un bout de terrain qui te plaît, et on y construira ta maison.

– Je ne vais pas prendre sur le domaine une surface qui pourrait faire un champ ou une prairie.

– Tu raisonnes comme un fermier, commenta fièrement Sam. Mais moi je dis qu'un homme de ton âge doit avoir sa propre maison. Alors choisis un terrain sur le domaine. Ou, si ça ne t'intéresse pas pour le moment, tu peux au moins t'aménager le dortoir des cow-boys. Il y a beaucoup de place et peu de cloisons. On pourrait refaire les sols et le toit.

Cooper examina la jument suivante et son poulain.

– Va pour le dortoir. Je vais me charger des travaux. Je ne veux pas que ça vous coûte un sou. J'ai ma fierté, moi aussi, et pas mal d'argent de côté.

Cela faisait un moment qu'il voulait en parler à ses grands-parents sans en avoir encore trouvé l'occasion.

Appuyé sur sa canne, Sam caressa la joue de la jument.

– C'est bien, Lolly, tu es une bonne fille. Elle nous a déjà donné trois jolis poulains. C'est une excellente mère qui ne rechigne pas non plus à promener un cavalier dans de belles randonnées.

Visiblement réjouie, Lolly s'ébroua.

– Il va falloir que je remonte à cheval, Cooper. J'en ai besoin, sans ça, j'aurais trop l'impression d'avoir perdu ma jambe.

– D'accord, je vais en seller deux.

Sam n'en crut pas ses oreilles.

– Ta grand-mère va nous écorcher vifs.

– Encore faudrait-il qu'elle nous attrape. On part juste en promenade, papy, au pas. Même pas au trot, O.K. ?

– Ouais. Ça me va.

Cooper choisit deux vieux chevaux tranquilles. Il ne s'était pas rendu compte à quel point Sam rongeait son frein, et la joie qu'il venait de lire sur son visage le lui confirmait. S'il commettait une erreur, c'était pour la bonne cause.

Il aida le vieil homme à se hisser à califourchon et se réjouit de lire tant de plaisir dans son regard. À son tour, il sauta en selle, et tous deux partirent d'un pas lent dans la neige. Il ne put s'empêcher d'admirer l'assiette de Sam ; son grand-père se tenait droit comme un I, souple, tranquille, à croire que les années n'avaient plus de prise sur lui quand il se retrouvait à cheval, parfaitement économe de ses mouvements. En selle, Sam redevenait lui-même.

Sous le soleil, la blancheur du paysage devenait aveuglante, et l'on ne distinguait plus les forêts des champs ou des collines.

Mis à part le murmure du vent, le cliquetis des brides, le monde semblait immobile comme sur une photo.

– Nous vivons dans une belle région, Cooper.

– C'est sûr.

– J'y aurai passé toute mon existence, à travailler cette terre, à élever des chevaux. Je n'aurais rien voulu d'autre, enfin si : ta grand-mère. J'ai l'impression d'avoir accompli une œuvre que je pourrai te transmettre un jour.

Ils chevauchèrent une bonne heure, sans but précis, en silence la plupart du temps. Sous le grand ciel bleu, la neige tenait encore, mais elle ne tarderait pas à fondre et ce serait la débâcle, avec toute sa boue, puis les pluies de printemps, la grêle. Mais il fallait en passer par là pour revoir la verdure et les poulains dans la prairie.

Cooper ne désirait rien d'autre au monde. Là, il se sentirait revivre, lui aussi.

Alors qu'ils approchaient de la maison, Sam poussa un juron étouffé.

– Tiens, voilà ta grand-mère qui nous attend devant la cuisine, les mains sur les hanches. Elle va nous passer un savon.

– Eh, parle pour toi !

Sam conduisit son cheval jusque dans le jardin.

– Vous vous croyez malins, tous les deux, à vous balader dans le gel comme deux imbéciles ? Je suppose que, maintenant, vous allez me réclamer du café et de la tarte, comme si vous méritiez une récompense !

– Va pour la tarte ! Personne n'en fait de meilleure que ma Lucy.

Elle se détourna d'un air hautain.

– S'il se casse la jambe en mettant pied à terre, c'est toi qui t'en occuperas, Cooper Sullivan.

– Pas de problème.

Il préféra attendre qu'elle soit rentrée dans la cuisine pour sauter au sol et aider Sam à descendre.

– Je m'occupe des chevaux, toi, tu te débrouilles avec ta femme.

Il l'accompagna jusqu'à la porte puis s'éclipsa. Une fois les chevaux rentrés et pansés, il s'avisa qu'il avait encore des tâches à remplir. Il n'était pas aussi bricoleur que son grand-père mais se débrouillait déjà bien.

Quand il eut terminé, il alla jeter un coup d'œil sur le dortoir des cow-boys, en fait, une longue et morne bâtisse qu'on apercevait du ranch et des enclos. Assez loin tout de même pour que leurs occupants ne se gênent pas mutuellement. Et il devait reconnaître qu'il aimait bien se retrouver seul de temps en temps.

Actuellement, l'endroit servait surtout de grange, mais on y avait également aménagé des abris pour les saisonniers qu'on engageait de temps à autre. Maintenant qu'il avait un peu d'argent, Cooper allait pouvoir retaper les lieux. Par la suite, il transformerait la sellerie en gîte permanent pour un garçon d'écurie.

Le tout était de ne pas précipiter les événements. Chaque chose en son temps.

Dans le dortoir, il faisait presque aussi froid qu'au-dehors ; à croire qu'on n'avait pas remis en route depuis longtemps le vieux poêle à bois. Il y avait là quelques couchettes, une vieille table, des chaises. La cuisine était trop petite pour qu'on puisse y préparer plus d'un plat à la fois. Le plancher était rongé par le temps, de même que les murs. Cela sentait la crasse et la sueur.

On était loin de son appartement à New York. Mais tout cela était loin derrière lui, désormais. Il allait devoir réfléchir à ce qu'il faudrait pour rendre les lieux habitables.

En fait, il pourrait même y installer un petit bureau, ce qui serait une bonne chose puisqu'il n'aurait plus besoin de s'installer dans celui de ses grands-parents chaque fois qu'il avait une affaire à régler. Une chambre, une salle de bains, une cuisine digne de ce nom, un bureau. Voilà qui serait parfait.

En sortant, il commençait à échafauder des projets lorsqu'il repensa à la tarte. Pourvu que sa grand-mère soit calmée !

Il gravit les marches, tapa des pieds pour chasser la neige de ses chaussures et entra.

Attablée dans la cuisine, Lilly était là, en train de goûter.

– Cooper, viens t'asseoir ! lança sa grand-mère. On n'est pas près de dîner, alors profites-en. Sam fait la sieste là-haut, cette balade l'a épuisé. Lilly a dû insister avec moi pour qu'il se couche alors qu'elle avait fait toute cette route pour venir le voir.

– Bon, dit Cooper en ôtant sa veste et son chapeau.

– Tu n'as qu'à tenir compagnie à Lilly. Moi, je vais voir si ton grand-père dort.

Elle déposa devant lui une tasse de café et une part de tarte avant de sortir d'un air excédé.

– Elle en rajoute des tonnes, dit Lilly en croquant une bouchée. Elle m'a dit que cette sortie avait fait le plus grand bien à Sam ; elle est juste énervée que vous ne soyez pas venus lui en parler avant. Cette tarte est délicieuse.

Il y goûta et approuva.

– Elle semble fatiguée, reprit Lilly.

– Elle n'arrête pas ; elle ne ralentit même pas. Si elle a dix minutes devant elle, elle trouve encore quelque chose à faire. Ils se chamaillent à longueur de journée, comme des gamins de dix ans. Et puis…

Il s'avisa soudain qu'il s'était remis à lui parler comme au bon vieux temps.

Comme si rien ne s'était passé depuis.

Haussant une épaule, il piqua sa fourchette dans la tarte.

– Excuse-moi.

– C'est bon. Moi aussi, je m'inquiète pour eux. Alors, tu vas réaménager le dortoir ?

– Je vois que les nouvelles vont vite. Ça fait à peine deux heures que j'ai pris cette décision.

– Et moi, près d'une demi-heure que je suis là. Largement le temps de capter tout ce qui se dit. Comme ça, tu as l'intention de rester ici…

– Oui. Ça te dérange ?

– Pas du tout. Pourquoi ?

De nouveau, il haussa une épaule, reprit de la tarte.

– Tu ne comptes pas devenir le shérif de Deadwood ?

– Non, lâcha-t-il, surpris.

– Ça nous a étonnés d'apprendre que tu avais démissionné de la police.

Elle attendit un peu et, comme il ne répondait pas, reprit :

– Je suppose que c'est plus amusant de jouer les détectives privés.

– Ça rapporte plus, en général.

Pensive, elle but quelques gorgées de café. Il ne pouvait s'empêcher de suivre les mouvements de sa bouche, de se rappeler le goût de ses lèvres…

Et ce souvenir était insupportable.

– Ce devait être intéressant, ce boulot.

– Il y avait des moments sympas.

– C'est comme à la télé ?

– Non.

– Je t'ai connu plus bavard, Cooper.

– Je me suis installé ici, j'aide mes grands-parents au ranch et pour les chevaux. Voilà tout.

– Si c'est une manière de me dire de me mêler de mes affaires, vas-y !

– Mêle-toi de tes affaires.

– Très bien.

Elle reposa brusquement sa tasse, se leva.

– Je croyais qu'on était amis. Ou du moins qu'on pourrait le redevenir. Apparemment, je me suis trompée.

– Je ne t'ai rien demandé.

– C'est clair. Tu diras à Lucy que je la remercie pour sa tarte et que je reviendrai voir Sam dès que possible. Je m'arrangerai pour ne pas me retrouver dans tes pattes.

Là-dessus, elle sortit d'une démarche brusque, tandis qu'il se res-servait un morceau de tarte. Soulagé d'être enfin seul.

8

Il ne fallut pas longtemps à Lilly pour retrouver un rythme de travail régulier. Elle avait obtenu tout ce dont elle avait rêvé, un endroit à elle, un travail à elle, des collaborateurs efficaces, les animaux. Elle traitait mieux ses affaires par courrier et par téléphone qu'en se déplaçant, aussi pouvait-elle employer son temps à rechercher de nouvelles subventions. Il n'y avait jamais assez d'argent.

Il lui faudrait aussi apprendre à mieux connaître les stagiaires arrivés quand elle était dans les Andes et lire les rapports sur les animaux soignés et relâchés entre-temps.

Jour après jour, elle donnait elle-même à manger à ceux qu'ils avaient recueillis, nettoyait leurs enclos, et, avec Matt, soignait ceux qui en avaient besoin. Le temps passait à la vitesse du vent, et elle réservait ses soirées à la rédaction de ses comptes-rendus, des articles que publiaient certains journaux, quand elle ne travaillait pas à son site Web, certainement le témoignage le plus convaincant pour s'attirer des dons.

Ils avaient déjà perdu plus d'un pensionnaire, soit à cause de la chasse ou d'un prédateur, soit à cause de l'âge ou d'un quelconque accident. Néanmoins, elle comptait en ce moment six couguars originaires des Black Hills. L'un d'eux, un jeune mâle, marqué et relâché par l'équipe, était parti jusque dans l'Iowa, un autre avait été repéré dans le Minnesota. Une femelle, sœur de Bébé, s'était installée au sud-ouest de la réserve, mais, à la saison des amours, faisait parfois des incursions dans le Wyoming.

Lilly notait scrupuleusement chacune de ces informations, calculait les distances de dispersion afin d'en déduire leur comportement, leur choix éventuel de territoire.

Elle allait devoir acheter un nouveau cheval pour repartir suivre les pistes dans les collines. Elle avait le temps, avant le printemps, de capturer et d'évaluer, de marquer et de relâcher de nombreux spécimens. De toute façon, elle avait envie de parcourir à nouveau ses domaines.

– Tu devrais emmener au moins un stagiaire avec toi, insistait Tansy.

– J'irai plus vite si je suis seule. La saison est déjà bien avancée, on n'a plus le temps de traîner. J'emporte un collier transmetteur pour le cas où je capturerais un animal. Ici, tout roule. En plus, il faut vérifier la caméra de surveillance. Et puis ça me fera du bien de prendre quelques jours.

– Et si le temps se gâte ?

– Je ne serai pas si loin que ça, je pourrai toujours rentrer ou attendre sur place que ça passe. Écoute, on perd des quantités d'informations avec cette caméra en panne.

Elle ajouta un second collier à son paquetage. Avec un peu de chance…

– Et puis j'aurai le radiotéléphone.

Elle balança la carabine tranquillisante sur son épaule, enfila la bretelle, prit son sac.

– Quoi ? Tu pars maintenant ?

– Il me reste tout l'après-midi. Avec un peu de chance, j'aurai opéré une capture dès ce soir ou demain matin, et je pourrai rentrer.

– Mais…

– Ne t'inquiète pas ! Je n'ai plus qu'à m'acheter un bon cheval chez un ancien ami. Ça ira. Je partirai de chez lui. On reste en contact.

Elle espérait que l'ancien ami en question était parti en ville ou en randonnée, ce qui lui permettrait de traiter directement avec Sam ou Lucy.

En arrivant, elle entendit tout de suite les bruits de travaux qui montaient de l'ancien dortoir et, prise de curiosité, ne put s'empêcher de se garer devant le camion d'un menuisier qu'elle connaissait.

Grosse erreur ! songea-t-elle en voyant sortir Coop.

Boulot, boulot. Tu es là pour parler affaires.

– Je viens acheter un cheval.

– Qu'est-ce qui est arrivé au tien ?

– Rien, mais j'ai besoin d'une monture solide qui puisse m'emmener dans les collines, entre cinq et huit ans, tranquille et en bonne santé.

– On ne vend que des animaux en bonne santé. Où vas-tu ?

Penchant la tête de côté, elle lâcha d'un ton aigre :

– Tu me vends un cheval, oui ou non ?

– C'est bon ! Je cherche juste à déterminer celui qu'il te faudra. Ce n'est pas la même chose si tu en veux un pour te promener ou pour travailler.

– Je travaille, il m'en faut donc un pour travailler avec moi. Et tout de suite.

– Tu comptes partir maintenant ?

– Exactement. Le temps de trouver un félin à marquer. J'ai besoin d'une monture assez robuste pour grimper dans les rochers mais assez peu émotive pour tenir tête à un fauve.

– Tu en as repéré quelques-uns dans la réserve ?

– Pour quelqu'un qui ne veut pas que je me mêle de ses affaires, tu as drôlement tendance à t'occuper des miennes.

– T'emballe pas.

– Je n'ai rien repéré dans la réserve : on a une caméra en panne que je dois vérifier. Par la même occasion, je vais faire un tour d'inspection perso, deux ou trois jours maximum. Ça te va ?

– Je croyais que vous travailliez toujours en équipe pour le marquage ?

– Quand c'est l'objet principal du déplacement. Et puis je l'ai déjà fait. Bon, il me faudrait ce cheval avant le printemps, si tu veux bien, Cooper.

– J'ai un hongre de six ans qui pourrait te convenir. Je vais te l'amener.

Elle allait répondre qu'elle le suivait mais changea d'avis : mieux valait rester sur place, se dispenser de faire la conversation, éviter la tentation de visiter le dortoir.

Dès qu'elle aperçut le cheval, elle l'aima. C'était un beau pie brun et blanc. L'œil vif, l'oreille dressée, il se laissa mener au paddock. Sa solide ossature rassura immédiatement Lilly : il les porterait sans peine, elle et son équipement parfois très lourd.

Il ne broncha pas lorsqu'elle examina ses jambes, ses sabots. Il secoua un peu la tête quand elle lui ouvrit la bouche pour regarder ses dents mais ne chercha pas à la mordre.

– Il se comporte bien, observa Coop. Il a du cran, aussi, on ne le laisse monter que par des cavaliers expérimentés. Il aime bouger et s'ennuie vite s'il n'a rien à faire ; s'il se retrouve dans une file trop placide, il a tendance à faire du grabuge. Ce qu'il aime, c'est marcher en tête.

– Tu en veux combien ?

– Je suppose que tu as apporté ta selle. Commence donc par faire un tour avec lui. Prends ton temps. J'ai quelque chose à faire.

Suivant son conseil, elle sella sans se hâter le hongre, qui la laissa faire ; lorsqu'elle monta, il frémit légèrement, comme s'il brûlait d'impatience.

Faisant claquer sa langue, elle le lança au petit trot et put ainsi vérifier comment il réagissait à chacun de ses ordres, serrant les mollets, les genoux ou les talons, l'orientant d'une main légère. Il était bien dressé, mais elle n'en attendait pas moins d'un pensionnaire des écuries. Elle se fixa un prix à ne dépasser sous aucun prétexte, puis celui qu'elle allait tout d'abord proposer. C'était exactement la monture qu'il lui fallait.

Elle la mit au pas quand elle vit Cooper arriver accompagné d'une jument baie sellée.

– Comment s'appelle-t-il, au fait ?

– Rocky, parce que c'est un dur à cuire.

– Va pour Rocky. Combien en demandez-vous ?

Le prix qu'il énonça correspondait juste au maximum qu'elle s'était fixé. Déjà, Cooper se dirigeait vers la maison pour y récupérer un sac qu'il avait déposé devant la porte.

– C'est un peu trop cher pour moi.

– On pourra marchander en route.

– Je t'en propose… Pardon ?

– Je viens avec toi.

Elle faillit en bégayer :

– Minute, Cooper ! Qu'est-ce qui te fait croire que je vais te laisser me suivre ?

– Mes grands-parents pourront très bien se passer de moi un jour ou deux. Ensuite, j'en ai assez de ces bruits de travaux. En ce moment, c'est plutôt mort, Gull assurera très bien. Et puis j'ai envie de camper un peu.

– Eh bien, va camper ailleurs.

– Je suis mon cheval. C'est comme ça.

Sautant à terre, elle enroula les rênes autour de la barrière.

– Je te le paie un bon prix, il devient mon cheval.

– Tu me le paieras un bon prix quand on sera rentrés. Si à la fin de cet essai il ne te convient plus, tu pourras me le rendre. Sans frais.

– Je n'ai besoin de personne pour m'accompagner.

– Ce n'est pas toi que j'accompagne, c'est le cheval.

Elle jura, jeta son chapeau par terre. Jusqu'au moment où elle se rendit compte que plus ils en discutaient, plus elle avait envie de ce cheval.

– Bon, finit-elle par concéder. Tu as intérêt à ne pas me retarder. J'espère que tu as pris ta propre tente, ton propre matériel, ta propre nourriture, parce que je ne partagerai rien avec toi. Et tiens-toi bien, on ne va pas arpenter les plaines du souvenir.

– Comme tu dis.

Cooper ignorait pourquoi il avait pris cette décision. Il avait beau se donner toutes sortes de raisons, il savait qu'elles sonnaient faux. D'autant qu'il ne tenait pas particulièrement à passer une heure avec elle, encore moins un jour ou deux… En fait, il aurait préféré l'éviter.

Cependant, il ne supportait pas l'idée de la savoir seule dans ces contrées hostiles.

C'était idiot. Lilly avait le droit d'aller où bon lui semblait. Et lui n'en avait aucun de l'en empêcher. S'il ne l'avait pas su, il ne serait pas intervenu ; alors pourquoi s'était-elle donné la peine de venir l'en avertir sous un prétexte fallacieux ?

Cette fois, il comprenait mieux.

De toute façon, cette balade ne pouvait lui faire que du bien. D'abord, il appréciait de pouvoir entendre le bruit du vent dans les arbres rythmé par le pas des chevaux crissant sur la neige et les frottements du cuir.

Cela lui permettrait de s'évader un peu des soucis tels que la paie des employés, les frais de la vie quotidienne, la santé de son grand-père, la mauvaise humeur de sa grand-mère. Ce serait bien une des premières fois qu'il se baladerait depuis qu'il s'était installé dans le Dakota du Sud.

Ils chevauchèrent une bonne heure sans échanger un mot, jusqu'au moment où elle s'arrêta. Il vint alors se mettre à sa hauteur.

– C'est idiot. Tu es idiot. Va-t'en.

– Ça te donne des boutons de respirer le même air que moi ?

– Tu peux respirer tout l'air que tu voudras. Ça ne changera rien pour moi.

– Oui, mais il se trouve que je vais dans la même direction que toi.

– Tu ne sais même pas où je vais.

– Tu vas vers la prairie où tu as vu le couguar attaquer un jeune bison, à peu près à l'endroit où on a découvert un cadavre.

Elle plissa les yeux.

– Comment le sais-tu ?

– On ne peut pas empêcher les gens de parler. Il paraît que tu te rends toujours là quand tu es seule.

Cette fois, elle mordit à l'hameçon.

– Tu y es déjà retourné ?

– Oui.

– Alors tu dois aussi savoir qu'on n'a jamais trouvé le meurtrier.

– Il n'en était peut-être pas à son coup d'essai.

– Pardon ? Qu'est-ce qui te fait dire ça ?

– On a trouvé deux cadavres similaires dans le Wyoming et un autre dans l'Idaho. Toujours des promeneuses solitaires. Le deuxième, deux ans après Melinda Barrett. Le troisième, treize mois plus tard. Le dernier, six mois après.

– Comment le sais-tu ?

– N'oublie pas que j'ai été flic. J'aime bien me tenir au courant. Ces trois femmes ont été frappées à la tête puis poignardées et abandonnées dans des coins perdus. Il prend leurs sacs, leurs papiers, leurs bijoux. Il les abandonne aux bêtes sauvages. Et, tout à coup, au bout de quatre meurtres, il a arrêté. Ce qui veut dire que soit il est passé à une autre forme de meurtre, soit il s'est fait arrêter pour autre chose et il est en taule. Ou il est mort.

– Quatre, répéta-t-elle. Quatre femmes. La police doit avoir des suspects, des indices, non ?

– Rien de probant. À mon avis, il est en taule ou mort.

– Oui. Un prédateur peut changer de territoire mais pas de proie. Des femmes, seules, dans un environnement spécifique. Tant que la chasse est bonne, sa méthode n'évolue pas.

Comme il ne répondait pas, elle reprit :

– J'avais fini par me convaincre que Melinda Barrett avait succombé à une sorte d'accident. Ou tout au moins à un meurtre sans suite. Qu'elle avait été attaquée par quelqu'un qu'elle connaissait ou qui la connaissait.

– Tu as marqué l'endroit où on l'a trouvée.

– Oui, de la même façon que pour les animaux. J'ai laissé une petite caméra à infrarouge, comme on le fait dans les tanières, du genre de celles qu'on met sur les colliers. C'est comme ça qu'un couguar nous a conduits au Wyoming récemment…

– Les caméras tombent souvent en panne ?

– Elles ont besoin d'un entretien régulier. Entre les intempéries, les bêtes sauvages et les promeneurs trop curieux, on ne les garde pas longtemps intactes.

Arrivés au bord du torrent, ils purent constater que les eaux étaient encore gelées par endroits ; mais on trouvait dans la neige des traces d'animaux venus s'abreuver.

– Ce coin reste idéal pour le camping. Je vais installer mes affaires avant de grimper sur le replat.

Ils se trouvaient un peu en amont de l'endroit où ils étaient si souvent venus pique-niquer, où ils étaient devenus amants. Évidemment, Cooper n'y fit pas allusion.

Lui aussi monta sa tente, à cinq bons mètres de celle de Lilly, ce qui arracha un sourire moqueur à la jeune femme. Puis ils reprirent leurs chevaux.

– Les travaux du dortoir avancent bien ? demanda-t-elle. À moins que ce ne soit pas non plus mes oignons.

– Ça progresse. Je devrais pouvoir emménager bientôt.

– C'est bizarre, quand même. Jusqu'ici, tu ne venais à la ferme que comme visiteur occasionnel ; et puis on a voyagé à travers le monde, on ne se voyait plus. Et maintenant on va devenir voisins. Je n'ai pas l'habitude de croiser mes ex à tout bout de champ.

– Tu en as tant que ça ?

Elle lui jeta un regard en biais, à moitié caché par le large bord de son chapeau.

– Ça fait partie des choses dont tu ne dois pas te mêler.

– On devrait peut-être établir une liste.

– Peut-être.

Ils gravirent la colline à travers les pins et les bouleaux, comme autrefois, à cette différence près que le froid était vif et que ce qu'ils cherchaient se rapportait au passé, non à l'avenir.

– Un félin est passé par là.

Cette fois, elle n'était plus en jean et tee-shirt rouge, cette fois, elle ne cherchait pas à lui prendre la main.

Celle qu'il voyait en ce moment, c'était Lilly en veste de mouton, avec une longue natte dans le dos, une Lilly qui passait devant lui d'un air neutre, se penchait pour inspecter le sol du replat qui s'étendait devant eux.

– Et aussi des daims. Elle est en pleine chasse.

– Attends, je sais que tu es douée, mais pas au point de déterminer le sexe d'un animal à ses seules traces.

– J'extrapole.

Elle se redressa sur sa selle en considérant les alentours d'un œil brillant.

– Ces égratignures sur l'écorce des arbres. On est sur son territoire. La caméra nous l'a souvent montrée avant de tomber en panne. Elle est jeune. Pas plus d'un an, à mon avis. Elle doit tout juste commencer à chasser sans sa mère. J'aurai peut-être ma chance, avec elle. C'est exactement ce que je recherche. Elle descend certainement de celle que j'ai vue ici il y a quelques années. C'est sans doute une cousine de Bébé.

– Bébé ?

– Le couguar de la réserve. Je l'ai trouvé par ici avec son frère et sa sœur. Ce serait intéressant de vérifier si leurs mères ont un lien de parenté.

– Je suis sûr qu'elles se ressemblent.

– L'ADN, Coop. Les flics connaissent ça.

Elle descendit de cheval pour aller examiner un vieux boîtier, jura entre ses dents.

– La caméra n'est pas cassée, dit-elle. Et ça ne vient ni du temps ni d'une bête sauvage. On nous a fait une farce.

Elle fourra dans sa poche le cadenas brisé et se pencha pour soulever le couvercle.

– On a bousillé la fermeture, ouvert la boîte et éteint la caméra.

Cooper s'approcha.

– Ça vaut combien, ces machins-là ?

– Dans les 600 dollars. Tiens, c'est vrai, ils auraient pu le voler au lieu de le neutraliser.

Cependant, Cooper réfléchissait : n'était-ce pas là un moyen de la faire venir jusqu'ici ? Et seule, ainsi qu'elle en avait eu l'intention ?

Il s'éloigna tandis qu'elle remettait la caméra en marche et appelait sa base par radiotéléphone.

Certes, il ne possédait pas les talents de la jeune femme pour repérer des traces ; néanmoins, il voyait des empreintes de bottes, des allées et venues sur la neige. D'après leurs dimensions, il supputa que le vandale, s'il s'agissait bien d'un vandale, devait mesurer plus d'un mètre quatre-vingts, qu'il faisait du quarante-deux.

Il étudia le terrain, les arbres, les buissons, les rochers. Dans les alentours, beaucoup d'endroits permettaient de camper sans jamais croiser personne.

Les félins n'étaient pas les seules espèces à se camoufler pour guetter leurs proies.

— La caméra est repartie ! lança Lilly.

Elle vint regarder les traces que lui montrait Coop.

— Il se sent ici chez lui, commenta-t-elle. J'espère qu'il n'a pas touché à la cage.

Elle se dirigea vers une toile verte protégée par les arbres, la détacha, dégageant effectivement un piège à porte tombante.

— Il y manque un panneau, observa Coop.

— Non, on enlève la porte de peur que quelqu'un ne veuille s'en servir ou qu'un animal ne s'y laisse piéger. Je l'ai apportée avec moi. On laisse la cage ici pour ne pas avoir à la transporter chaque fois.

Cooper l'aida à replacer la porte, qu'elle fixa en hauteur à l'aide de ficelles et de ressorts, puis elle déposa des morceaux de bœuf à l'intérieur du piège, vérifia sa montre.

— On a encore deux heures avant la tombée de la nuit. Si notre couguar est toujours en chasse, l'appât devrait l'attirer. On n'a qu'à guetter depuis le campement.

— Comment ça ?

— Grâce à la technologie, sourit-elle.

Alors qu'ils commençaient à descendre, elle décida soudain de suivre les empreintes humaines.

— Elles s'enfoncent dans la réserve, remarqua-t-elle. S'il continue dans cette direction, il va droit vers le parking.

— On pourrait continuer, mais tu risques de manquer ton objectif initial.

— De toute façon, ça ne servirait à rien. Il est arrivé par ici et il n'est pas reparti. Ce doit être un de ces promeneurs de l'extrême, de ces écolos qui se préparent à la fin du monde. Ils se croient prêts à affronter les climats les plus rudes, en quoi ils se trompent.

— Tu devrais porter plainte, pour la caméra.

— Pour quoi faire ? « Monsieur l'agent, on m'a cassé un cadenas, éteint une caméra. Envoyez-moi vos meilleurs limiers. »

— Il est toujours préférable d'enregistrer un dol.

— Toi, tu t'es absenté trop longtemps. Le temps que je redescende, mon équipe l'aura dit au livreur, qui l'aura dit aux bénévoles, qui en parleront à leurs patrons, voisins, collègues, etc. C'est déjà enregistré. À la mode du Dakota du Sud.

Au campement, elle ouvrit un petit ordinateur portable, s'assit sur son tabouret pliant et se mit au travail pendant que Cooper préparait du café. Il avait oublié ces modestes plaisirs. Un mug à la main, il alla s'asseoir au bord du torrent et regarda l'eau bouillonner autour des rochers.

Pendant ce temps, Lilly discutait au téléphone, coordonnant son ordinateur avec celui de son correspondant.

– Si tu me donnes une tasse de café, proposa-t-elle soudain, je te promets de partager mon ragoût. Ce n'est pas une conserve, c'est ma mère qui l'a préparé.

Il lui jeta un regard, avala une gorgée, ne répondit pas.

– Je sais ce que j'ai dit tout à l'heure, insista-t-elle. C'était complètement idiot. En plus, tu ne m'énerves plus trop. Pour l'instant.

Elle se leva, déposa son portable sur le tabouret, se dirigea vers sa sacoche, d'où elle sortit une boîte en plastique.

– Tiens, je ne mens pas.

L'offre était tentante, et, de toute façon, il avait envie de voir ce qu'elle fabriquait avec son ordinateur. Alors il remplit un deuxième mug de café, sucré comme elle l'aimait, d'après ce qu'il se rappelait.

Debout au bord du torrent, tous deux sirotèrent en silence.

Jusqu'à ce qu'elle reprenne la parole.

– L'ordinateur est relié à la caméra. Si elle se met en route, je recevrai un signal sonore et les images.

– Super.

– C'est Lucius qui m'a bidouillé ça. Un petit génie, dans son genre. Il peut transmettre un message à tes grands-parents si tu veux savoir où ils en sont, mais je lui ai déjà demandé de leur téléphoner pour les prévenir qu'on était partis camper… Le temps a l'air de vouloir rester au beau fixe.

Lilly tourna la tête, et leurs yeux se croisèrent. Il en éprouva un choc dans la poitrine, mais elle regardait déjà ailleurs.

– Il est bon, ton café, commenta-t-elle. Tiens, je vais réchauffer ce ragoût.

Elle s'éloigna, le laissant seul au bord de l'eau.

La jeune femme n'avait pas envie de rester dans cet état d'énervement. Impossible, pourtant, de faire l'impasse sur ce qu'elle ressentait en ce moment.

Et lui ? Elle l'avait trouvé si triste, si furieux aussi... Mais cela ne la regardait pas davantage.

Et Jean-Paul ? N'éprouvait-il pas le même genre de sentiment ? Ce néant, ce vide que rien ne saurait combler, si ce n'était la présence de l'autre ? Elle s'en voulait à mort de faire souffrir ainsi quelqu'un.

Peut-être était-ce là sa punition : savoir qu'elle était toujours amoureuse de Cooper Sullivan. Cela faisait très mal.

Dommage qu'elle ne puisse s'enfuir avec Jean-Paul, tout oublier. Mais non, sa vie était là, elle n'avait pas le choix.

Le soir tombait quand elle tendit une assiette fumante à Coop.

– Tiens, ça doit être assez chaud... Je retourne travailler.

– Merci.

Au crépuscule, des cerfs vinrent s'abreuver au torrent. Lilly distinguait leurs silhouettes, entendait leurs déplacements sur la neige et dans les buissons. Elle jeta un coup d'œil sur son écran, mais rien ne bougeait du côté de la prairie.

Au lever de la lune, elle emporta l'ordinateur et sa lanterne sous sa tente. Elle s'y sentit plus seule encore, sachant que Cooper se trouvait à quelques mètres d'elle, écouta les bruits de la nuit, les appels des animaux, les courses, le cri de la victime, le rugissement du prédateur, et son cheval qui soufflait, qui hennissait légèrement à l'adresse de celui de Coop.

L'atmosphère était pleine de clameurs. Seuls les deux humains n'échangèrent pas un mot.

Elle s'éveilla peu avant l'aube, certaine d'avoir entendu un signal provenant de l'ordinateur. Cependant, elle ne trouva qu'un écran vide. Elle s'assit, l'oreille aux aguets. Elle percevait du mouvement dehors, des remous furtifs, humains. Malgré l'obscurité, elle repéra son fusil ainsi que sa carabine tranquillisante.

Armée de cette dernière, elle souleva lentement l'ouverture de sa tente pour tâcher de distinguer ce qui se passait et reconnut Cooper.

– Qu'est-ce qu'il y a ? souffla-t-elle.

Il leva une main pour la faire taire, lui fit signe de rentrer à l'abri, mais elle n'obéit pas.

– Quoi ? demanda-t-elle en sortant.

– J'ai entendu quelqu'un par là.

– C'était certainement un animal.

– Non. Il a dû s'enfuir quand j'ai ouvert ma tente. Qu'est-ce que c'est que ça ?

– Une carabine tranquillisante. Ça marche très bien aussi sur les humains. J'ai entendu du bruit, mais je ne savais pas que c'était toi.

Elle laissa échapper un soupir.

– Et ça, qu'est-ce que c'est ?

Elle désignait le 9 mm qu'il tenait à la main.

– Un pistolet tranquillisant.

– Cooper !

Sans répondre, il rentra sous sa tente, en ressortit armé d'une lampe torche qu'il lui tendit.

– Tiens, vérifie-moi ces traces.

– Bon, là, ce sont les tiennes. Tu as dû sortir te soulager, non ?

– Bien vu.

– En voici une autre qui monte directement du torrent et qui continue par là. Le type devait courir ou marcher très vite. Sans doute un braconnier, enfin, quelqu'un qui voulait installer des pièges et aura repéré notre campement. Mais tu vois, là ? Ce sont les mêmes empreintes que celles qui entouraient la cage.

– On dirait, en effet.

– Toi, je te vois venir. En tant qu'ancien flic, tu dois soupçonner tout le monde et croire que j'aurais eu des ennuis si je m'étais retrouvée seule ici.

– On ne peut rien te cacher.

– Rassure-toi, je suis une grande fille, je sais me débrouiller toute seule. Tiens, si je t'administrais un de ces tranquillisants, je peux te garantir que tu ne serais pas en forme. Enfin, bon…

Elle s'interrompit au son d'un bip provenant de sa tente. Oubliant le reste, elle se précipita dans sa tente.

– Ça y est ! Tu m'as porté bonheur, on dirait. Viens, Cooper ! Franchement, regarde-moi cette splendeur.

Elle se déplaça pour le laisser apercevoir la silhouette souple qui s'approchait de la cage.

– Elle a senti la viande. Elle a dû surveiller un moment les alentours, tapie dans un buisson. Elle est magnifique !

Le couguar filait comme l'éclair sur la neige, et Lilly restait fascinée par tant de grâce et de puissance. Lorsque la porte retomba, le félin avait déjà l'appât dans sa gueule.

– On la tient ! On la tient ! s'écria-t-elle. Tu as vu comment...

Elle se tourna si vite que ses lèvres heurtèrent presque celles de Cooper dans l'étroit espace de la tente. Elle sentit sa chaleur, vit la lueur dans ses yeux. Un court instant, elle fut submergée de souvenirs à fleur de peau.

Mais elle eut tôt fait de s'écarter.

– Il faut que je m'habille. Le jour va se lever. Il y aura bientôt assez de lumière pour qu'on puisse remonter. Maintenant, excuse-moi, j'ai un appel à passer.

9

Comme elle avait plus de matériel que lui à remballer, Cooper fit griller du bacon et prépara du café. Une fois qu'elle aurait terminé ses communications, il lui servirait un solide petit déjeuner.

Il sellait son cheval lorsqu'elle vint reprendre le sien.

– Qu'est-ce que tu comptes faire, avec ce couguar ?

– L'immobiliser. Grâce à ma carabine, je peux lui injecter un tranquillisant à distance, sans le blesser. Je prélèverai un peu de sang, quelques poils, vérifierai son poids, son âge, sa taille et tout. Puis je lui fixerai au cou un collier radio.

Comme il lui tendait un mug de café, elle le remercia distraitement, avant de reprendre :

– Je ne lui administrerai qu'une dose légère, mais ça le laissera quand même plusieurs heures dans le coaltar. Donc, je resterai près de lui jusqu'à son réveil. Si tout se passe bien, il sera sur pied dès midi et j'aurai obtenu ce que je voulais.

– Et qu'est-ce que ça te rapporte ?

– Le plaisir d'avoir fait mon boulot et d'innombrables informations. Le couguar fait partie des espèces quasi menacées. La plupart des gens qui vivent à proximité de leur territoire n'en rencontrent jamais.

– À part toi.

Ils montèrent en selle et mangèrent les galettes fourrées au bacon qu'il venait de préparer.

– Merci pour le petit déjeuner, balbutia-t-elle. Je me sens bête de t'avoir envoyé sur les roses.

– C'est un juste retour des choses.

Déjà, elle reprenait ses explications.

– En outre, ceux qui croyaient en avoir vu les confondaient avec des lynx ; restent les rares qui en ont vraiment aperçu et se sont crus devant des mangeurs d'hommes.

– Il paraît que, l'année dernière, une femme de Deadwood en a trouvé un dans sa douche.

– Oui, c'était sympa. Elle aurait dû savoir qu'il ne s'intéressait pas à elle ; il chassait une biche et, dans sa course, il a abouti dans son jardin. Paniqué, il a sauté par la fenêtre dans la salle de bains, où elle a tellement crié qu'il s'est enfui comme un dératé. C'est à nous d'apprendre à respecter ces animaux. Ils n'ont aucune envie de vivre avec nous, pas plus qu'ils ne cherchent à vivre ensemble, sauf à la saison des amours. Ce sont des êtres solitaires qui, arrivés à l'âge adulte, ne comptent qu'un seul prédateur : l'homme.

– J'y réfléchirai à deux fois avant de prendre une douche la fenêtre ouverte.

– Ça ne risque pas de t'arriver. Quant à la petite femelle piégée là-haut, elle n'a guère que neuf ou dix ans à vivre. Elle s'accouplera tous les deux ans, aura en moyenne trois petits par portée, dont deux mourront vraisemblablement avant d'atteindre un an. Elle les nourrira, les défendra à mort, leur apprendra à chasser. Elle les aimera jusqu'à l'heure de les laisser partir. Au cours de sa vie, son territoire pourra s'étendre jusqu'à quatre cents kilomètres carrés.

– Et toi, tu la pistes grâce à son collier radio.

– Où qu'elle aille, quand, comment, le temps que ça lui prend, quand elle s'accouple. J'ai déjà marqué deux générations depuis Bébé et un vieux mâle que j'ai capturé ici, l'année dernière, dans le canyon. Avec celle-ci, je vais en inaugurer une nouvelle.

Chaque fois que le chemin le permettait, ils se mettaient au trot.

– Je vais donner un nom à cette petite, ajouta-t-elle, et lui consacrer une page spéciale sur le Web. Je veux bien reconnaître que c'est une forme d'exploitation, mais ça nous permet de survivre et de protéger son espèce.

Avec un clin d'œil, elle conclut :

– Tu connais une meilleure façon d'entamer la matinée ?

– J'en ai connu de pires.

– Le grand air, un bon cheval, des kilomètres de paysages fabuleux, un travail intéressant. J'adore mon métier ! Qu'en dit le citadin ?

– Que la ville n'est ni pire ni meilleure. Juste différente.

– Elle ne te manque pas ? Ton travail là-bas ?

– Je suis satisfait de mon boulot. Tout comme toi.

– C'est l'essentiel. Tu te débrouilles bien avec les chevaux. Tu as toujours été doué avec eux. À propos, on devait discuter du prix de celui-ci. En tout cas, tu avais raison : Rocky et moi, on est faits pour s'entendre.

Soudain, elle se figea, montra des empreintes de pas.

– Tiens, revoilà notre client. Il est passé par là. À grandes enjambés mais sans courir. Qu'est-ce qu'il fabrique ?

Alors son cœur se serra.

– Il se dirige vers le replat. Vers le couguar.

Un cri lui répondit, comme en écho.

– Tiens, il est là-bas !

Elle lança son cheval au galop.

Le cri retentit de nouveau, suivi d'un glapissement de fureur qui fut interrompu par un coup de feu.

– Non !

Elle filait à une telle vitesse qu'elle ne voyait plus son chemin, escaladant les rochers neigeux, poussant sa monture à travers la forêt gelée.

Lorsque Cooper arriva à sa hauteur pour lui arracher la rêne des mains, elle hurla :

– Lâche-moi ! Il l'a tuée ! Il l'a tuée !

– Dans ce cas, tu n'y peux plus rien.

Puis il continua d'une voix calme, pour apaiser les chevaux :

– Il y a un homme armé, là-haut, alors tu ne fonces pas tête baissée, au risque de faire trébucher ta monture, de lui casser une jambe et de te briser le cou en prime. Arrête ! Réfléchis.

– Il a une bonne vingtaine de minutes d'avance sur nous. Elle est prise au piège dans une cage. Je dois…

– Arrête ! Réfléchis. Sers-toi de ton téléphone. Raconte ce qui s'est passé.

– Si tu crois que je vais rester sans réagir pendant que…

– Tu vas appeler, demander à ton équipe si elle reçoit toujours les images de la caméra. Pendant ce temps, nous prenons ce chemin mais sans nous précipiter. Tu vas me suivre, parce que c'est moi qui possède une arme digne de ce nom. Voilà tout. Allez.

Oubliant toute protestation, elle s'avisa qu'il avait raison et sortit son téléphone pendant que Cooper passait devant elle.

– J'ai aussi un fusil, rectifia-t-elle.

À ce moment-là, elle entendit la voix endormie de Tansy au bout du fil.

– Allô, Lilly, qu'est-ce qui…

– Vérifie la caméra. Numéro 11. Celle que j'ai réparée hier. Vite !

– D'accord, mais je n'ai pas cessé de regarder depuis ton dernier appel. J'ai aussi vérifié si les animaux se portaient bien, j'ai ramené Eric avec moi… Purée ! Elle est encore en panne !

– Écoute-moi bien. Cooper et moi nous trouvons à environ vingt minutes du site. Il y a quelqu'un là-haut. On a entendu un coup de feu.

– Oh non ! Tu crois que…

– Préviens immédiatement la police et le ranger. Nous, on fonce sur le replat. Avertis Matt. Si le couguar est blessé, je l'amènerai avec moi. On pourrait avoir besoin d'un hélico.

– Je m'en occupe. On reste en contact. Sois prudente, Lilly.

Elle ferma son téléphone en insistant auprès de Cooper.

– On peut avancer plus vite que ça !

– Oui, et on peut aussi finir dans le décor. Sans compter qu'on ne sait pas qui est là-haut ni ce qu'il a derrière la tête. On sait juste qu'il est armé et qu'il a déjà eu largement le temps de s'enfuir ou de se cacher.

Ou même de nous attendre, prêt à se payer une victime humaine par la même occasion, songea-t-il. Comme il n'était sûr de rien, il ne céda pas à la tentation de ligoter Lilly à un arbre et de grimper seul.

– On ferait mieux de continuer à pied, poursuivit-il. Ce sera plus silencieux et on offrira une cible moins voyante. Sors ton couteau, ta carabine tranquillisante, ton téléphone. À la première alerte, tu disparais. Tu connais ce territoire mieux que personne. Disparais, appelle à l'aide et ne te manifeste qu'à l'arrivée des secours. Compris ?

– On n'est pas à New York. Tu n'es plus flic.

Il la foudroya du regard.

– Et, ici, on n'a plus affaire à des animaux qu'il suffit d'endormir. Tu veux perdre encore combien de temps à discutailler avec quelqu'un de plus fort que toi ?

Elle descendit de cheval parce qu'il avait raison, remplit son sac à dos de ce dont elle avait besoin et garda la carabine en main.

– Derrière moi, ordonna-t-il. En file indienne.

Il marchait vite, mais elle cala son pas sur le sien. Tout à coup, il s'arrêta derrière un buisson, sortit ses jumelles pour examiner le replat qui s'étalait devant eux.

– Tu vois la cage ?

– Attends.

Il voyait surtout beaucoup de neige, d'arbres et de rochers, autant de cachettes possibles. Jusqu'au moment où il avisa le félin derrière les barreaux. Et le sang sur la neige.

– Je ne distingue pas tout, mais le couguar a été abattu.

Lilly ferma un instant les yeux, consternée.

– Viens, dit-il, en passant par là on débouchera derrière la cage. Ce sera plus discret.

– D'accord.

Cela prit plus de temps que prévu. Le terrain était trop accidenté, trop pentu pour qu'ils puissent progresser aussi vite qu'elle l'aurait voulu. Quand elle trébucha, elle accepta la main de Cooper pour se relever.

Dans l'atmosphère glacée, elle humait l'odeur du sang, de la mort.

– Je vais voir cette bête, annonça-t-elle d'un ton qui se voulait mesuré. Si ce type guettait notre arrivée, il nous aurait déjà entendus et il aurait eu tout le temps de nous contourner pour nous prendre à revers. Il a tiré sur un animal pris au piège. C'est un lâche. Il est parti.

– Tu peux quelque chose pour le couguar ?

– J'en doute, mais je ferai tout ce que je pourrai. Tu te rends compte que ce fumier aurait pu faire feu sur toi, cette nuit, quand tu es sorti de ta tente ?

– Je passe devant. Et on ne discute pas.

– Fais ce que tu veux, moi, je m'occupe du couguar. Tu pourrais peut-être tirer quelques coups de feu de sommation.

– Il prendrait ça pour un défi. Tu crois que c'est plus facile de tuer un animal, immobilisé ou non, qu'un humain ? Erreur. Tout dépend de celui qui tient l'arme. Reste à couvert tant que je ne t'appelle pas.

Il s'avança, les sens aux aguets. On lui avait déjà tiré dessus, et ce n'était pas une expérience qu'il avait envie de renouveler.

Au-dessus de sa tête, un faucon décrivait des cercles en criant à tue-tête. Un mouvement parmi les arbres alerta Coop, qui braqua son arme dans leur direction. Un cerf marchait dans la neige, à la tête d'une harde.

Cooper se dirigea vers la cage.

Il savait bien que Lilly n'aurait pas obéi à ses ordres. Elle le rejoignit, s'agenouilla sur le sol gelé.

– Tu veux rebrancher la caméra ? Du moins s'il ne l'a pas bousillée. Il faut qu'on enregistre ça.

Dans la cage, le félin gisait sur un flanc, dans une mare de sang. Lilly dut prendre sur elle pour ne pas éclater en sanglots, se jeter sur le malheureux animal en le caressant, en s'excusant. D'un geste brusque, elle sortit son radiotéléphone.

– Tansy, on rallume la caméra. La femelle a été abattue. En pleine tête.

– Oh, Lilly !

– Avertis qui de droit et copie-nous la vidéo. Il faut que les autorités montent jusqu'ici, qu'on emporte le corps.

– Je m'en occupe tout de suite. Je suis désolée, Lilly.

– Oui. Moi aussi.

Elle raccrocha, leva les yeux vers Cooper.

– La caméra ?

– Juste éteinte. Comme avant.

– La saison de la chasse au couguar est très courte, très surveillée. En ce moment, elle est fermée. De plus, on est dans une propriété privée. Il n'avait pas le droit.

Blême, les yeux brillants, elle parvenait cependant à garder un ton ferme.

– Même si elle n'avait pas été en cage, sans défense, cet enfoiré n'avait pas le droit de lui tirer dessus. Je veux bien qu'on aime la chasse, c'est un sport, et beaucoup de gens mangent du gibier, sans parler de l'équilibre écologique. Mais ça n'a rien à voir avec la chasse. C'est un meurtre. Il a tué une femelle en cage. Or c'est moi qui l'ai mise en cage. Je suis responsable…

– Arrête, c'est complètement idiot !

– Non. N'empêche que ce salaud a eu tort. D'ailleurs, il a commencé par débrancher la caméra. Puis il s'est approché de la cage. La femelle a crié pour le menacer, il l'a provoquée, elle a répondu ; lui, ça devait l'exciter. Et il a fini par lui tirer dessus. À bout portant. Enfin, je suppose. Tant qu'on n'aura pas fait l'autopsie, on ne pourra rien affirmer. La police nous dira quelle arme il a utilisée.

– Un pistolet, d'après le bruit, petit calibre, d'après l'aspect de la blessure.

– C'est toi le spécialiste.

Il la laissa pénétrer dans la cage, quitte à souiller le lieu du crime. Lilly passa la main sur la tête explosée de la jeune femelle, qui n'avait guère dû vivre plus d'un an. Qui avait appris à chasser et courait libre. Qui se cachait pour protéger sa solitude.

Lorsque les épaules de Lilly s'affaissèrent, lorsqu'elle se sentit trembler, elle se leva pour sortir du champ de la caméra. Alors Cooper s'approcha d'elle, la prit dans ses bras, où elle pleura tout son saoul.

À l'arrivée des autorités, elle avait recouvré son calme et elle put répondre d'un ton professionnel. Cooper avait déjà vu une ou deux fois le shérif du comté et il supposa que Lilly le connaissait depuis l'enfance.

Âgé d'une trentaine d'années, le corps trapu, le visage taillé à la serpe, il s'appelait William Johannsen, mais tout le monde le surnommait Willy.

Pendant qu'il s'entretenait avec Lilly, Cooper observait un de ses adjoints en train de photographier la cage, les empreintes de pas. Il vit aussi Willy poser une main sur le bras de la jeune femme avant de se tourner vers lui.

– Monsieur Sullivan, quelle tragédie ! Vous êtes chasseur ?

– Non, ce n'est pas mon truc.

– Moi, je tue mon cerf chaque année. J'aime la vie au grand air, l'affrontement avec la faune sauvage. Et ma femme nous prépare de délicieux plats de gibier. Mais je n'ai jamais chassé le couguar. Mon père, qui mange tout ce qu'il tue, pense comme moi : les félins ne sont pas comestibles. Mais bon. Le vent se lève. Lilly m'a dit que vous aviez des chevaux par ici.

– Oui, j'aimerais les retrouver.

– Je vous accompagne un bout de chemin. Lilly a appelé son père, il vous rejoint à l'endroit où vous avez campé cette nuit. Il vous aidera à récupérer vos affaires.

– Lilly préfère accompagner le couguar.

– Oui. C'est pour ça que je viens avec vous. Vous me raconterez ce que vous savez. Par la suite, on se verra plus longtemps à mon bureau, quand vous aurez eu le temps de vous réchauffer.

– Bon. Donnez-moi une minute.

Sans attendre la réponse, il retourna voir Lilly mais ne lui toucha pas le bras. Elle leva vers lui un regard sec, presque distant.

– Je m'occupe des chevaux, dit-il. Je retrouve Josiah au camp. On descendra tes affaires.

– Merci, Coop. Je ne sais pas ce que j'aurais fait si tu n'avais pas été là.

– C'est normal. Je passerai te voir plus tard.

– Ce n'est pas la peine de…

– Je passerai te voir plus tard.

Et de retourner vers le shérif, qui lui emboîta le pas.

– Ainsi, vous étiez dans la police, sur la côte est.

– Oui.

– Et puis vous êtes devenu détective privé.

– Oui.

– Je me rappelle quand vous veniez passer vos vacances, enfant, chez vos grands-parents. Ce sont des gens bien.

– Oui.

Sans cesser de marcher, Willy eut une moue moqueuse.

– J'ai entendu dire que Gull Nodock, qui travaille pour vous maintenant, vous avait offert votre première chique et que vous aviez vomi tripes et boyaux.

– Il adore la raconter, celle-là.

– Elle est excellente ! Si nous récapitulions un peu, monsieur Sullivan ? Vous étiez flic, vous savez ce qui m'intéresse.

Cooper s'exécuta avec le plus de précision possible, et ils arrivaient à hauteur des chevaux lorsqu'il termina.

– Nous restons en contact, conclut le shérif. Si j'ai besoin de vous, je sais où vous joindre. Faites attention en redescendant, ça peut être glissant.

– Comptez sur moi.

Il monta sur sa jument, prit la rêne du cheval de Lilly que lui tendait Willy.

Il allait avoir le temps de réfléchir durant le trajet.

Comment penser qu'il n'y ait pas de relation entre le fait que la caméra ait été débranchée, qu'un intrus se soit glissé dans leur campement, que le couguar piégé par Lilly ait été abattu ?

Dénominateur commun ? Lillyian Chance.

Il s'agissait maintenant de le lui dire et de le lui répéter, jusqu'à ce qu'elle prenne les précautions qui s'imposaient. Elle avait trop tendance à croire qu'il était plus facile de tuer un animal en cage qu'un humain.

Cooper ne connaissait pas bien William Johannsen et, jusque-là, n'avait eu aucune relation professionnelle avec lui. Cependant, l'homme lui avait laissé l'impression d'un flic compétent, à la tête froide. Pourvu qu'il poursuive son enquête jusqu'au bout.

Néanmoins, Cooper doutait qu'elle aboutisse.

Celui qui avait tué le couguar de Lilly savait exactement ce qu'il faisait et comment s'y prendre. Restait à savoir pourquoi.

Fallait-il qu'on en veuille à la jeune femme, à moins de vouloir se venger de la réserve tout entière ? Ou alors il s'agissait des deux à la fois et on avait affaire à un extrémiste écolo ou chasseur.

En tout cas, quelqu'un qui connaissait la région et savait vivre dans la nature sans se faire repérer. Sans doute faudrait-il reprendre contact avec ses anciens amis et connaissances pour vérifier si Lilly n'avait pas déjà connu d'incident de ce genre. À moins de lui poser directement la question. Cela leur ferait gagner un temps précieux.

En même temps, cela irait à l'encontre de l'attitude indifférente qu'il affectait depuis leurs retrouvailles.

Maintenant, il n'allait plus la lâcher. Il le savait depuis l'instant où il l'avait revue.

Il n'était pas du genre à laisser une enquête irrésolue. Lilly le tourmentait trop. Puisqu'il ne pouvait l'ignorer, il allait s'en occuper, et tant pis pour le type avec qui elle n'était pas exactement fiancée.

Alors que le campement était maintenant en vue, il ralentit, souleva le bas de sa veste pour poser la main sur la crosse de son pistolet.

De longues déchirures droites et précises balafraient les deux tentes. Les tapis de couchage traînaient au bord du torrent, détrempés, le réchaud dont il s'était servi pour préparer le petit déjeuner avait été renversé dans la neige. La chemise que Lilly avait portée la veille gisait devant sa tente, et Cooper ne douta pas un instant que le sang qui la souillait provenait du couguar.

Il mit pied à terre, attacha les deux chevaux puis ouvrit la sacoche de Lilly pour se saisir de l'appareil photo qu'il l'avait vue y ranger le matin même ; il prit plusieurs clichés de la scène ainsi que des empreintes de pas autres que les siennes ou celles de Lilly. Il sortit un sac plastique destiné à servir de poubelle pour y glisser la chemise de Lilly en regrettant de ne pas avoir de feutre sur lui pour y noter l'heure et la date ainsi que ses initiales.

Comme il entendait un cheval approcher, il pensa à Josiah et s'empressa de fourrer cette pièce à conviction dans la sacoche de sa selle, tout en gardant son arme à portée de main.

Il put bientôt constater que c'était bien Josiah et se détendit.

– Elle va bien ! lança-t-il d'emblée. Elle est avec le shérif.

– Parfait, dit le père de Lilly en considérant le camp d'un œil effaré. Vous n'avez quand même pas passé la nuit à vous pochetronner tous les deux !

– C'est l'autre type. Il a dû passer par ici en s'enfuyant, alors qu'on était là-haut.

– Mais pourquoi ?

– Là est la question.

– C'est à toi que je la pose, Cooper. Je ne suis pas du genre idéaliste, je sais que les gens font parfois des saloperies. Mais, là, je ne comprends pas. Tu connais peut-être la réponse, tu as dû y réfléchir.

– Franchement, je n'en sais rien. Il faudrait peut-être l'interroger, elle, elle doit en avoir une idée. Moi, je ne fais plus partie de sa vie depuis trop longtemps, je ne sais pas ce qui se passe dans sa tête ou autour d'elle.

– Mais tu vas trouver.

– La police s'en occupe. J'ai l'impression que Willy est un gars consciencieux.

– Il fait son boulot et le fait bien, seulement il a d'autres choses à penser. C'est pourquoi je te le demande, Coop : aide-moi. Aide Lilly. Veille sur elle !

– Je lui parlerai. Je ferai ce que je pourrai.

– Bon. Maintenant, il va falloir ranger tout ça.

– Non. Je vais le signaler aux flics pour qu'ils viennent prélever le maximum d'indices.

– Tu sais ce que tu fais, conclut Josiah en ôtant son chapeau. Bon Dieu, Cooper, je me fais un sang d'encre pour ma fille !

Et moi donc ! pensa ce dernier.

10

Lilly dut surmonter ses émotions pour assister Matt durant l'autopsie ; un shérif adjoint se tenait près d'eux. En d'autres circonstances, elle se serait amusée de la réaction du pauvre homme. Mais elle était partiellement responsable de ce sang sur ses mains, et personne ne la convaincrait du contraire.

Cependant, la scientifique qu'elle était préleva comme d'habitude des échantillons de tissu et de poils, comme sur les animaux vivants. Elle les analyserait, enregistrerait les données dans les archives de la réserve.

Lorsque le vétérinaire préleva la balle, elle tendit le récipient en acier, où l'objet tomba dans un bruit métallique. L'adjoint l'enferma dans un sac plastique qu'il scella et identifia devant eux.

– On dirait du 9 mm, observa-t-il. Je vais le faire parvenir au shérif Johannsen. Vous pouvez confirmer que c'est la cause de la mort, docteur ?

– Une balle dans le cerveau, cela ne pardonne pas souvent, répondit Matt. Je n'ai pas trouvé d'autres blessures, mais je vais ouvrir le corps pour m'en assurer. Je peux tout de même affirmer que vous tenez en main ce qui l'a tuée.

– On enverra une copie du rapport au bureau du shérif, précisa Lilly.

– Dans ce cas, je vais y aller.

Matt reposa son forceps pour prendre un scalpel.

– Étant donné son poids, sa taille, ses dents, je dirai que cette femelle a entre douze et quinze mois.

– Oui, confirma Lilly. Elle n'est pas grosse, quoique j'attende votre confirmation sur ce point, et ne donne aucun signe d'une récente mise bas. Elle était encore trop jeune pour s'accoupler à l'automne dernier. À première vue, elle était en bonne santé.

– Lilly, vous n'êtes pas obligée de rester.

– Si.

Elle s'efforça de regarder Matt procéder au découpage.

Quand ce fut fini, qu'elle eut enregistré toutes les informations requises, les yeux la piquaient, sa gorge était sèche. Tension et remords faisaient assez mauvais ménage dans son estomac. Elle se lava longuement les mains avant de regagner son bureau.

Lucius leva sur elle des yeux pleins de larmes.

– Désolé, je n'arrive pas à m'y faire.

– On en est tous là.

– Je ne savais pas ce que vous vouliez que je mette sur le site. Une sorte de déclaration ou…

– Je n'y ai pas réfléchi. On devrait peut-être dire quelque chose, en effet. C'est un meurtre pur et simple. Cette petite femelle mérite au moins que les gens l'apprennent.

– Si vous voulez, je vais écrire quelque chose et vous le montrer.

– Bonne idée, Lucius.

Mary Blunt, une maîtresse femme au grand cœur, se leva pour aller verser du liquide chaud dans un mug.

– C'est du thé. Prenez-en et retournez chez vous. Vous n'avez plus rien à faire ici ce soir. On va bientôt fermer. Vous voulez manger un peu ?

– Pas tout de suite, Mary, merci. Matt s'occupe des dossiers. Vous pourrez en faire parvenir un exemplaire à Willy dès demain ?

– Bien sûr ! Ne vous inquiétez pas, on va le retrouver, ce salaud.

– J'y compte bien.

Lilly but le thé parce qu'il était là et que Mary avait l'air d'y tenir.

– On a toujours cette sortie de scouts, la semaine prochaine. Vous voulez que je reporte ?

– Non, on va suivre le programme comme prévu.

– Bon, d'accord. J'ai effectué quelques recherches, suggéré quelques possibilités. Vous pourriez y jeter un coup d'œil pour voir si on ne devrait pas en approfondir une ou deux ?

– D'accord.

– Demain, ordonna Mary en prenant le mug vide. Maintenant, allez vous reposer. On ferme.

– Je voudrais d'abord voir tout le monde.

– Tansy et les stagiaires donnent à manger aux animaux.

– J'y vais… Rentrez chez vous. Vous aussi, Lucius, dès que Matt aura terminé, allez-y.

Dehors, elle vit Farley, qui sortait des écuries. Il la salua de la main.

– J'ai rentré votre matériel et votre nouveau cheval. Je l'ai pansé et je lui ai donné des granules en rab.

– C'est très gentil.

– Faudrait vous reposer. C'est terrible, cette affaire.

– Terrible.

– Vous avez besoin de moi pour autre chose ? Votre père m'a dit de rester ce soir tout le temps qu'il faudrait et même de dormir sur place si…

– Ce ne sera pas la peine, Farley.

– C'est qu'il y tient. Et j'ai vu un lit de camp à l'écurie.

– Il y en a un bien meilleur au bureau. Prends celui-là. J'avoue que ça me rassure un peu de te savoir dans les parages cette nuit. Je vais te préparer à dîner.

– Pas la pcinc, votre maman m'a donné tout ce qu'il faut. Vous pourriez peut-être les appeler. Enfin, ce que j'en dis…

– Tu as raison.

– Euh… Tansy est encore là ?

– Non, elle doit se trouver du côté des enclos.

Attendrie par la lueur qu'elle voyait briller dans ses yeux, Lilly ajouta :

– Tu devrais peut-être aller lui dire qu'on va fermer plus tôt aujourd'hui. Qu'elle rentre chez elle dès que les animaux auront été servis.

– Compris. Faut vous reposer, vous aussi. Si vous avez besoin de quelque chose cette nuit, vous avez qu'à crier.

– Entendu.

Elle-même se rendit dans l'enclos des petits félins comme pour se consoler devant ces bêtes que la réserve avait sauvées, à qui elle offrait un abri et une vie aussi libre que possible. Et qui, en retour, servaient à attirer les visiteurs et quelques fonds.

C'était important pour elle. Comme s'il percevait son désarroi, Bébé était là, qui l'attendait en ronronnant. Elle s'accroupit devant la large enceinte grillagée, posa le front contre le treillage pour qu'il puisse lui donner tous les coups de tête qu'il voudrait.

Derrière lui, les deux autres couguars ne songeaient qu'à déchiqueter leur dîner. Seul Bébé pouvait abandonner son poulet pour accueillir Lilly.

Et ce fut dans ses yeux dorés qu'elle trouva le réconfort.

Il fallut un certain temps à Farley pour la trouver, mais les battements de son cœur s'accélérèrent quand il vit Tansy assise sur un banc. Pour une fois, elle était seule, à regarder Boris, le vieux tigre, en train de faire sa toilette exactement comme un chat, en se léchant les pattes avant de les frotter contre son museau.

Farley aurait voulu trouver quelque chose de drôle à dire, mais il ne s'estimait pas très doué en matière de discours. Encore moins en présence de Tansy Spurge. Jamais il n'avait vu une aussi jolie fille et il la désirait tellement qu'il en avait mal au ventre. Ces boucles noires qui rebondissaient sous la paume, il les savait délicates au toucher pour les avoir déjà caressées. De même, il lui savait les mains douces mais se demandait ce qu'il en était de son visage à la belle peau caramel qu'il n'avait jamais eu le courage d'effleurer.

Cela viendrait.

Évidemment, elle était plus intelligente que lui. S'il avait au moins pu terminer le lycée, il le devait à Josiah et Jenna, tandis que Tansy possédait toutes sortes de diplômes universitaires. Il avait vu quelle tendresse elle témoignait aux animaux. C'était important pour lui. Par-dessus tout, elle était tellement attirante que cela lui donnait le tournis dès qu'il se trouvait à moins de trois mètres d'elle. Comme en ce moment.

Se redressant, il se prit une nouvelle fois à regretter d'être aussi maigre.

– Ça fait le coquet devant les dames ! lâcha-t-il en arrivant.

Tout en cherchant un prétexte pour prendre place à côté d'elle, il s'arrêta devant le grillage.

Un jour, Tansy lui avait demandé d'aider Matt à nettoyer ce qu'il restait des dents du fauve, et, depuis, il estimait faire partie du club très fermé des privilégiés qui avaient pu caresser un tigre.

– Il se sent bien, aujourd'hui. Il a bien mangé. Je n'étais pas certaine qu'il passe l'hiver, le pauvre vieux, quand il nous a fait cette infection rénale. Mais, finalement, il a tenu le coup.

Elle parlait avec aisance, sans manifester un émoi particulier, mais il sut, pour l'avoir longtemps observée, qu'il allait voir des larmes sur ses joues.

– Allons, allons !

– Désolée. On est tous très secoués. J'étais folle de rage quand j'ai appris la nouvelle. Et puis je suis venue m'asseoir ici et… enfin, voilà.

Elle eut un geste d'impuissance. Plus besoin de prétexte pour s'asseoir à côté d'elle. Les larmes suffisaient.

– Moi, dit-il, j'ai eu un chien qui s'est fait écraser. Il était encore tout jeune, je l'avais que depuis quelques mois. J'ai pleuré comme un bébé au bord de la route.

Sans plus rien dire, il lui passa un bras sur l'épaule et resta silencieux près d'elle, jusqu'à ce qu'elle confie :

– Je ne voulais pas que Lilly me trouve dans cet état. C'est elle qui a besoin de se faire consoler en ce moment.

– Avec moi, tu peux pleurer tant que tu veux.

Il avait dit ces mots sincèrement, en toute amitié. Cependant, son cœur battit un peu plus fort lorsqu'elle posa la tête près de la sienne.

– J'ai vu Lilly, se hâta-t-il de dire pour se donner une contenance. Elle me charge de t'informer qu'ils ferment plus tôt, aujourd'hui, et que tout le monde peut partir.

– Il ne faut pas la laisser seule.

– Je serai là, cette nuit. Je dormirai dans l'autre chalet.

– Bon, tant mieux. Ça me rassure un peu. Tu es gentil.

Elle s'était tournée vers lui, si proche qu'il se sentit accepté.

– Bon sang, Tansy !

Et de l'embrasser à pleine bouche.

Elle avait les lèvres suaves, qui embaumaient la cerise, et la peau de son visage lui parut si fraîche, si douce…

Loin de le repousser, elle se réfugia contre lui, et il se sentit fort, sûr de lui.

Pourtant, elle se dégagea soudain.

– Farley, ce n'est pas… On ne peut pas…

– C'est venu tout seul. Je cherchais pas à profiter de la situation.

– Ce n'est pas grave.

Elle écarquillait tellement les yeux, parlait d'un ton si saccadé que cela le fit sourire.

– C'est sûr que ça va. Voilà trop longtemps que je rêve de t'embrasser. Maintenant, je vais pouvoir rêver de t'embrasser encore une fois.

– Surtout pas. Il ne faut pas.

Elle se leva brusquement et il fit de même, quoique à contrecœur.

– Tu ne m'aimes pas un peu ?

Elle rougit, ce qui la rendait encore plus jolie, et se mit à tripoter les boutons de son manteau.

– Bien sûr que si !

– Non, je veux dire que, toi aussi, tu penses quelquefois à m'embrasser ? Je t'aime beaucoup, Tansy. C'est peut-être pas pareil pour toi, mais je crois qu'il y a quand même quelque chose.

Elle serra son manteau autour d'elle.

– Je ne suis pas… ce n'est pas…

– C'est bien la première fois que je te vois toute retournée. Et si je recommençais ?

Elle lui posa une main sur le torse.

– Pas question ! Il va bien falloir t'y faire. Tu devrais aller vers… les filles de ton âge.

Il eut un large sourire.

– Tu n'as pas dit que je ne t'attirais pas ! Il va falloir que je t'invite à dîner. Peut-être à danser. Pour faire les choses dans les règles.

– Rien du tout.

Elle fronçait les sourcils, et il avait envie de les embrasser aussi.

– Je ne plaisante pas ! insista-t-elle en pointant les doigts vers lui. Je passe voir Lilly et je rentre chez moi. Et… vire-moi ce sourire imbécile !

Faisant volte-face, elle s'en alla.

Le sourire de Farley s'élargit encore.

Il avait embrassé Tansy Spurge. Et, avant de piquer sa crise, elle lui avait rendu son baiser.

Pour chasser sa migraine, Lilly prit trois cachets d'aspirine qu'elle accompagna d'une longue douche chaude. Après quoi, elle revêtit un survêtement et d'épaisses chaussettes puis remit des bûches dans la cheminée.

Elle avait besoin de chaleur et de lumière. Aussi alluma-t-elle toutes les lampes. Elle aurait du mal à supporter l'obscurité, cette nuit ; de même qu'elle ne pourrait avaler la moindre nourriture solide.

Elle avait appelé ses parents, les avait rassurés, non sans promettre de bien boucler ses portes même si l'alarme était branchée.

Autant travailler. Lilly avait plusieurs articles à rédiger, de nouvelles demandes de subventions à remplir. Mais il fallait d'abord laver son linge. À moins qu'elle ne charge ses photos. Ou qu'elle ne vérifie les caméras de surveillance. Ou, ou, ou. Elle allait et venait sans pouvoir se décider.

Le bruit de moteur du pick-up attira son attention. Les membres de l'équipe devaient être partis depuis au moins deux heures, et Mary avait certainement fermé derrière elle le portail qui les séparait de la route. Ils en avaient tous les clefs, mais… dans les circonstances actuelles, si l'un d'eux avait oublié quelque chose ou désirait lui parler, n'aurait-il pas téléphoné avant ?

Bébé poussa un cri d'alerte, et, dans l'enclos des grands félins, la vieille lionne rugit. Lilly s'empara de son fusil. Farley sortit une minute avant elle.

Quoi de plus apaisant que sa voix tranquille ?

– Rentrez, Lilly, que je voie qui… D'accord !

Il abaissa son fusil.

– C'est le pick-up de Coop.

Celui-ci coupa le moteur et descendit.

– En voilà, un comité d'accueil ! s'exclama-t-il.

– Bon, dit Farley en lui adressant un signe. Je vous laisse.

– Comment as-tu franchi le portail ? s'étonna Lilly.

– C'est ton père qui m'a donné la clef. J'ai cru comprendre qu'il en circulait beaucoup de doubles. Ça ne sert à rien de poser une serrure si tout le monde a la clef.

– Les membres du personnel seulement. Sinon, on passerait son temps à ouvrir à tous ceux qui viennent travailler le matin. Tu aurais dû téléphoner si tu voulais savoir où j'en étais, ça t'aurait évité le déplacement.

– Ce n'est pas un tel déplacement, non plus.

Il grimpa les marches du perron et lui tendit un plat couvert.

– C'est ma grand-mère qui t'envoie ça. Des boulettes de poulet.

Il ramassa le fusil qu'elle avait posé contre la rampe et entra dans le chalet sans qu'elle l'y invite.

Lilly le suivit en maugréant :

– Tu la remercieras de ma part, mais ce n'était pas la peine…

– Il fait une chaleur d'enfer, là-dedans !

– J'avais froid. Cela dit, personne ne te demande de rester. Je suis protégée, comme tu as pu le constater. On a tous les deux besoin de repos.

– Oui, mais, avant, j'ai faim.

Ce disant, il lui reprit le plat pour l'emporter dans la cuisine.

Elle n'avait plus qu'à ronger son frein, ses parents lui ayant enseigné l'hospitalité comme une vertu cardinale.

Il avait déjà allumé le four et sorti les assiettes, comme si c'était elle l'invitée.

– Le plat était encore tiède, il sera vite chaud. Tu as de la bière ?

Il aurait pu au moins attendre qu'elle le lui propose. Elle ouvrit le réfrigérateur, s'empara de deux bouteilles.

Cooper fit sauter les capsules.

– C'est sympa, ici, commenta-t-il après avoir avalé une gorgée.

Malgré l'étroitesse des lieux, tous les placards offraient une porte vitrée ; les étagères, ainsi que le comptoir, étaient d'une couleur ardoise. Le coin repas se résumait à une petite table nichée dans un angle et à deux bancs accolés au mur.

– Tu cuisines un peu ?

– Quand j'ai faim.

– Pareil pour moi. La cuisine du dortoir sera à peu près de cette taille-là.

– Qu'est-ce que tu es venu faire ici, Cooper ?

– Boire une bière. Et, dans une vingtaine de minutes, manger des boulettes de poulet.

– Tu es lourd, là.

Il leva sa bouteille.

– Bon, deux choses, peut-être trois. Après les événements d'aujourd'hui, je voulais voir où tu en étais et comment tu étais installée ici. Ensuite, Josiah m'a demandé de veiller sur toi et j'ai promis.

– Non, mais je rêve !

– Je t'assure ! Il va bien falloir faire avec. Enfin, si, après ce qui s'est passé entre nous, tu crois que tu ne comptes pas pour moi, tu commets une erreur.

– Je ne regarde pas ce qui s'est passé entre nous mais ce qu'il y a entre nous. Tant mieux si mes parents sont rassurés à l'idée que tu veilles sur moi, mais je n'ai pas besoin de toi. Ce fusil est chargé et je sais m'en servir.

– Tu as déjà braqué une arme sur un homme ?

– Pas encore. Et toi ?

– Je peux te dire qu'on ne voit plus les choses du même œil ensuite, une fois qu'on s'est trouvé dans la situation d'appuyer sur la détente. Tu es en danger, Lilly. Il est retourné au camp alors qu'on était en haut avec le couguar. Il a déchiqueté nos tentes avec un couteau, jeté une partie du matériel dans le torrent.

Comme pour conjurer la peur, elle poussa un long soupir.

– On ne m'avait pas dit ça.

– J'ai proposé de m'en charger. Il a sorti la chemise que tu portais hier et l'a maculée de sang. C'est à toi qu'il en veut.

Les jambes flageolantes, elle recula, s'assit sur le banc.

– Ça ne rime à rien.

– Nous, on va rester ici, déguster la spécialité de Lucy. Je vais te poser des questions auxquelles tu vas répondre.

– Pourquoi n'est-ce pas Willy qui vient me les poser ?

– Il va venir. Mais ce soir, c'est moi. Où est le Français ?

– Qui ? Jean-Paul ? Il… il est en Inde, je crois. Pourquoi ?

– Vous vous êtes disputés ?

Elle le dévisagea un instant d'un air incrédule avant de comprendre que c'était le policier en lui qui l'interrogeait ainsi.

– Si tu crois qu'il a quoi que ce soit à voir dans cette histoire, s'empressa-t-elle de répondre, oublie. Jamais il ne tuerait un animal en cage, pas plus qu'il ne chercherait à me faire du mal. C'est un homme bien et il m'aime. Enfin, il m'aimait.

– Au passé ?

– On n'est plus ensemble.

Elle dut faire un effort pour se rappeler que ce n'était plus Cooper qui lui demandait cela mais l'ancien flic.

– On a rompu juste avant que je parte pour l'Amérique du Sud. Sans nous battre pour autant, comme des adultes. De toute façon, il est en Inde, en mission.

– Très bien.

Ce serait assez facile à vérifier.

– Il y a quelqu'un d'autre ? reprit-il. Quelqu'un avec qui tu aurais une relation ou qui voudrait en avoir une avec toi ?

– Je ne couche avec personne et personne ne m'a fait de propositions dans ce sens. Je ne vois pas pourquoi on me viserait, moi.

– Ta caméra, ton couguar, ta chemise.

– La caméra appartenait à la réserve, le couguar, à personne. Quant à la chemise, elle aurait aussi bien pu être à toi.

– Sauf qu'elle ne l'était pas. Tu as envoyé quelqu'un sur les roses, ces derniers temps ?

Elle haussa les sourcils.

– À part toi, personne.

– J'ai un alibi solide.

Il ouvrit un tiroir, sortit des couverts. Elle n'aimait pas du tout cette façon qu'il avait de se comporter en terrain conquis. Ensuite, il attrapa des maniques et ouvrit le four.

– Tu as dû obtenir des autorisations pour installer cette réserve ? continua-t-il.

– Tu ne sais pas combien de démarches, de courriers, de politique politicienne, de frais. Grâce à mon père, je possédais déjà les terres et j'ai pu en acheter un peu plus une fois qu'on a obtenu le feu vert.

Il déposa le plat chaud au milieu de la table et vint s'asseoir à côté d'elle.

– Ton entreprise ne devait pas enthousiasmer tout le monde. Qui t'a envoyée promener ?

– J'ai reçu des refus à tous les niveaux, qu'il s'agisse de la ville, du comté ou de l'État. Mais j'avais fait toutes les recherches nécessaires, préparé mes dossiers depuis des années ; j'ai comparu devant la municipalité, je me suis rendue à Rapid City, à Pierre. Je me suis entretenue avec les gérants des parcs nationaux. Je sais quand il faut remercier avec effusion et je m'en sors très bien.

– Je n'en doute pas, assura-t-il en disposant les couverts. Mais…

– Tu sais, les avis seront toujours partagés sur la condition des animaux. Certains les considèrent comme des êtres inférieurs, tout juste bons à être domestiqués ou chassés, alors que, pour d'autres, les fauves sont comparables à de véritables dieux ; selon eux, il est indigne de s'interposer dans l'ordre naturel des choses. Des gens estiment qu'un zoo est plus une prison qu'un habitat. Ce qui est parfois le cas, malheureusement. Mais la plupart sont bien entretenus et respectueux du bien-être de leurs pensionnaires, ainsi que de la sécurité de la communauté alentour.

– Tu as reçu des menaces ?

– Chaque fois que ça nous arrive, on en réfère à la police. Mais c'est vrai qu'on a subi quelques incidents de la part de gens qui venaient juste pour mettre la pagaille.

– Vous les avez signalés ?

– Oui.

– Tu as certainement gardé les mains courantes.

– Enfin, Coop, tu fais des heures sup ?

Cette fois, il la considéra d'un air grave.

– Moi aussi, j'ai mis ce couguar en cage.

Elle entama une boulette en hochant la tête.

– Tu avais raison, pour le pistolet, il paraît que c'était un 9 mm. Sur le moment, je n'y ai pas prêté attention, mais Matt, notre véto, avait déjà cru surprendre un intrus la nuit dans le domaine alors que j'étais au Pérou. Il y a toujours quelqu'un de garde ici une fois qu'on a fermé. En général c'est moi, mais, en mon absence, les employés se relayaient. C'était le tour de Matt, et l'intrus aurait exaspéré les bêtes pendant qu'il dormait. Il est sorti voir ce qui se passait mais n'a trouvé personne.

– Ça remonte à quand ?

– Quelques nuits avant mon retour. Ça pouvait aussi bien être un animal, et je ne dis pas que ce n'était pas le cas. Si on a mis une clôture, c'est d'abord pour protéger nos pensionnaires, mais aussi pour empêcher les autres d'entrer, car ils pourraient être porteurs de parasites ou de maladies. Nous sommes responsables du bien-être de ceux que nous gardons avec nous.

– Je comprends. Est-ce que vous avez relevé des indices la nuit où le véto a cru à l'intrusion d'un homme ou d'un animal quelconque ?

– Non. Rien ne manquait, rien n'a été abîmé. J'ai cherché, moi aussi, mais il avait neigé entre-temps.

– Tu as une liste détaillée du personnel, bénévoles compris ?

– Oui, mais je suis prête à parier que ce n'est aucun d'entre nous.

– Lilly, tu es partie six mois. Ne me raconte pas que tu connais par son nom chaque curieux qui est venu lancer de la viande crue aux félins.

– On ne lance pas… Écoute, on les choisit, quand même. On prend des gens du coin autant que possible. La plupart d'entre eux acceptent des tâches ingrates comme de donner à manger aux animaux, de nettoyer les gîtes ou de rapporter des provisions. On ne les laisse pas approcher nos pensionnaires, à part ceux qui assistent le vétérinaire durant les examens ou les opérations chirurgicales.

– J'ai vu des jeunes les toucher.

– Des stagiaires, pas des bénévoles. On recrute nos stagiaires dans les universités spécialisées et dans les écoles vétérinaires. Ils sont ici pour acquérir un peu d'expérience.

– Vous possédez certaines drogues.

Elle se frotta la nuque d'un geste agacé.

– Oui, enfermées dans l'infirmerie. Matt, Tansy, Mary et moi en avons les clefs. Même les assistants du véto n'y ont pas accès. Sans compter qu'on procède à un inventaire toutes les semaines.

Il estima en avoir assez entendu pour le moment.

– Il est bon, ce poulet, observa-t-il en se resservant.

– C'est vrai.

– Tu veux une autre bière ?

– Non.

Il se leva, leur remplit à chacun un grand verre d'eau.

– Tu étais un bon flic ? lui demanda-t-elle.

– Je me débrouillais.

– Pourquoi as-tu arrêté ? Et ne me dis pas de me mêler de mes affaires alors que tu fourres sans arrêt ton nez dans les miennes.

– J'avais envie de changer.

Il réfléchit un instant puis décida de lui raconter la vérité.

– J'avais une femme dans mon équipe, Dory. Un excellent flic, une amie. Il ne s'est jamais rien passé entre nous. D'abord parce qu'elle était mariée, ensuite parce que nos relations ne se situaient pas à ce niveau. Mais, quand elle a commencé à se chamailler avec son mari, monsieur a décrété que c'était à cause de moi.

Il marqua une pause et, comme elle ne disait rien, il but avant de reprendre :

– On travaillait sur une affaire, et, un soir, après le boulot, on a dîné ensemble pour en parler. Il devait nous guetter ou je ne sais quoi, toujours est-il que je ne me doutais de rien.

– Qu'est-ce qui s'est passé ?

– Il s'était planqué au coin de la rue voisine. Il a tiré. Elle est tombée tout de suite, contre moi. Elle m'a sans doute sauvé la vie en me servant de bouclier. Il ne m'a touché qu'au côté.

– On t'a tiré dessus ?

– Une balle qui est entrée et sortie, une simple éraflure. Dory m'a entraîné dans sa chute. Autour de nous, les gens criaient et se couchaient. La vitrine a explosé en mille morceaux… Je n'oublierai jamais ce bruit, quand les balles ont fracassé le verre. J'ai sorti mon arme alors que nous étions en train de tomber. Elle était déjà morte, et l'autre continuait de la plomber de balles. À mon tour, j'ai tiré sur lui, je lui en ai mis cinq dans le corps.

Le regard bleu glacier s'était fait tellement dur qu'on ne pouvait rien y lire. Mais Lilly comprit alors à quel point cette histoire l'avait marqué.

– Je me rappelle chacune d'entre elles. Deux dans le ventre, alors que je tombais, trois autres dans la hanche droite, dans la jambe, dans l'abdomen, une fois que je me suis retrouvé par terre. Le tout n'a pas pris trente secondes. Il y a même un débile qui a tout filmé avec son téléphone.

Cela lui avait paru plus long, infiniment plus long. Et la vidéo sautillante n'avait pas enregistré la façon dont le corps de Dory avait rebondi contre le sien ni la sensation de tout ce sang qui coulait sur ses mains.

– Il a vidé son chargeur. Deux balles ont traversé la devanture, une autre est entrée en moi. Le reste, c'est elle qui l'a pris.

Cooper marqua une pause, but de l'eau.

– Alors, tu vois, il fallait que je me change les idées.

Le cœur gros, Lilly lui posa une main sur le bras. Elle se représentait parfaitement la scène, les coups de feu, les cris, le verre qui se brisait.

– Tes grands-parents ne sont au courant de rien ?

– Je n'étais pas vraiment blessé. On ne m'a gardé que quelques heures à l'hôpital. Quelques points de suture, et c'était bon. Sam et Lucy ne connaissaient même pas Dory, alors pourquoi le leur aurais-je dit ? Cette histoire ne m'a pas valu la moindre poursuite, on avait assez de témoins pour affirmer que je n'avais fait que nous défendre, sans compter la vidéo de ce débile. Mais je ne me voyais pas rester flic ni travailler à la brigade. En plus, on gagne mieux sa vie dans le privé.

Ne l'avait-elle pas dit elle-même ? Maintenant, elle regrettait amèrement de ne pouvoir ravaler ces paroles idiotes.

– Tu avais quelqu'un ? demanda-t-elle. Quand ça s'est passé, tu avais quelqu'un pour s'occuper de toi ?

– Je n'ai plus voulu voir personne pendant un moment.

Elle le comprenait assez pour ne pas faire de commentaire. Il avança la main sur la table, enlaça les doigts de Lilly.

– En fait, je n'avais envie d'appeler qu'une seule personne : toi.

Elle tressaillit.

– Tu aurais pu, tu sais !

– Peut-être.

– Pas peut-être, Coop. Je t'aurais écouté. Je serais venue à New York pour écouter ce que tu avais à me raconter.

– Oui, je suppose que c'est pour ça que je ne t'ai pas appelée.

– Ce qui veut dire… ?

– Il y a tellement de contradictions et de distorsions entre nous, Lilly… Là, tu vois, je pensais juste passer la nuit ici, à parler avec toi dans le lit.

– Certainement pas.

– Mais si, tu le sais bien, insista-t-il en lui serrant si fort la main qu'elle dut le regarder. Ça finira comme ça. Seulement, ce soir, mon laps de temps est passé.

Elle qui commençait à s'attendrir se raidit soudain.

– Je ne suis pas là quand ça t'arrange, Cooper.

– Il ne s'agit pas de m'arranger, non plus !

Là-dessus, il la saisit par la nuque et s'empara de ses lèvres en y posant sa bouche brûlante, avide, familière.

Sur le moment, il dut presque la retenir tant se livrait en elle une bataille entre la panique et le désir, entre la révolte et l'enthousiasme.

– Il n'y a rien de facile, là-dedans, murmura-t-il en la relâchant.

Et de se lever pour emporter les assiettes vides dans l'évier.

– Ferme derrière moi, ordonna-t-il en sortant.

DEUXIÈME PARTIE

TÊTE

L'esprit est toujours la dupe du cœur.

LA ROCHEFOUCAULD

11

En cette fin de mars, un froid mordant régnait encore sur les collines et les vallées, et une neige épaisse couvrait les forêts, faisait ployer les branches et rendait les routes impraticables. Au chalet, Lilly et les bénévoles qui avaient pu venir dégageaient le chemin d'accès à coups de pelle, sous un vent glacial.

Les animaux s'étaient réfugiés dans leurs abris, ne sortant que pour voir de temps à autre ces humains qui frissonnaient en jurant. Emmitouflée jusqu'aux yeux, Lilly inspectait les enclos en compagnie de Tansy.

– Comment va Gamine ? demanda-t-elle en parlant de la lionne.

– Elle supporte ce sale temps mieux que moi. Je rêve d'une plage tropicale, d'odeurs de mer et de crème solaire.

– Tu sauras te contenter d'un café, en attendant ?

– Vendu !

Elles se dirigèrent vers le chalet de Lilly et furent saisies par la chaleur qui y régnait.

– J'ai eu du mal à convaincre l'équipe que c'était sûrement la dernière tempête de l'année, reprit-elle en ôtant gants et bonnet. Maintenant, on va avoir droit au printemps, avec ses tonnes de boue et de pluie.

– Chouette !

Lilly fila vers la cuisine pour allumer la cafetière.

– Je te trouve de bien mauvais poil, ces temps-ci, observa-t-elle.

– J'en ai marre de l'hiver, maugréa Tansy.

– Tu m'étonnes. Mais j'ai l'impression qu'il y a autre chose. Et je ne suis pas la seule à penser ça, je suis appuyée par la haute autorité.

– C'est-à-dire ?

– Maman, bien sûr, qui veux-tu que ce soit ? Elle n'a pas les yeux dans sa poche. Elle m'a appris qu'en mon absence elle avait souvent vu jaillir des étincelles entre toi et un certain Farley Pucket.

– Attends, il a tout juste vingt-cinq ans !

– Ce qui ferait de toi un prédateur, dit Lilly en souriant.

– Ça va ! Je ne sors pas avec lui, je ne couche pas avec lui, je ne l'encourage même pas.

– Parce qu'il a vingt-cinq ans ? D'abord, je crois qu'il en a vingt-six. Ensuite, ça veut dire que tu as… mon Dieu !… quatre ans de plus que lui. Quelle horreur ! Tu les prends au berceau !

– Arrête, ce n'est pas drôle !

Ce qui eut pour effet immédiat de calmer Lilly. Devant la mine déconfite de son amie, elle se ravisa.

– Non, tu as raison. Mais, Tansy, tu te fais tout un monde à cause de quelques années de différence. Si c'était l'inverse, cette idée ne t'effleurerait même pas.

– Seulement ce n'est pas l'inverse, et je me fiche que ça paraisse logique ou non. Je suis plus vieille que lui, et black, par-dessus le marché. Dans le Dakota du Sud, ça compte !

– Autrement dit, si Farley était un Black de trente ans, ça irait ?

– Arrête tes raisonnements !

– N'y compte pas. Tiens, on va mettre tout ça de côté une minute.

– C'est pourtant l'essentiel.

– Alors on oublie l'essentiel. Tu as des sentiments pour lui ? Parce que je dois reconnaître que j'ai cru au début avoir affaire à deux adultes consentants qui voulaient juste s'amuser un peu ; j'avais même l'intention de te charrier un maximum parce que, bon, c'est Farley. Pour moi, c'est comme un petit frère.

– Tiens, tu l'avoues toi-même : petit. Petit frère.

– On a dit qu'on mettait ça de côté pour le moment. Mais reconnais que, pour toi, ça représente un peu plus que quelques galipettes avec un cow-boy dont tu admires les fesses.

– J'admets que j'ai regardé ses fesses, c'est mon droit inaliénable en tant que fille. Mais pour les galipettes, tu repasseras. Ce n'est pas mon genre.

– Oh, pardon, madame la douairière ! Je te rappelle que l'été dernier, on avait pas mal spéculé sur les fesses de Greg, notre beau stagiaire. À l'époque, tu n'y voyais pas d'inconvénient.

– Justement, on ne lui a pas sauté dessus pour autant. Tu te rappelles son torse en tablette de chocolat ?

– Oui, et ses épaules, alors ?

Toutes deux observèrent un long moment de recueillement.

– Ça me manque, un homme dans mon lit ! finit par soupirer Lilly.

– Et à moi, donc !

– Alors, qu'est-ce que tu attends avec Farley ?

– Tu ne me piégeras pas comme ça.

– Tu crois ? Tu ne fais rien avec Farley parce que, pour toi, ce n'est pas juste un beau mec comme Greg. Cette fois, il y a aussi des sentiments.

– Je… Et puis la barbe ! C'est bon, j'avoue. Je ne sais même pas quand ça a commencé. Il venait de temps en temps donner un coup de main et je suis sûre que je l'ai aussitôt trouvé craquant. Toujours est-il qu'on a pris l'habitude de bavarder, de rire, et je me suis rendu compte que ça m'emmenait plus loin que d'habitude. Et… enfin, je ne suis pas une oie blanche mais une femme de trente ans.

– Mais oui.

– J'ai bien vu comme il me regardait. Alors j'ai compris que, pour lui aussi, il se passait quelque chose. Au début, j'ai laissé courir. Je trouvais amusant de m'emballer pour un gentil cow-boy. Pourtant, je n'arrêtais pas de penser à lui. Or, la semaine dernière, ce fichu jour… j'étais triste, j'avais le cœur gros, et il est venu s'asseoir à côté de moi. Il m'a embrassée. Et moi j'en ai rajouté, jusqu'au moment où je me suis rendu compte de ce que je faisais. J'ai tout arrêté, je lui ai dit qu'il ne fallait pas.

Tansy choisit un biscuit dans l'assiette que Lilly lui présentait.

– Bon, commenta celle-ci, tu ne vas pas aimer ce que j'ai à te dire, mais je te trouve complètement idiote. Que viennent faire quelques années de différence et la couleur de ta peau face à quelqu'un que tu attires et qui t'attire ?

– Les gens qui disent que la couleur de la peau ne compte pas sont en général blancs.

– Là, j'insiste : idiote !

– Je ne plaisante pas, Lilly. Tu sais très bien que les relations mixtes marchent très rarement.

– Pas seulement les mixtes, je te rappelle !

– Si tu veux, alors pourquoi ajouter à la difficulté ?

– Parce que l'amour, c'est précieux. Le plus difficile, c'est de le conserver. Tu n'as jamais entretenu une longue relation avec un homme.

– Faux : j'ai vécu plus d'un an avec Thomas.

– Vous étiez bien ensemble, vous vous respectiez l'un l'autre, vous aimiez faire l'amour, mais ça n'allait pas plus loin, Tansy. Ce n'était pas l'homme de ta vie. Je sais ce que c'est que d'être en compagnie d'un type sympa qui te met à l'aise, tout en restant consciente que tu ne finiras pas tes jours avec lui. Et je sais ce que c'est que de trouver le seul, le vrai. Je l'ai connu avec Cooper, et il a réduit mon cœur en bouillie. Cela dit, je préfère avoir perdu l'espoir plutôt que de me voiler la face.

– Si tu te crois la seule à élaborer de belles théories ! Pour moi, tu n'as jamais renoncé à lui.

– Non, c'est vrai.

– Mais comment peux-tu supporter ça ?

– Je me le demande encore. On dirait que ce fichu jour du couguar a joué des tours à tout le monde. Cooper m'a apporté des boulettes de poulet. Et il m'a embrassée. Pour moi, il ne faisait pas que se passer quelque chose, c'était une tempête, un ouragan. À présent, je ne sais plus comment ça va tourner. Si je couche de nouveau avec lui, est-ce que ça m'aidera à reprendre pied ou, au contraire, me maintiendra la tête sous l'eau ? Je n'en ai aucune idée, mais il faudra bien que je le découvre.

Cooper faisait travailler la jument qu'il avait entraînée tout l'hiver. Il lui trouvait un grand cœur, un dos puissant mais une certaine tendance à la paresse. Elle n'aimait rien tant que sommeiller dans son box ou même au beau milieu de la prairie. Elle ne se bougeait que si l'on insistait, si elle était certaine de ne plus avoir le choix.

Elle ne mordait pas, ne ruait pas, savait vous croquer délicatement une pomme dans la main.

Elle serait idéale pour les enfants. Il l'appela P'tite Sœur.

Les affaires avaient singulièrement ralenti au cours de ce long hiver, ce qui lui laissait le temps de se mettre à jour dans ses paperasses, mais aussi de nettoyer les stalles et d'installer sa nouvelle demeure.

Et de penser à Lilly.

Il savait qu'elle croulait sous le travail, tout le monde en parlait, il recevait sans cesse des nouvelles, même sans en demander, de la bouche de ses parents, de Farley et même de Gull. Elle était descendue une fois pour rendre son plat à sa grand-mère. Comme par hasard, elle avait choisi un jour où il était en ville. À quoi bon l'avoir laissée tranquille ? Ils avaient toujours autant besoin l'un de l'autre. Inutile de se jouer davantage la comédie.

Il emmena P'tite Sœur vers l'écurie en lui assurant qu'elle avait bien travaillé.

– Maintenant, je vais te panser, et il y aura peut-être une pomme pour toi.

Il aurait juré l'avoir vue dresser les oreilles au mot « pomme ». Mais aussi l'avoir entendue soupirer lorsqu'il avait bifurqué vers la maison en apercevant le shérif, qui sortait par la cuisine.

– Jolie bête ! s'exclama celui-ci.

– N'est-ce pas ?

– Le temps va vite s'arranger. Je parie que vous aurez des touristes avant longtemps.

– Espérons, parce que, pour le moment, il y a des sentiers où l'épaisseur de la neige me passe encore par-dessus la tête.

– Il n'est plus rien tombé depuis la tempête. Croyez-moi sur parole. Vous pourriez m'accorder une minute ?

– Bien sûr.

Cooper descendit de cheval, accrocha la rêne sur la rampe du perron, quoique ce ne fût pas vraiment la peine avec P'tite Sœur. Jamais elle n'irait nulle part de son propre chef.

– Je viens de rendre visite à Lilly, à la réserve, et je me suis dit que je devrais en profiter pour vous voir aussi.

– Pour me dire que vous n'aboutissez à aucun résultat.

– Exactement. On a un couguar mort, une balle de 9 mm, des empreintes dans la neige et la vague description d'une silhouette que vous auriez aperçue dans l'obscurité. Nous avons enquêté, mais sans résultat.

– Vous avez suivi la piste des incidents ?

– Oui, j'ai personnellement rencontré deux hommes qui ont fait du grabuge du côté de vos chalets il y a quelques mois. Cela dit, ils ne correspondent ni l'un ni l'autre aux éléments que nous avons. L'épouse de l'un a juré que, cette nuit-là, il se trouvait à la maison ; d'ailleurs, il a pointé à son travail dès 9 heures. Quant à l'autre, il doit peser dans les cent trente kilos. Je ne pense pas qu'il vous aurait échappé.

– Non.

– J'ai discuté avec deux rangers de ma connaissance ; ils ont promis de surveiller les alentours de la réserve et de passer la consigne à leurs collègues. Mais je préfère vous dire, comme à Lilly, qu'il nous faudrait un extraordinaire concours de circonstances pour résoudre cette affaire. Je ne vois pas qui aurait pu être assez fou pour rester là-haut en pleine tempête. On va faire ce qu'on peut, mais je ne voudrais pas que vous vous fassiez trop d'illusions, ni vous ni elle.

– Il existe beaucoup d'endroits où se réfugier en pleine tempête, cela peut ne pas poser de problème à un homme possédant un minimum d'expérience de la vie au grand air.

– Bien entendu. Nous avons interrogé les propriétaires de motels dans toute la région, sans résultat. La caméra fonctionne normalement, maintenant, et personne n'a vu de suspect rôder dans les parages depuis.

– Vous avez fait ce que vous avez pu.

– Je ne m'en tiendrai pas forcément là, mais j'ai des affaires à la pelle qui n'ont jamais été résolues. Enfin, j'ai été content de voir que Sam se remettait. J'aimerais bien être aussi en forme que lui à son âge. Si vous voyez quelque chose à me dire, n'hésitez pas, je reste toujours dans les parages.

– Merci d'être passé.

Willy flatta la jument.

– Tu es une jolie fille, toi. À bientôt, Coop.

Peu après, celui-ci sortait du box de P'tite Sœur qui croquait sa pomme. Il remplit ses diverses tâches, routine aussi quotidienne pour lui que de s'habiller le matin. Puis il se rendit dans la cuisine du ranch pour y boire un café.

Son grand-père entra sans canne, et Cooper se mordit les lèvres pour ne pas le lui reprocher.

– Laisse tomber, maugréa Sam, comme s'il avait deviné ses pensées, je continue à l'utiliser dehors ou si mes jambes me font mal. Mais j'essaie d'apprendre à m'en passer, c'est tout.

– Quelle vieille bourrique ! ronchonna Lucy, qui arrivait, les bras chargés de linge.

– Comme ça, on est deux, rétorqua son mari en venant lui prendre son panier. Là, dit-il, tout fier. Si tu préparais du café à tes hommes ?

Elle ne put réprimer un sourire.

– C'est bon, assieds-toi, maintenant.

– Je sens une odeur de poulet rôti, soupira Sam. Et je crois qu'on a aussi parlé de purée. Il va falloir te joindre à nous, sinon, cette femme va m'engraisser comme un porc.

– À vrai dire, j'ai quelque chose à faire. Mais si vous entendez quelqu'un rôder dans la cuisine cette nuit, ce sera moi qui passerai chercher les restes.

– Je peux t'en apporter en face, proposa Lucy.

Le dortoir s'appelait désormais « en face ».

– Ne t'inquiète pas pour moi, je me débrouillerai.

– Bon.

Elle posa une tasse de café devant chacun d'eux.

– C'est bien, ce que tu as installé, reprit-elle. Mais je voudrais que tu ailles voir au grenier, je suis sûre que tu y trouveras des meubles qui te plairont.

– Je ne peux utiliser qu'un fauteuil à la fois, nanny. Au fait, je voulais vous dire que P'tite Sœur, la jument, s'en tirait très bien.

– Je t'ai vu la faire travailler. Elle semble très douce.

– Je la recommanderai pour les enfants, mais, auparavant, j'aimerais que tu l'essaies un peu, nanny.

– J'irai faire un tour avec elle demain.

Elle hésita un instant avant de se tourner vers son mari.

– Si tu m'accompagnais, Sam ? Ça fait longtemps qu'on ne s'est pas baladés ensemble.

– Si ce jeune homme nous supporte tous les deux.

– Ça ira, répondit l'intéressé avec un clin d'œil. Merci pour le café, maintenant, je vais me changer. Vous avez besoin de quelque chose avant que je m'en aille ?

– Tu sors ? demanda Lucy.

– Oui, j'ai un truc à vérifier.

Lorsque la porte se fut refermée sur Coop, Lucy haussa les sourcils :

– Je te parie que le truc en question a de grands yeux noirs.

– Lucy, je ne prends pas de paris courus d'avance.

Des traînées de nuages roses paraient l'horizon à mesure que la lumière baissait sur un monde uniformément blanc. Cooper avait entendu beaucoup de gens évoquer le printemps, mais rien de ce qu'il voyait ne semblait encore l'annoncer. C'était la première fois qu'il passait l'hiver dans les Black Hills.

Car ce n'étaient pas quelques jours par-ci, par-là, à Noël, qui auraient pu le préparer à ce qu'il venait de vivre, songea-t-il en ouvrant le portail avec le double de la clef que lui avait donné Josiah. Un vent mauvais courbait les branches chargées de neige. Désormais, l'odeur des pins, des chevaux, le bruit de la neige évoqueraient pour lui l'hiver dans les collines.

Il remonta dans son pick-up, franchit l'entrée, s'arrêta de nouveau pour refermer le portail, tout en se demandant combien pouvait coûter une barrière automatique équipée de caméras de sécurité.

Il devrait vérifier quel système de sécurité elle avait installé. Ce n'était pas une misérable serrure dont tout le monde ou presque avait la clef qui empêcherait quiconque de passer s'il en avait envie.

Au premier virage, lorsque les chalets apparurent, il ralentit. La cheminée de celui de Lilly fumait, la lumière brillait derrière les fenêtres. Il alla se garer dans le petit parking à côté de la fourgonnette de Lilly.

Ce furent les animaux qui annoncèrent son arrivée, mais leurs cris lui parurent presque normaux. La nuit n'était pas encore complètement tombée, et il vit Lilly apparaître sur le seuil de sa demeure, en pull noir, vieux jean et bottes usées, les cheveux flottant dans le dos. Son regard n'avait rien d'avenant.

– Il va falloir que tu rendes cette clef à mon père.

– C'est fait. J'en ai juste commandé un double. Ce qui devrait te donner une idée de la protection que représente ce portail.

– Il a bien rempli son rôle jusqu'ici.

– Tu ne peux plus t'y fier. Il te faut une barrière automatique avec un code d'accès et une caméra.

– Et puis quoi encore ? Je m'offrirai ça dès que j'aurai quelques milliers de dollars devant moi. Et rien d'autre à payer qu'une barrière qui est aussi symbolique que dissuasive. Tant qu'on y est, je pourrais aussi édifier un mur de sécurité tout autour de la réserve et poster des sentinelles.

– Si tu veux qu'elle soit dissuasive, autant lui en donner les moyens. Bon, tu me laisses entrer ou je continue de me les geler dehors ?

Comme elle ne bougeait pas, il la prit par la taille, la souleva de terre, entra avec elle et ferma la porte derrière eux.

– Enfin, Cooper ! s'exclama-t-elle. Qu'est-ce qui te prend ?

– Je veux une bière.

– Je parie que tu as tout ce qu'il te faut chez toi. Sinon, il y a plein de bars en ville.

– Malgré ton sale caractère, je voulais te parler. Tu es ici, et il y a sûrement de la bière dans ton frigo.

Il se dirigea vers la cuisine et se retourna.

– Qu'est-ce que tu fais toute seule ?

– Je suis chez moi et j'ai envie d'y être seule.

Après avoir jeté un œil sur l'ordinateur portable, sur la table, les dossiers et le verre de vin rouge, il prit la bouteille sur le comptoir, apprécia l'étiquette, se permit de changer d'avis.

Et sortit un verre du placard.

– Fais comme chez toi !

– Willy est passé me voir, dit-il en se servant.

Il huma, but une gorgée puis reposa son verre pour enlever sa veste.

– Dans ce cas, je suppose qu'on a tous les deux les mêmes informations et qu'il n'y a rien à ajouter. Je travaille, Coop.

– Tu es furieuse et déçue, je te comprends. Mais reconnais qu'ils ne disposent pas de beaucoup d'éléments pour boucler leur enquête. Ça ne veut pas dire qu'ils ont baissé les bras, juste qu'ils pourraient changer d'angle d'attaque.

Il reprit son verre, promena un regard circulaire sur la pièce.

– Tu ne manges pas ?

– Si, ça m'arrive, quand j'ai faim. Maintenant, je te remercie de t'être déplacé pour me rassurer, au moins, je sais que la justice est en marche. Tu es content, comme ça ?

– C'est à cause de moi que tu stresses ou à cause de la société dans son ensemble ?

– On vient de connaître des jours difficiles, je suis en retard pour mon dernier article, or c'est ça qui me paie les bouteilles que tu bois, entre autres. Je viens d'apprendre que celui qui a lâchement tué un couguar que j'avais mis en cage ne sera sans doute jamais identifié ni appréhendé. Et toi, tu viens me déranger pendant que je travaille. Alors disons que je stresse à cause de la société en général, avec une mention particulière pour toi.

Cependant, il avait ouvert le réfrigérateur et était consterné.

– Bon sang, Lilly ! Même moi je fais mieux que ça.

– À quoi tu joues, à la fin ?

– Je cherche quelque chose pour préparer un dîner.

– Laisse ce frigo !

Cependant, il ouvrit le freezer.

– Ben voyons ! Plein de plats congelés pour filles. Heureusement que tu as aussi de la pizza.

Il eut l'impression de l'entendre grincer des dents, ce qui lui fit presque plaisir.

– Dans deux minutes, je prends mon fusil et je te tire dessus.

– Mais non ! assura-t-il en allumant le four. Dans un quart d'heure, tu seras en train de manger de la pizza, ça te détendra. Ensuite, tu choisis un ou deux bénévoles.

Apparemment, sa mauvaise humeur ne suffisait pas à le décourager. Elle décida de faire la tête.

– Pourquoi ?

– Ce serait un bon début pour réorganiser un peu les installations, l'emploi du temps, l'agencement. Il y a beaucoup de fermes, dans la région, qui ont déjà franchi ce pas. J'envisage de le faire chez moi d'ici à un mois ou deux.

Il sortit la pizza de sa boîte, régla le minuteur.

– Qu'est-ce que ça changerait ? Willy dit qu'il ne mettra jamais la main sur ce type.

– Peut-être ou peut-être pas. Ce genre d'homme peut très bien avoir trouvé refuge dans les collines, ce ne sont pas les grottes qui manquent.

– Si tu crois que ça me rassure !

– Justement, dit-il en lui remplissant son verre. Je veux que tu sois plus prudente. Si tu te rassures, tu vas t'endormir. Sur quoi porte ton article ?

Elle but un peu de vin.

– Je ne coucherai pas avec toi.

– C'est ça que tu écris ? Je peux le lire ?

– Je ne coucherai pas avec toi, répéta-t-elle, du moins pas avant de l'avoir moi-même décidé. Ce n'est pas en me réchauffant une pizza que tu me rendras plus guillerette.

– Si je voulais du guilleret, je prendrais un chiot. On passera la nuit ensemble, Lilly. Mais tu peux prendre ton temps pour te décider.

– C'est déjà fait, et tu n'as pas été fichu de rester avec moi. Tu m'as jetée.

Il se rembrunit.

– Ce n'est pas le souvenir que j'en garde.

– Si tu crois qu'il suffit de revenir en arrière…

– Non. Je ne demande pas ça. Mais quand je te vois, je sais que ce n'est pas fini entre nous. Tu le sais aussi bien que moi.

Il s'assit à côté d'elle, but un peu de vin, examina les photos qu'elle avait disposées autour de ses dossiers.

– C'est l'Amérique du Sud ?

– Oui.

– Qu'est-ce que ça fait d'aller dans ce genre d'endroit ?

– Ça stimule, ça ouvre les yeux.

– Et, maintenant, tu écris un article sur le pistage du couguar dans les Andes.

– Oui.

– Et ensuite ?

– Ensuite quoi ?

– Où iras-tu ?

– Je n'en sais rien, je n'ai pas encore décidé. C'était mon premier grand voyage. On verra en fonction des besoins de la réserve. J'en fais ma priorité.

– C'est bien d'avoir des priorités.

Il se rapprocha lentement d'elle, sans la bousculer, pour lui laisser le temps de résister ou d'accepter. Elle ne dit rien, ne tenta rien pour l'arrêter, mais elle le fixa d'un regard vénimeux.

D'un geste léger, il lui souleva le menton et posa les lèvres sur sa bouche.

Elle n'aurait su dire si elle le trouvait doux ou tendre, mais il ne montrait plus le feu, l'empressement qu'elle lui avait connus. Cette fois, il l'embrassait comme un homme qui aurait décidé de prendre son temps. Sûr de lui. Et ces doigts légers qui lui caressaient le visage, elle savait qu'il pouvait les figer à tout moment. Ce qui ne faisait que la consumer, lui bouillir les sangs.

N'avait-elle pas toujours préféré les fauves aux dompteurs ?

Il la sentit s'abandonner, rien qu'un tout petit peu, remuer les lèvres contre les siennes, le souffle chaud, comme si elle ronronnait.

Alors il recula, aussi doucement qu'il s'était approché.

– Non, on n'est pas prêts.

Le four sonna, et il sourit.

– Mais la pizza, si.

12

Tout en ajoutant des bûches dans la cheminée du salon de Lilly, Cooper se disait qu'il avait connu des nuits plus désagréables. Cependant, cela faisait des années qu'il n'avait pas dû se contenter d'un canapé défoncé dans une pièce glaciale ; et encore, à l'époque, il ne devait pas supporter l'idée que la femme qu'il désire dorme dans la chambre du dessus.

Il l'avait bien cherché. Elle lui avait dit de s'en aller, mais il avait refusé, alors elle lui avait apporté une couverture et un oreiller, et il avait essayé tant bien que mal de s'allonger sur un canapé trop étroit pour lui. Tout cela pour rien. Au fond, elle devait avoir raison : les portes verrouillées, un fusil chargé à portée de la main, elle ne risquait rien dans ce chalet. Cependant, après lui avoir dit vouloir rester, il ne pouvait plus se raviser.

Cela faisait drôle, songeait-il en regagnant la cuisine pour préparer du café, d'être réveillé en pleine nuit par les rugissements d'un tigre. Forcément, elle devait en avoir l'habitude, car elle n'avait même pas montré le bout de son nez, alors qu'il enfilait ses chaussures pour aller vérifier. Ainsi avait-il pu constater qu'elle ne disposait pas d'assez de lampes extérieures pour garantir un éclairage décent, car on ne voyait strictement rien au-dehors.

Comme il entendait marcher à l'étage, il en conclut qu'elle avait fini par ouvrir l'œil ; il perçut ensuite des bruits de tuyauterie, signe qu'elle prenait une douche.

Le jour allait bientôt se lever sur une nouvelle aube glaciale noyée de blanc. L'équipe allait arriver, et il pourrait partir.

Il sortit des œufs, du pain, une poêle. Elle ne serait sans doute pas d'accord, mais il estimait qu'elle lui devait au moins un petit déjeuner pour cette nuit de faction. Il achevait de préparer des sandwichs à l'omelette quand elle descendit, en chemise de flanelle sur un pantalon de ski, les cheveux relevés. Elle ne semblait pas plus ravie de le voir que la veille au soir.

– On a quelques points à régler, toi et moi, commença-t-elle.

– Très bien. Tu n'as qu'à dresser une liste, si tu veux. Moi, je vais travailler. Tiens, il y en a un pour toi.

Il désignait les deux sandwichs posés sur des serviettes.

– Tu ne peux pas entrer comme ça te chante et t'installer…

– Mets-le au début de ta liste.

Il enfila sa veste, s'approcha d'elle.

– Tu sens bon.

– Tu n'es pas chez toi et je n'ai pas besoin d'un chien de garde.

– Tu vas bientôt manquer de bûches pour ta cheminée. À plus.

– Coop, bon sang !

Sur le seuil, il se retourna.

– Je ne te laisserai pas tomber.

Il regagna son pick-up en mordant dans son sandwich.

Lilly avait raison, il ne s'agissait pas de faire n'importe quoi. Elle avait le droit de lui imposer certaines règles. Tout en réfléchissant à ce qu'il avait à faire dans la journée, il roula vers le portail. D'abord donner à manger aux animaux, puis emmener ses grands-parents en balade à cheval. Il fallait également passer en ville effectuer quelques courses, envoyer du courrier. S'ils ne recevaient pas de demandes de touristes, il enverrait Gull à la sellerie…

Les sens en alerte, il se figea.

Le cadavre était accroché au portail, et son sang dégoulinait jusqu'au sol neigeux. Deux vautours étaient déjà à l'œuvre et plusieurs autres se posaient à proximité.

Cooper klaxonna un grand coup pour les effrayer, inspecta du regard les arbres alentour, la route en contrebas. Dans la lumière encore faible, ses phares éclairaient le regard vide du loup abattu.

Ouvrant sa boîte à gants, Cooper en sortit pistolet et lampe torche, puis il descendit du pick-up, éclaira le sol, à la recherche d'empreintes. Celles-ci ne manquaient pas, en effet, dont les siennes datant de la veille. Afin de préserver les autres, il marcha dans les siennes jusqu'au portail.

Le loup avait pris deux coups de feu, l'un à mi-corps, l'autre dans la tête. Le cadavre était froid, et la petite flaque de sang, gelée.

Apparemment, il y avait plusieurs heures que ce message avait été délivré.

Après avoir remis la sécurité sur son arme, qu'il rangea dans sa poche, il sortit son téléphone, et c'est alors qu'il entendit ronronner un moteur. Il doutait que ce soit le messager qui revienne aussi vite, encore moins à bord d'une voiture ; néanmoins, il posa la main sur son pistolet.

Il retourna vers son pick-up pour en couper les phares et vit bientôt apparaître le 4 × 4. Alors il se planta devant, un bras levé, faisant signe à la conductrice de s'arrêter. S'il la reconnut, ainsi que son passager, il n'aurait su dire leurs noms.

– N'approchez pas du portail, ordonna-t-il.

Tansy descendit du véhicule et resta plantée devant le navrant spectacle, une main sur la poignée de sa portière.

– Oh, mon Dieu !

– Vous devriez rebrousser chemin.

– Et Lilly ?

– Elle va bien. Je viens de la quitter au chalet. Pourriez-vous appeler le shérif ? Et restez dans la voiture, il vaut mieux ne toucher à rien, ne pas contaminer les traces de pas.

S'adressant au passager, il ajouta :

– Vous êtes… ?

– Euh… Eric. Je suis stagiaire. Je…

– Restez dans la voiture. Je vais aller chercher Lilly.

– On a des bénévoles qui doivent arriver ce matin, indiqua Tansy d'une voix saccadée. Et puis les autres stagiaires seront bientôt là aussi.

– Je compte sur vous pour les empêcher de passer.

Cooper remonta dans son pick-up et recula jusqu'au premier parking. Là, il opéra un virage sur les chapeaux de roue puis continua à pleine vitesse.

Lilly était déjà dehors, sur le chemin qui séparait son chalet des bureaux. Elle le regarda arriver d'un air excédé.

– Quoi, encore ? On n'a pas que ça à faire.

– Il faut que tu viennes avec moi.

Instantanément, elle changea de physionomie, ne posa pas de question. À son intonation, elle avait compris qu'il allait lui annoncer une mauvaise nouvelle.

– Prends un appareil photo ! lança-t-il, comme elle venait en courant. Numérique. Vite.

Elle fonça à son chalet pour reparaître au bout de deux minutes, armée de son fusil.

– Raconte-moi tout, demanda-t-elle en sautant à la place du passager.

– Il y a un loup mort accroché au portail.

Elle poussa un gémissement, étreignit son arme. Pourtant, sa voix restait calme.

– Une balle ? Comme le couguar ?

– Deux, cette fois. Il l'a tué ailleurs puis amené jusqu'au portail, où il l'a hissé. Je ne suis pas certain qu'il ait essayé de franchir l'entrée, je n'ai pas vérifié. Une partie de ton équipe est déjà sur place. Ils appellent le shérif.

– Quel salaud ! Qu'est-ce qu'il veut prouver ? Arrête ! Recule, recule ! Et s'il faisait ça pour nous éloigner ? S'il était entré dans la réserve ? Les animaux, ils ne peuvent pas se défendre… Retourne là-haut, Cooper !

– On est presque arrivés. Je te dépose et je remonte.

– Vite ! Vite !

Comme il freinait devant le portail, elle sauta en lui criant :

– Attends-moi.

Puis elle héla Eric, contourna soigneusement le portail avant d'aller rejoindre son stagiaire.

– Tenez, lui cria-t-elle en lui envoyant l'appareil photo. Prenez tous les clichés possibles du loup et de tout ce qu'il y a autour. Et attendez le shérif.

– Où allez-vous ?

Elle revint en courant vers le pick-up, qui avait fait demi-tour en attendant.

– C'est parti ! cria-t-elle à Coop.

Il accéléra, fonça en se mettant à klaxonner et expliqua :

– Au cas où tu aurais raison, s'il nous entend revenir, ça pourrait le faire détaler. J'ai compris, il ne cherche pas la confrontation, il veut juste vous harceler.

– Qu'est-ce qui te fait dire ça ?

– En principe, il ne pouvait pas savoir que je serais là cette nuit ou que je partirais avant l'arrivée des employés. Donc c'étaient eux qu'il visait. Ils seraient montés jusqu'ici pour t'avertir. Et tout le monde aurait donc dû se trouver ici, et non pas au portail.

– Bon, admettons.

Cependant, elle ne respira pas tant qu'ils ne virent pas apparaître les chalets. Enfin, ils entendirent les clameurs habituelles du petit matin. Rien ne semblait troubler les animaux.

– Je veux les voir tous, insista-t-elle. Si tu vas dans cette direction, tu n'as qu'à suivre le chemin. Moi, je vais passer par là et on...

– Non.

Il s'arrêta, coupa le moteur.

– Sûrement pas. Je ne veux pas prendre le risque de te laisser seule face à lui.

Elle eut beau lui montrer son fusil, il secoua la tête.

– On reste ensemble.

– Les animaux vont croire que je viens leur dire bonjour et ils seront déçus de me voir repartir aussitôt.

Il y eut effectivement quelques grognements et autres protestations sur leur passage ; Lilly marchait vite, et chaque pensionnaire lui mettait un peu de baume au cœur. Elle eut un moment de panique en entrant dans l'enclos de Bébé, jusqu'au moment où, levant la tête, elle le trouva sur une branche de son arbre.

Il sauta souplement à ses pieds, et, l'entendant ronronner, elle ne put s'empêcher d'entrer le caresser.

– On va bientôt jouer, lui promit-elle.

Elle éclata de rire en le voyant se dresser sur ses pattes arrière pour qu'elle puisse lui gratter le ventre.

Si bien qu'il se mit à ronchonner quand elle s'éloigna de lui, sous l'œil narquois de Coop.

– C'est un cas à part, assura-t-elle.

– Il me semblait pourtant t'avoir entendue désapprouver les gens qui achetaient des animaux de compagnie exotiques.

– Ce n'est pas un animal de compagnie. Tu m'as vue lui offrir un collier de strass ou le mener en laisse ?

– Tu l'as bien appelé Bébé.

– Parce que c'était un bébé quand il est arrivé à la réserve et qu'il y est resté de son plein gré. Maintenant, on attend un groupe de jeunes, ce matin. On a aussi deux félins qui souffrent de griffes incarnées, et des stagiaires qui doivent préparer plusieurs centaines de kilos de viande à l'intendance. Enfin, le programme de tous les jours. Il n'est pas question de laisser ces événements empiéter sur le bien-être des animaux ni sur le travail quotidien de chacun. Si on n'a plus de visiteurs, notre budget s'effondre.

– On va vérifier ce que donnent tes caméras de surveillance. S'il n'y a rien, tu pourras vaquer à tes occupations.

– Willy va nous laisser ouvrir le portail, j'espère.

– Ça ne devrait pas tarder, affirma-t-il.

– Je n'ai pas vraiment regardé le loup. Il m'avait l'air de bonne taille, un adulte. Quel gâchis… Il devait être solitaire ; au milieu d'une meute, ç'aurait été une autre histoire. Ce type veut me déstabiliser, fiche en l'air mon organisation. Je ne comprends pas pourquoi il fait ça, mais je vois très bien où il veut en venir. Je pourrais y perdre plusieurs bénévoles et peut-être même quelques stagiaires. Il va falloir que je les réunisse, que je leur parle.

Elle ouvrit le chalet qui abritait les bureaux. Les lieux semblaient intacts. Cooper entra le premier, inspecta chaque recoin d'un rapide coup d'œil.

– Installe-toi ici, dit-il. Sers-toi des ordinateurs. Je vais vérifier les autres dépendances. Donne-moi les clefs.

Sans rien dire, elle lui tendit le trousseau. Elle savait qu'il avait été flic, mais jamais elle ne l'avait vu à l'œuvre jusque-là.

Dans les locaux de l'intendance, Cooper s'avisa qu'il n'avait pas pris conscience de l'importance des lieux. Il suffisait de voir l'énorme chambre froide, la masse de viande qui y était conservée, l'équipement nécessaire pour faire fonctionner cet ensemble.

L'écurie abritait trois chevaux, y compris celui qu'il venait de lui vendre. Il en profita pour leur donner à manger et les abreuver puis nota sur le tableau que cette tâche avait été remplie.

Il vérifia l'atelier, le garage et la salle de réunion, jeta un coup d'œil sur les photos exposées, sur les peaux, les dents, les crânes, les os. Où Lilly avait-elle pu se procurer tout cela ?

Après les toilettes, il passa par la petite boutique de souvenirs avec ses animaux en peluche, ses tee-shirts, ses casquettes et ses cartes postales. Le tout parfaitement rangé. Lilly avait accompli un travail remarquable, sans négliger un détail. Tout cela pour les animaux.

En revenant sur ses pas, il entendit arriver des voitures et sortit accueillir le shérif.

– Tout va bien, ici, annonça-t-il à Tansy. Elle est dans les bureaux.

– On dirait qu'il a décidé de se terrer dans le coin, observa Willy. À moins qu'il ne s'agisse de quelqu'un d'autre qui aurait piqué cette brillante idée après la mort du couguar. Le fait est que la chasse au loup est illégale par ici ; les gens le savent très bien. Donc, ils savent tout aussi bien les ennuis qu'ils encourent s'ils enfreignent la loi. On a des éleveurs qui veulent se venger d'un loup qui leur a décimé un troupeau, mais je connais tous ceux de ce comté, et je n'en vois aucun exposer un cadavre. Pas même ceux qui trouvent Lilly un peu excentrique.

– Les balles proviennent certainement de la même arme que celle qui a frappé le couguar.

– Il y a des chances, en effet. Je vais interroger les rangers. Vous pourriez enregistrer quelques dépositions, vous aussi. Qui sait si des promeneurs ou des automobilistes n'auraient pas remarqué quelque chose ?

Comme Lilly sortait, le shérif vint vers elle.

– Bonjour. Désolé pour cette histoire. Votre vétérinaire est dans les parages ?

– Il ne va pas tarder.

– Je vais vous laisser un homme, comme la dernière fois. Nous ferons tout ce que nous pouvons, Lilly.

– Je sais, mais vous ne pouvez pas grand-chose, soupira-t-elle en descendant les marches. Un couguar, un loup. J'ai trente-six animaux, sans compter les chevaux, répartis sur un domaine de treize hectares. Je crains que ce type ne finisse par s'en prendre à l'un de mes pensionnaires ou, pire, à une personne qui travaille ici sous ma responsabilité.

– Je ne sais pas quoi dire pour vous rassurer.

– Rien, et c'est justement là son avantage en cc moment. Rien ne pourra me rassurer. Ce qui n'empêche pas que nous ayons du travail et que nous allons continuer. J'ai six stagiaires qui doivent terminer leur trimestre, sans compter les gamins qui vont arriver dans deux heures pour une journée de randonnée et d'enseignement. Si vous pensez qu'ils courent le moindre risque, j'annule.

– Ce n'est quand même pas parce qu'un homme tue un animal sauvage qu'il va s'en prendre à des enfants.

– Entendu. Dans ce cas, chacun va se remettre à la tâche le mieux possible. Coop, tu devrais y aller, toi aussi, tu as ton travail et tes animaux.

– Je reviendrai. N'oublie pas que tu as une liste à préparer.

Sur le coup, elle ne parut pas comprendre puis secoua la tête.

– Je te jure que j'ai d'autres soucis pour le moment.

– Comme tu voudras.

– Comme je voudrai, exactement. Merci, Willy.

La voyant regagner son bureau, celui-ci eut une moue dubitative.

– J'ai l'impression qu'elle faisait allusion à autre chose qu'à l'affaire qui nous intéresse. Et j'imagine que vous allez passer la prochaine nuit sur place.

– Bien vu.

– Je préfère. D'ici là, je vais envoyer quelques hommes inspecter les alentours, vérifier les clôtures, chercher les zones mal protégées. Ce type doit bien se cacher quelque part.

Lilly savait que la nouvelle allait se répandre comme une traînée de poudre, aussi ne fut-elle pas surprise de voir ses parents arriver. Pour les recevoir, elle laissa le vétérinaire soigner seul les pattes du tigre.

– Désolée de vous inquiéter comme ça.

– Tu n'avais pas parlé d'aller passer quelques semaines en Floride, dans un refuge de panthères ? Ce serait le moment.

– Pas quelques semaines, quelques jours. Mais pas avant l'hiver prochain, je ne peux pas partir maintenant.

– Et si tu redescendais t'installer à la ferme jusqu'à ce qu'on interpelle ce type ?

– Qui pourrait prendre ma place ? Maman, si je dis que j'ai trop peur pour rester, qui voudra venir ?

– N'importe qui, mais pas toi, ma chérie. C'est tout ce que je demande.

– Cooper est venu, cette nuit ? s'enquit Josiah.

– Il a dormi sur le canapé du salon. Il ne voulait pas s'en aller, et maintenant je dois admettre qu'il a bien fait de s'entêter. Nous allons prendre toutes les précautions possibles, je vais acheter davantage de caméras. J'ai vérifié tous les systèmes d'alarme, mais on ne peut pas s'en permettre de trop sophistiqués.

Comme son père allait parler, elle prit les devants.

– Non, toi non plus, tu ne peux pas te le permettre.

– Je suis prêt à dépenser ce qu'il faut pour protéger ma fille.

– Il ne m'arrivera rien, je te le garantis. Maintenant, je retourne auprès de Matt.

– Et nous allons au bureau voir s'ils n'ont pas besoin d'un coup de main.

– On en a toujours besoin.

À plat ventre au sommet de la colline, il surveillait à travers ses jumelles la famille en pleine discussion. En bon prédateur, il savait que toute chasse commence par l'observation de la proie, de ses habitudes, de son territoire, de ses forces. De ses faiblesses.

La patience comptait plus que tout. Il avait commis une erreur en ne sachant pas toujours s'y plier. De même, son caractère emporté lui avait valu dix-huit mois d'incarcération pour avoir tabassé quasi à mort un consommateur dans un bar.

Depuis, il avait appris à se maîtriser, à rester calme et détaché. À ne tuer que pour remplir ses objectifs.

Jamais pour céder à la colère. Froid, mesuré.

Pour le couguar, il avait cédé à une impulsion. L'animal se trouvant là, il avait voulu savoir ce que cela faisait d'abattre un fauve les yeux dans les yeux. Résultat plutôt décevant. L'absence du défi, de la chasse supprimait toute implication personnelle.

En fin de compte, il n'en avait tiré qu'un certain sentiment de honte.

Après quoi, il s'était un peu défoulé en saccageant le campement, toutefois, il était parvenu à respecter un certain rituel, de façon à laisser un message.

Lilly. Lillyian. Le Pr Chance. Il l'avait toujours trouvée très intéressante, tellement liée à sa famille que c'en devenait une véritable faiblesse.

Ce serait passionnant d'utiliser cette faille contre elle. D'ajouter sa peur à l'excitation de la chasse. Il avait envie de lui faire peur. Il avait eu l'occasion d'apprécier le sel ajouté par la peur ; celle de Lilly n'en serait que plus délectable dans la mesure où elle n'y cédait pas souvent.

Il allait lui faire peur.

Il la respectait autant qu'il respectait sa famille. Alors qu'elle se moquait plutôt de la lignée dont il était issu. Elle en profanait les traditions, avec ces enclos où étaient emprisonnés tant d'animaux sauvages, symboles de liberté, elle en profanait le territoire sacré.

Oui, il allait lui faire peur. Elle apporterait un élément prestigieux à son tableau de chasse, le plus beau butin à ce jour.

Rangeant ses jumelles, il s'éloigna de son perchoir en rampant avant de se relever, récupéra son sac à dos et demeura un instant immobile dans la lumière du soleil, à caresser son collier de dents d'ours. Le seul souvenir qui lui restait de son père. Ce père qui lui avait parlé de leurs ancêtres et des trahisons qu'ils avaient subies, qui lui avait appris à chasser, à vivre sur ces terres sacrées, à prendre ce qui lui revenait, sans remords ni regret.

Il se demandait ce qu'il conserverait de Lilly après l'exécution.

Satisfait de cette journée de repérage, il prit la direction de son antre, où il pourrait élaborer la suite.

13

Lilly s'apprêtait à distribuer le repas du soir aux animaux lorsque Farley se présenta, à l'aise sur son cheval. Elle fut soudain frappée par l'analogie entre Cooper et lui : deux jeunes citadins métamorphosés en cow-boys qui paraissaient nés pour vivre au grand air.

La comparaison s'arrêtait là car, si Farley présentait un caractère avenant, Cooper semblait toujours se refermer sur lui-même. À moins que ce ne fût là qu'un point de vue personnel.

Elle se tourna vers Lucius.

– Si vous alliez jeter un œil sur ce qui se passe à l'intendance ? J'arrive.

Ensuite, elle alla accueillir Farley, caressa la joue de son cheval, Hobo.

– Ça va, les gars ?

– Bonjour, Lilly. J'ai quelque chose pour vous.

Il lui tendit un bouquet de marguerites.

– Tu m'apportes des fleurs ? s'étonna-t-elle.

– Je me suis dit que ça vous ferait peut-être plaisir.

Ravie, elle les regarda un instant puis lui fit signe de se pencher et lui déposa un baiser sonore sur la joue.

– Dis-moi, ajouta-t-elle, ce sont des jonquilles que je vois là, dans ta sacoche ?

– On dirait, non ?

Elle lui tapota affectueusement la cheville.

– Tansy est partie accompagner une famille qui rêvait de visiter Deadwood depuis qu'ils ont vu la série à la télé. Alors ils sont venus ici après avoir visité le mont Rushmore, avec les têtes des Présidents. Le père était certain que ses enfants allaient adorer. Ils doivent être à mi-chemin, maintenant. Si tu veux les rejoindre.

– Je n'ai rien contre. Lilly, si vous voulez que je couche ici cette nuit…

– Merci, Farley, mais je ne serai pas seule.

– À ce qu'il paraît.

Il s'empourpra légèrement lorsqu'elle leva un regard interrogateur sur lui.

– Enfin… Votre père a dit que Cooper allait venir… pour jeter un œil… Ça lui fait du bien, à votre père, de savoir ça.

– Et c'est l'unique raison pour laquelle j'ai accepté. Tu diras à Tansy qu'on s'occupe de donner à manger aux animaux, ce soir. Notre famille d'Omaha en voudra pour son argent.

– Promis.

– Farley, je vous aime beaucoup, Tansy et toi. Je vous considère comme faisant partie de ma famille, aussi je vais te dire ce que j'ai derrière la tête.

Il pâlit subitement.

– Allez-y.

– Bonne chance !

Il retrouva aussitôt son large sourire.

– Je crois que je vais en avoir besoin.

Il partit au trot en sifflotant, franchit les barrières et s'engagea sur le chemin, entre arbres et rochers, où il aperçut un lynx en train de se faire les griffes sur le tronc d'un pin.

Il passa devant l'une des camionnettes à hayon qui servaient à balader certains touristes en résistant à l'envie de lancer sa monture au galop. Il retrouva le petit groupe devant l'enclos du tigre, qui s'étirait et bâillait avec conviction. Visiblement, on venait d'interrompre sa sieste.

Lui aussi devait attendre son dîner.

– 'Soir, m'sieurs-dames, lança-t-il en touchant le bord de son chapeau.

Puis il s'adressa directement à Tansy.

– Lilly m'a dit de te dire que c'est l'heure du repas.

– Merci, Farley. À part les bébés que nous avons vus tout à l'heure, nos pensionnaires sont tous des animaux nocturnes. Nous leur donnons donc à manger le soir pour maintenir leur instinct de chasse.

Elle utilisait ce que Farley appelait sa « voix officielle », telle qu'il l'entendait toute la journée.

– Nous traitons chaque semaine des tonnes de viande ; c'est l'équipe qui prépare chaque portion, essentiellement du poulet qui nous est généreusement fourni par Hanson's Food. Vous avez bien choisi vos horaires parce qu'il est très intéressant d'assister à la distribution des repas. Vous allez vraiment voir vivre les animaux de la réserve naturelle Chance.

– Monsieur ? Je peux monter sur votre cheval ?

Farley baissa les yeux vers la fillette de huit ans qui venait de parler, adorable dans son manteau rose à capuche.

– Si tes parents veulent bien, tu peux t'asseoir avec moi et je t'emmènerai faire un tour. Hobo est très gentil, m'dame, ajouta-t-il à l'adresse de la mère.

– Oh oui ! Oh oui ! Je préfère monter à cheval que de regarder les lions manger du poulet.

Un court débat s'ensuivit, auquel Farley évita de se mêler ; il préférait observer Tansy, qui expliquait au grand frère, âgé d'une douzaine d'années, comment les tigres guettaient leurs proies.

Finalement, la gamine obtint ce qu'elle désirait et se hissa en selle devant Farley.

– C'est bien plus rigolo ! Tu peux le faire aller très vite ?

– Oui, mais si je faisais ça, ta maman me tomberait sur le râble.

– C'est quoi, le râble ?

Il pouffa.

– C'est le dos. Elle me tomberait sur le dos si je faisais ça après avoir promis d'aller doucement.

– Je voudrais bien avoir un cheval, dit-elle en caressant la crinière de Hobo. Tu montes tous les jours ?

– Eh oui !

– Tu as de la chance !

– Ça, tu peux le dire !

Pour faire plaisir à la petite Cassie, Farley l'emmena faire un tour sur un cheval des plus placides au milieu des rugissements et des feulements des félins.

À la tombée de la nuit, la famille partit, enchantée.

– Tu as été sympa, Farley, dit Tansy.

– Ça m'a fait plaisir. Je préfère tenir un cheval au pas que de trimballer toute cette viande sanguinolente.

Il sortit les jonquilles de sa sacoche.

– Tiens, c'est pour toi.

Elle regarda longuement les fleurs jaunes, avec une telle expression que Farley en vint à se demander si elle se rendait compte combien il était facile de deviner ce qu'elle pensait en ce moment, sa surprise, sa joie, son inquiétude...

– Oh, Farley, tu n'aurais pas dû !

– La journée a mal commencé pour vous. Je voudrais t'aider à mieux la finir. Je t'emmène quelque part ?

– Écoute, je t'ai déjà dit que je ne voulais pas aller plus loin. On est amis, voilà tout. On ne va pas sortir ensemble.

Il dut prendre sur lui pour ne pas sourire. Elle avait récupéré sa « voix officielle ».

– Et alors ? On peut bien offrir un hamburger à une amie. Juste pour lui changer les idées.

– Je ne sais pas...

– Rien qu'un hamburger, Tansy, pour t'éviter d'avoir à préparer un repas. C'est tout.

Les sourcils froncés, elle le dévisagea longuement.

– Rien qu'un hamburger ?

– Allez, peut-être aussi quelques frites.

– C'est bon, Farley. On se retrouve en ville dans une heure. Chez Mustang Sally's, ça te va ?

– Très bien. À toute !

Il s'éloigna sans en rajouter. Inutile de la bousculer. Mais il avait envie de chanter.

Dans le local qu'elle partageait avec Tansy, Lilly contemplait le plafond, un pied sur le bureau. Elle sourit en voyant entrer Tansy, ses jonquilles à la main.

– Jolies fleurs !

– Je ne veux pas entendre une seule remarque. C'est juste un bouquet offert par un ami pour me remonter le moral.

– Je sais, à moi, il m'a offert des marguerites.

Tansy en parut toute défaite.

– Ah bon ?

Néanmoins, elle se reprit aussitôt, afficha un large sourire.

– Là, tu vois ? Ça ne veut rien dire de spécial.

– Rien du tout. Tu devrais les mettre dans l'eau.

– C'est ce que je vais faire. Et puis je rentrerai chez moi, s'il n'y a plus rien à faire ici. Les stagiaires finissent de tout ranger, alors je vais ramener Eric et tous ceux qui le voudront.

– Bien sûr. Lucius termine un travail, il a dit qu'il en avait encore pour une vingtaine de minutes, autrement dit, une heure. Il pourra fermer.

– Après ce qui s'est passé ce matin, ça me semble un peu léger.

– Je sais, mais que veux-tu qu'on y fasse ?

– Cooper revient cette nuit, au moins ?

– Il semblerait qu'on ne m'ait pas demandé mon avis, grimaça Lilly. Pas de commentaires, je te prie !

– Je n'ai rien dit !

– Non, mais tu penses tout haut. Au fait, je viens de recevoir un coup de fil d'une femme qui vit à la sortie de Butte. Elle a un jaguar mélanique de dix-huit mois, né en captivité, qu'elle a acheté comme animal de compagnie.

– Tacheté ou noir ?

– Noir. Une femelle qu'elle a appelée Cléo. Il y a quelques jours, Cléo lui a paru agitée ; en même temps, elle faisait la difficile pour ses repas. Jusqu'au moment où elle a dévoré Pierre, un caniche nain.

– Ouille !

– Comme tu dis ! La dame est furieuse, son mari encore plus : Pierre appartenait à sa mère, qui venait leur rendre visite de Phoenix. Le mari a décrété que Cléo devait partir.

– Où veux-tu que nous la mettions ?

– Je n'en sais rien. J'y réfléchis. On pourrait lui préparer un enclos provisoire en divisant en deux celui de Sheba, qui se fait trop vieille pour beaucoup bouger.

– On a les moyens de prendre une nouvelle pensionnaire ?

– Là aussi, j'y réfléchis. Déjà, on va tâcher de convaincre sa propriétaire de faire un don considérable afin d'assurer une vie heureuse à sa protégée.

– Qu'entends-tu par « considérable » ?

– Disons 10 000 dollars.

– Tu peux toujours courir !

– Ce n'est pas impossible. Je viens de regarder sur Google le ranch de monsieur et madame. Ils roulent sur l'or. Ils peuvent bien assurer la pension de l'animal qu'ils sont trop heureux de nous confier ; d'autant qu'il va falloir envoyer une équipe dans le Montana pour la chercher. Quelle aubaine, Tansy, un jaguar femelle noir, jeune, en bonne santé ! On pourrait envisager de la faire reproduire. De toute façon, elle sera beaucoup plus heureuse ici que dans un ranch du

Montana. Au printemps, dès que la neige aura fondu, on pourra lui attribuer un enclos définitif.

– Tu as déjà tout prévu.

– Comment résister ? Rends-toi compte, un félin pareil et un chèque à quatre zéros ! On va soulager cette dame d'un grand poids, peut-être même en faire une de nos fans. Je vais encore réfléchir à la façon de présenter les choses. Et toi aussi, de ton côté. On en reparle demain matin.

– D'accord. Je suis sûre qu'elle est magnifique.

Lilly lui montra son écran.

– Regarde, sa propriétaire m'a envoyé des photos. On va débarrasser la demoiselle de son collier en fausses pierres. Elle est resplendissante ! Tu vois ces yeux, ce regard profond, mystérieux ? Impressionnant ! Ce sera une de nos stars. Elle a besoin d'un refuge. On ne pas la relâcher dans la nature mais lui offrir un abri décent chez nous.

Tansy lui tapota le bras.

– Bon, réfléchis encore. On se voit demain matin.

Il faisait nuit lorsque Lilly quitta le bureau. Apercevant le pick-up de Coop, elle eut un mouvement de lassitude. Elle ne l'avait même pas entendu arriver, trop préoccupée qu'elle était par le transport et l'installation du jaguar. Il faudrait le faire examiner dès son arrivée par le vétérinaire, car elle ne se fiait pas à ses propriétaires.

Lilly saurait convaincre ces gens de verser un don. Elle était douée pour attendrir les bonnes âmes. Ce n'était pas ce qu'elle préférait dans son métier, mais elle savait y faire.

Elle entra dans son chalet.

Et reçut un coup au cœur. Cooper était installé sur le canapé, les pieds sur la table basse, une bière à la main, un ordinateur sur les genoux.

Elle ne put s'empêcher de claquer la porte. Il ne leva même pas les yeux.

– Ta mère t'a fait envoyer un jambon, des pommes de terre et je ne sais quoi d'autre… des artichauts, je crois.

– Je suis capable de préparer mes repas, tu sais. Il se trouve seulement que je n'ai pas eu le temps d'aller faire des courses, ces temps-ci.

– Alors j'ai bien fait d'apporter un pack de bière.

– Coop, ça ne peut pas durer… il ne faut pas…

Elle envoya promener son manteau.

– Tu ne vas pas t'installer ici, quand même !

– Pas du tout. Je viens de faire restaurer une maison, c'est pour y vivre. Je vais juste dormir ici quelque temps.

– C'est-à-dire ? Combien de temps comptes-tu dormir sur mon canapé ?

Il lui décocha un regard fatigué, avala une gorgée de bière.

– Jusqu'à ce que tu me laisses dormir dans ton lit.

– C'est donc ça ? Alors allons-y, qu'on en finisse ! Ensuite, on pourra reprendre nos vies respectives.

– D'accord, donne-moi une minute, le temps de finir ceci.

Et il se remit à pianoter sur son clavier. Et elle de tourner comme un lion en cage en jurant tout ce qu'elle savait.

– Pas très féminin, tout ça, maugréa-t-il.

Elle s'arrêta, vint se planter devant lui.

– Cooper.

– Lillyian.

Fermant les yeux un instant, elle tâcha de mettre de l'ordre dans ses idées.

– C'est complètement idiot, ça ne sert à rien, et je trouve ça malsain.

– Pourquoi ?

– Comment ça, « pourquoi » ? Parce qu'il s'est passé… quelque chose entre nous. Tu te rends compte que tout le monde, dans le coin, s'imagine qu'on couche de nouveau ensemble ?

– Je crois que la plupart des gens du coin ne nous connaissent pas. Et quand bien même ?

Elle dut encore rassembler ses idées.

– Et si j'avais envie de coucher avec quelqu'un d'autre ? Et si tu nous dérangeais ?

Cooper avala une longue goulée de bière.

– Ah bon ? Où est-il ?

– Oublie.

– Pas de souci. C'est à ton tour de préparer le repas.

– Ah oui ? s'exclama-t-elle. C'est la meilleure ! Je te rappelle que tu es chez moi. Et j'arrive pour te trouver sur mon canapé, les pieds sur ma table, en train de boire ma bière…

– La bière, c'est moi qui l'ai apportée.

– Ne détourne pas la conversation.

– Je suis au cœur du sujet. Tu n'aimes pas me voir ici. L'ennui, c'est que ça m'est égal. Tu ne resteras pas toute seule tant qu'une menace subsistera. J'ai promis à Josiah de veiller sur toi. C'est tout.

– Si ça peut te rassurer, je demanderai à un stagiaire de dormir dans le chalet voisin.

Une lueur d'impatience passa dans le regard de Coop.

– Ils ont en moyenne quel âge, tes stagiaires ? Vingt ans ? C'est bizarre, mais je n'arrive pas à me sentir rassuré à l'idée qu'un gamin boutonneux te serve de garde du corps. Tu t'éviteras bien des contrariétés si tu t'habitues une fois pour toutes à ma présence jusqu'à ce que cette affaire soit réglée. Tu m'as préparé ta liste ?

– Quelle liste ?… Non, je n'ai rien préparé du tout. Figure-toi que j'ai eu d'autres soucis en tête.

D'un seul coup, elle baissa les bras.

– On a retiré deux balles de 9 mm dans le corps du loup.

– À ce qu'on m'a dit.

– Les analyses ne sont pas encore prêtes, mais je suis pratiquement sûre que les balles proviennent de la même arme que pour le couguar et qu'elles ont été tirées par le même homme.

– Tant mieux. Sinon, tu aurais eu deux fois plus de raisons de t'inquiéter.

– Je n'avais pas vu les choses sous cet angle.

– Il faut te protéger davantage.

– Je m'en occupe. J'ai prévu d'augmenter le nombre de caméras, les lumières, les systèmes d'alarme. La santé et la sécurité de mes animaux restent ma priorité, mais je n'ai pas les moyens de me payer tout ça pour le moment.

Il sortit un chèque de sa poche.

– Tiens, voici ma contribution.

Elle sourit.

– Nous acceptons tous les dons, quels qu'ils soient, mais j'ai évalué certains équipements, aujourd'hui, et…

Quand elle vit le montant du chèque, elle se figea.

– Ce… c'est quoi ?

– Un don, comme tu as dit. Quand est-ce que tu nous réchauffes le repas de ta mère ?

– Où as-tu trouvé tout cet argent ? Tu ne vas pas lâcher tout ça ? C'est un vrai chèque ?

– C'est l'argent de ma famille. Le compte que m'a ouvert mon père quand j'étais petit ; il a essayé de le bloquer aussi longtemps qu'il a pu, mais, tous les cinq ans, le robinet coule.

– À flots, murmura-t-elle, impressionnée.

– Oui, et je ne te dis pas combien il sera obligé de me laisser récupérer pour mes trente-cinq ans. Le reste, il pourra le garder jusqu'à mes quarante ans. Ça l'énerve d'être obligé de lâcher tout ça, mais il ne peut pas faire autrement. Je le déçois énormément, à tous les niveaux. Sauf que, comme c'est mutuel, la boucle est bouclée.

– Je suis désolée que vous n'ayez jamais pu vous réconcilier. Je ne t'ai pas demandé où tu en étais avec ta mère.

– Elle s'est remariée. Une troisième fois. Là, ça paraît solide. Elle a affaire à un homme sympathique, du moins à le voir comme ça, et on dirait qu'elle est heureuse.

– Je sais qu'ils sont venus dans la région, mais je n'étais pas là, à l'époque. C'était important pour Sam et Lucy.

– Elle est arrivée tout de suite quand elle a appris que son père s'était blessé. Ça m'a surpris. Je crois que ça a surpris tout le monde, à commencer par elle-même.

– Je n'étais pas au courant. Il s'est passé tant de choses pendant mon séjour au Pérou. Ça va mieux, maintenant, avec ta mère ?

– Ce ne sera jamais le grand amour, mais on se voit de temps en temps.

– Bon. Écoute, ce chèque, je vais le prendre, parce qu'on en a vraiment besoin. Mais ça fait beaucoup d'argent.

– J'ai beaucoup d'argent. Plus qu'il ne m'en faut. Et puis ça réduira mes impôts.

– Dans ce cas… Je ne saurai jamais assez te remercier. Tu vas avoir droit à plein de cadeaux fabuleux : un couguar en peluche, le tee-shirt officiel de la réserve naturelle Chance et un mug ; mais aussi un abonnement à notre lettre d'informations ainsi qu'une entrée gratuite à vie.

– Attends, il y a quand même une condition à remplir.

– Aïe !

– C'est simple : tu utilises ce chèque pour renforcer la sécurité du refuge. Je t'aiderai à choisir les systèmes les plus adéquats. S'il reste un peu d'argent, éclate-toi.

– Je ne vais pas dire non, mais j'ai aussi besoin d'un nouvel enclos pour une panthère noire, un jaguar mélanique de Butte.

– Mélanique ? C'est une maladie ? Les Jaguar, dans le Montana, j'en connais des mécaniques, mais c'est tout…

– Ça veut dire que le pelage est de couleur noire ou presque, une panthère noire, en quelque sorte, même si elle peut engendrer des bébés tachetés. Il n'en existe plus en liberté dans le Montana. Peut-être qu'on pourra les réintroduire un jour aux États-Unis, mais, en attendant, ils ne se reproduisent qu'en captivité. Une femme, à Butte, voudrait nous confier le sien parce qu'il a mangé un chien.

Cooper la considéra d'un air consterné, avala un peu de bière.

– Bon, dit Lilly en se levant, je vais faire chauffer le dîner. Tu vois, il m'a suffi d'un gros chèque pour oublier que j'en avais marre de te voir occuper mon salon.

– Ça ne fait pas partie des conditions…

– N'empêche qu'il va falloir te fixer des limites, Coop. Une règle du jeu. Parce que je ne peux pas continuer comme ça, tu me stresses trop.

– Dresse la liste, et on négociera.

– En voici déjà une : pour les repas, il y en a un qui prépare ou réchauffe, et l'autre qui débarrasse. Règle de base chez les coloc.

– Bien.

– Tu as déjà eu une coloc ? Après la fac, bien sûr.

– Tu veux savoir si j'ai déjà vécu avec une femme ? Non. Pas officiellement.

Comme il avait deviné ses arrière-pensées, elle n'ajouta rien et préféra aller réchauffer le plat de sa mère.

Pendant le dîner, elle eut un sujet de conversation tout trouvé : l'histoire de Cléo.

– On a de la chance qu'elle ait mangé un caniche plutôt qu'un gamin, commenta Coop.

– Certes. Elle a dû commencer par vouloir jouer et puis l'instinct a dû prendre le dessus. Un fauve apprend beaucoup de choses si on les lui enseigne avec patience, mais jamais il ne se laissera apprivoiser, et ce ne sont pas les colliers de strass et les coussins de soie qui en feront des animaux de compagnie, même s'ils sont nés en captivité. Je te prie de croire que je vais en parler en long, en large et en travers sur le Web. D'autant qu'un nouveau pensionnaire suscite souvent des dons.

– Tu ajouteras son goût pour les caniches dans sa bio ?

– Je vais peut-être faire l'impasse sur ce sujet. Qu'est-ce que tu écrivais sur ton ordi ?

– Je faisais des tableaux. Pour vérifier l'équilibre de mes dépenses et de mes revenus.

– C'est vrai ?

– Tu as l'air étonnée que je tienne ma comptabilité. Je te rappelle que j'ai géré ma propre entreprise pendant cinq ans.

– Je sais. J'ai toujours eu du mal à enregistrer le cabinet de détective privé. Je sais que je t'ai déjà posé la question, mais c'était comme à la télé ?

– Pas vraiment, non. C'est beaucoup de marche à pied et beaucoup d'heures passées au bureau, vissé sur ma chaise. On discute avec les gens, on fait des recherches sur Internet, on remplit de la paperasse.

– Mais on résout aussi des crimes ?

Une lueur amusée traversa le regard bleu glacier.

– Ça, c'est à la télé. Nous, on résolvait plutôt les fraudes à l'assurance, on surveillait les couples en instance de divorce, on cherchait les personnes disparues.

– Tu as retrouvé des personnes disparues ? C'est important, ça, Cooper !

– Tu sais, beaucoup de ceux qui disparaissent ne tiennent pas à ce qu'on les retrouve. Alors c'est tout relatif. Et puis, pour moi, c'est du passé. Maintenant, je pense plutôt aux chevaux, aux frais de nourriture, de vétérinaire, de maréchal-ferrant, de sellerie, aux assurances, au fourrage. Ils auraient besoin d'une personne qui s'occupe d'eux à plein-temps, un Farley.

Elle pointa sa fourchette vers lui.

– Tu n'auras pas Farley.

– Si j'essayais de le débaucher, il refuserait. Il adore tes parents.

– Entre autres. Sans compter Tansy.

– Tansy ? Sacrée belle fille. Lui, c'est un gars plutôt… affable, non ?

– Charmant, solide et très, très mignon. Il la trouble énormément. Je la connais depuis nos dix-huit ans, je ne l'avais jamais vue dans cet état à cause d'un garçon.

– Intéressant… Et toi, Lilly, quand t'es-tu laissé troubler pour la dernière fois par un homme ?

Comme la réponse était *maintenant*, elle préféra se lever pour emporter les assiettes.

– J'ai trop à faire pour y penser. J'y vais, il faut que je termine mon article.

Au passage, il l'attrapa par la main, au point de la faire tomber sur ses genoux ; lui tirant la tête en arrière par la natte, il l'embrassa vigoureusement sur les lèvres.

Irritée de s'être fait prendre au piège, elle se débattit. Mais il était beaucoup plus fort que dans ses souvenirs. D'autant que le plaisir l'emporta vite sur la colère.

Et lui qui achevait de la bouleverser en mêlant soudain une surprenante douceur à son étreinte…

– Bonne nuit, Lilly, murmura-t-il contre sa bouche.

Et il recula, la laissant se relever.

– Pas de contact sexuel ni physique, grommela-t-elle. Tu peux l'ajouter à ma liste.

– Là, je ne suis pas d'accord. Cherche autre chose.

– Tu n'as pas le droit, Cooper !

– Je ne sais pas où est le droit dans tout cela, tout ce que je vois, c'est que j'ai envie de toi. Je suis capable de me passer de ce dont j'ai envie, tout comme je suis capable de me défoncer pour l'obtenir. Question de choix.

– Et je me situe où, dans ce choix ?

– À toi de décider.

– Je ne te laisserai pas me trahir une seconde fois.

– Je ne t'ai jamais trahie.

– Si tu dis ça, c'est que tu es soit complètement idiot, soit complètement insensible. Laisse moi tranquille.

Elle s'éloigna, grimpa l'escalier, entra dans sa chambre et ferma la porte à clef.

14

Au matin, Lilly ne descendit pas avant d'avoir entendu Cooper démarrer, ce qui eut pour conséquence de la mettre un peu en retard, mais elle commencerait sa journée plus détendue.

Seule dans sa chambre, cette nuit, elle avait beaucoup travaillé, beaucoup réfléchi, en toute lucidité. Elle n'avait pas atteint la cuisine qu'elle sentait l'odeur du café. Au moins la présence de Cooper la nuit présentait-elle cet avantage.

Tout était propre, elle n'avait pas affaire à un rustre, et le café se révéla fort et chaud, comme elle l'aimait. Dans un silence tranquille, elle avala également un bol de céréales. L'aube éclairait les collines lorsqu'elle rejoignit le bureau. L'équipe et les stagiaires n'allaient plus tarder. Ils commenceraient par nettoyer les gîtes, les stalles et les enclos, recueilleraient les déjections que l'on analyserait ensuite afin de traquer les parasites.

En arrosant les fleurs, Lilly songea qu'elle exerçait un métier formidable. Elle avait bientôt rendez-vous avec le vétérinaire pour examiner la patte de Xena ; il faudrait donc immobiliser la vieille louve avant de l'emmener à l'infirmerie.

Au milieu de la matinée, elle pria quelques stagiaires d'aller inspecter les clôtures et tout le matériel susceptible de constituer le futur enclos du jaguar.

Après quoi, elle alla trouver Tansy.

– Petite visite des scolaires, expliqua celle-ci en désignant le groupe d'enfants qui arrivait sur le chemin. Ce sont Eric et Jolie qui s'en chargent. Ils travaillent bien ensemble. Tu sais, je trouve qu'Eric est l'un des meilleurs stagiaires qu'on ait jamais eus.

– Je suis d'accord. Il est intelligent, il travaille dur et il n'hésite pas à poser des questions.

– Il a envie de rester encore un trimestre. Il a déjà demandé leur avis à ses professeurs.

– On n'a jamais repris de stagiaires. Mais lui, il pourrait nous aider à former les nouveaux et on lui donnerait un peu de responsabilités. Si l'université accepte, je suivrai.

– Tant mieux. Dis-moi, j'ai l'impression que tu n'as pas beaucoup dormi.

– Non, j'ai bossé une partie de la nuit. Il va bientôt falloir que je passe en ville déposer ceci.

Lilly sortit le chèque de sa poche et le lui présenta en le tenant par les coins, comme si elle venait de gagner à la loterie.

– Qu'est-ce que… ? J'hallucine !

Tansy se jeta à son cou, et toutes deux se mirent à danser.

– Lilly, ce n'est pas croyable ! C'est Cooper ? Ça t'a coûté combien de gâteries, dis-moi ? Il est tellement plein aux as ?

– Je n'ai fait aucune gâterie, crois-moi ! Mais s'il m'en avait demandé pour une somme pareille, j'aurais accepté. Et on dirait en effet qu'il a beaucoup d'argent.

– Il en a encore ? Parce que je suis candidate !

– Je tâcherai de m'en souvenir. En attendant, j'ai déjà dépensé dix fois cette somme dans ma tête. J'ai regardé les prix des systèmes de sécurité, des lumières, des caméras. Et aussi des clôtures. En plus, j'ai eu la dame du Montana tout à l'heure, elle accepte de donner 10 000 dollars pourvu qu'on les utilise à construire un bel enclos pour Cléo.

– Il faudra faire vite, avant les pluies de printemps.

– Matt a téléphoné au vétérinaire de Butte, les choses se présentent bien. Il nous reste quelques paperasses à remplir, des autorisations à obtenir, et on devra aussi organiser les transports.

– Tu te rends compte, Lilly, qu'on va avoir notre panthère noire ?

– Justement, je voudrais que ce soit toi qui ailles la chercher.

– Volontiers, mais d'habitude c'est toi qui t'en occupes.

– Je préfère ne pas bouger ces temps-ci ; il y en a pour deux ou trois jours, je ne peux pas prendre le risque de m'absenter s'il devait encore se produire quelque chose ici. En outre, je souhaiterais veiller à ce qu'on lui prépare un bel enclos provisoire en attendant sa place définitive.

– Bon, mais je n'y vais pas toute seule, je ne sais pas conduire une semi-remorque.

– Tu ne conduiras pas. Tu t'occuperas du jaguar, de sa sécurité, de sa santé. C'est un trajet d'à peu près sept ou huit heures. Farley tiendra le volant.

– Oh, Lilly !

– Il est parfaitement indiqué pour ça et il s'est porté volontaire. C'est le meilleur que je puisse mettre sur les rangs, et tu pourras compter sur lui.

– Dans l'absolu, c'est un raisonnement logique, mais tu oublies la situation.

Lilly savait exactement comment réagir à cette objection. Elle écarquilla les yeux.

– Quoi ? Tu ne sauras pas gérer, peut-être ?

– Si, mais…

Prise au piège, Tansy poussa un soupir.

– En vous dépêchant, insista Lilly, vous pourriez être là-bas en six heures. Tu n'as qu'à vérifier l'état de Cléo en arrivant ; fais un peu de charme à la propriétaire, rassure-la. Vous passez la nuit là-bas. Le matin, vous chargez la bête et vous êtes ici avant le soir.

Elle en rajouta une couche.

– Je ne peux pas m'en charger moi-même, Tansy, sinon, crois-moi, je ne t'aurais pas demandé une chose pareille.

– D'accord, j'irai. Mais cela me gêne terriblement.

– Alors pourquoi as-tu dîné avec lui, hier soir ?

Tansy se raidit, fourra les mains dans ses poches.

– Comment le sais-tu ?

– Figure-toi que les stagiaires aussi sortent dîner. Et bavardent.

– C'était juste un hamburger.

– Et là, c'est juste un aller et retour. Je règle tous les détails administratifs avant ce soir, comme ça, tu vas pouvoir te concentrer sur le travail avec Matt. Vous partirez demain matin avant 6 heures, si possible.

– Tu en as déjà parlé à Farley ?

– Évidemment. Il amène la semi-remorque dès ce soir.

– Dis-lui de viser 5 heures. Ça nous laissera la journée complète.

– Pas de souci. Et souris ! Tu nous ramènes un jaguar ! Bon, je file en ville blinder notre compte en banque.

Il lui fallut l'après-midi à Deadwood pour faire tout ce qu'elle avait prévu : la banque, le supermarché, l'entrepreneur, la poste. Tant qu'elle y était, elle passa également commander une nouvelle cargaison de granulés pour les animaux.

Elle avait gardé Cooper pour la fin puisqu'elle avait vu son pick-up devant les écuries des Wilks, à l'entrée de la ville.

Chargée du dossier qu'elle avait préparé pendant la nuit, elle entra dans les locaux où régnaient des odeurs de cheval, de cuir et de foin.

Elle le trouva dans la troisième stalle, assis sur un tabouret, en train de bander l'antérieur droit d'un hongre alezan.

– Il va bien ?

Cooper hocha la tête.

– Juste une petite entorse.

– En passant, j'ai vu ton pick-up, alors j'en profite pour te déposer ceci. Je me suis renseignée sur plusieurs systèmes de sécurité qui pourraient faire l'affaire. Je te laisse le dossier sur le banc, dehors.

– O.K. Au fait, j'ai téléphoné tout à l'heure à l'un de mes anciens contacts. J'aime bien ce qu'ils font, et ils t'accorderont une petite ristourne.

Il lui indiqua le nom de l'entreprise.

– C'est une des deux que j'ai retenues, dit-elle.

– Ils sont sérieux. Si tu les choisis, ils installeront tout eux-mêmes et procéderont aux vérifications.

– Très bien, alors on se lance.

– Je vais les rappeler dès que j'aurai terminé ici.

– Merci. Je t'ai aussi préparé une lettre à en-tête de la réserve pour te remercier de ta généreuse contribution. Cela pourra te rendre service pour les impôts. Et Farley va passer la nuit au refuge.

Cette fois, il releva la tête.

– D'accord.

– Je te laisse tranquille, maintenant.

– Lilly, on a d'autres choses à se dire.

– Certainement. Nous verrons ça un de ces quatre.

L'aube n'était pas encore levée, mais Lilly voulait assister au départ de Tansy et Farley. Elle fut accueillie par un franc bonjour du jeune homme et un regard lourd de la jeune femme.

– Et ne me rapporte pas d'amende pour excès de vitesse, surtout au retour.

– Ne vous inquiétez pas.

– Appelle-moi dès que vous arriverez là-bas, ou si vous rencontrez une difficulté, ou…

– C'est ça, marmonna Farley, et je ne laisserai pas la clef sur le contact en sortant, et je vais bien mâcher mes aliments avant de les avaler.

Elle lui pointa l'index sur l'estomac.

– Ne va pas trop vite et tiens-moi au courant, c'est tout ce que je demande.

– Alors c'est parti. Prête, Tansy ?

– Oui, maugréa celle-ci d'un ton sec.

Tout sourire, il décocha un clin d'œil à Lilly.

Elle les connaissait assez, tous les deux, pour savoir que la bonne humeur allait l'emporter avant cent kilomètres.

En attendant, elle adressa de grands signes au camion qui s'éloignait. Lorsque le silence fut retombé, elle s'avisa qu'elle se retrouvait seule pour la première fois dans le refuge depuis qu'elle était partie camper avec Coop. Et cela pour au moins deux heures.

– Rien que vous et moi, murmura-t-elle à l'adresse des animaux.

La vieille lionne parut lui répondre d'un rugissement joyeux ; elle manifestait souvent sa hâte, avant l'aube, de voir le jour se lever. En attendant, les étoiles brillaient encore dans le ciel, l'air était frais mais sec et parfumé comme une pomme verte, et les feulements de Boris se joignirent à ceux de Sheba. Lilly s'avisa soudain qu'elle était parfaitement heureuse en ces lieux.

Toute femme normale en aurait profité pour filer dans son lit, dormir une heure ou deux de plus ou tout au moins se préparer un bon petit déjeuner. Mais elle n'avait pas besoin de se réchauffer, elle était bien, dans la nuit, au milieu des animaux.

Lilly rentra cinq minutes, le temps de se faire un café, de prendre une lampe torche et son téléphone portable. Elle allait arpenter un peu ses terres, se promener au milieu des enclos avant le lever du jour, avant que ce domaine reprenne ses véritables fonctions.

Alors qu'elle ressortait, un soudain bip-bip l'arrêta net. *L'alarme d'un gîte*, songea-t-elle, le cœur battant. Laissant tomber son café, elle dévala l'escalier pour foncer vers les bureaux.

Elle ralluma l'ordinateur de Lucius, vérifia de quel gîte venait l'alerte, attrapa au vol une carabine tranquillisante et quelques recharges, alluma toutes les lumières.

– Oh, mon Dieu !

La porte de l'enclos du tigre était grande ouverte. Dans la lueur jaunâtre des lampes de secours, elle aperçut une traînée de sang qui partait vers les buissons. Et, là, la silhouette du félin, la lueur de ses yeux dans la nuit.

Vite, vite ! Si elle tardait trop, elle risquait de perdre sa trace. Malgré son âge avancé, Boris pouvait encore se déplacer à vive allure et filer très loin dans la vallée, à travers collines et forêts, jusque dans les fermes, dans les villages, sur les terrains de camping.

Vite !

Retenant son souffle comme un plongeur sur le point de sauter, elle s'enfonça dans les bois. Cette nature qui lui avait paru si accueillante quelques instants auparavant devenait maintenant hostile, glaciale, alors que le vent lui fouettait le visage et lui brûlait la poitrine. Le signal d'alarme suscita les cris d'autres animaux qui se mirent à rugir, à hurler, à gémir dans une navrante cacophonie. Au moins cela couvrirait-il le bruit de ses pas.

Le tigre la connaissait, mais cela ne changeait pas grand-chose ; il restait sauvage et dangereux, surtout lancé sur une piste sanglante qui devait réveiller son instinct à peine assoupi par les années. Piste qui révélait en outre que Lilly n'avait pas affaire qu'à un prédateur. Sans doute était-elle pourchassée, au même titre qu'elle pourchassait le tigre.

Sans tenir compte de la peur qui lui tordait l'estomac, des battements du sang dans ses tempes, de la sueur qui lui coulait insidieusement dans le dos, elle se répétait une seule chose : il était de sa responsabilité d'immobiliser le tigre. Vite et bien.

Elle devait faire appel à toute son expérience, se rappeler tout ce qu'elle avait appris. Elle connaissait le terrain mieux que personne. Il semblait plus judicieux de progresser lentement, de se montrer prudente, d'écouter.

Lilly changea de direction afin de se mettre contre le vent. Si le tigre était trop occupé par la poursuite de sa piste sanglante, elle ne devait pas négliger le moindre bruit. Si bien qu'elle finit par en repérer un qu'elle identifia aussitôt : les crocs et les griffes en train de déchiqueter une chair tendre, le craquement des os, le grondement sourd du félin en train de dévorer sa proie.

Le visage trempé de sueur, elle finit par l'apercevoir, tapi sur le sol, occupé à festoyer sur le cadavre d'un élan. Si elle voulait l'atteindre du premier coup, elle allait devoir se planter devant lui.

La voyant approcher, Boris leva la tête et grogna, le museau plein de sang, les yeux brillants.

Elle tira, l'atteignit à l'épaule, prête à envoyer une seconde dose quand il feula de rage. D'un coup sec, il tenta de se débarrasser de la seringue, se secoua. Lilly recula d'un pas, puis de deux.

Et lui la regardait, regardait sa proie, relevait la tête vers elle, qui comptait les secondes tout en essayant d'oublier la furieuse menace qui montait de la gorge du félin.

Bouger le moins possible, alors que son instinct lui criait de prendre ses jambes à son cou. Lentement, les muscles frémissants, elle continuait de reculer en attendant que la drogue produise son effet.

Prête à tirer si nécessaire.

Il devrait commencer à s'assoupir, maintenant. Bon sang, qu'attend-il ? Allez, que je ne t'assomme pas d'un deuxième coup !

Jamais elle n'atteindrait à temps l'abri de l'enclos. S'il le voulait, il pouvait bondir sur elle en deux sauts. C'est alors qu'elle le vit plier les pattes de devant. Elle ne cessa pas pour autant de reculer, mais l'animal semblait vaciller sur ses pattes, l'œil éteint. Elle se réfugia derrière un arbre, pointa sa carabine et attendit.

Inutile de revenir sur ses pas, elle n'avait plus rien à craindre du tigre. Rien ne bougeait. Les oiseaux de nuit se taisaient, ceux du matin n'étaient pas encore éveillés. Elle sentait l'odeur de la chair et du sang. Si quelqu'un la guettait quelque part, il pouvait faire ce qu'il voulait d'elle. Alors elle commença par se tapir au sol. Cependant, elle n'allait pas abandonner là son tigre sans défense. De sa main libre, elle sortit son téléphone.

Instinctivement, elle forma le numéro de Coop.

– Allô ?

– Quelqu'un s'est introduit dans la réserve. Il faut que tu viennes, aussi vite que possible. N'appelle pas mes parents.

– Tu es blessée ?

– Non. J'ai la situation en main, mais j'ai besoin de toi.

– Un quart d'heure.

Il raccrocha.

Ensuite, elle appela le shérif, puis se rendit auprès du félin et put constater qu'il respirait normalement. Rassurée, elle remonta vers l'enclos, examina le verrou brisé, la piste ensanglantée.

Un bruit la fit se retourner ; elle promena le faisceau de sa lampe sur les buissons, sur les arbres, jusqu'à ce qu'elle se rende compte que cela provenait d'elle, qu'elle respirait à pleine bouche, à pleins poumons. Et que la main qui tenait la carabine tremblait violemment.

Alors, s'abandonnant un peu à sa détresse, elle s'assit, se cacha la tête dans les genoux, finit par la relever, pour constater, en regardant sa montre, qu'il s'était écoulé à peine seize minutes depuis que l'alarme s'était déclenchée. Des minutes, pas des heures ni des jours. Quelques minutes seulement.

Lentement, elle se remit debout. Celui qui avait ouvert la porte et attiré le tigre au-dehors avait dû fuir, maintenant. En toute logique. Si même il était resté pour regarder un peu, il l'avait vue neutraliser le félin, passer des coups de téléphone. Il avait intérêt à filer avant l'arrivée des secours. À regagner son antre, sa tanière.

— Ne touche pas à ce qui m'appartient ! cria-t-elle plus pour se soulager que dans l'espoir d'être entendue. Je t'attraperai. Je jure que je t'attraperai.

Elle remonta le chemin pour contrôler les autres gîtes. Au bout de dix minutes, elle prit le risque d'abandonner un peu le tigre endormi pour regagner le refuge, aller vérifier dans la remise quels harnais ils allaient pouvoir utiliser. Elle jeta également un coup d'œil sur les camionnettes à plate-forme. C'est alors qu'elle entendit le moteur du pick-up : elle se précipita vers la route en adressant de grands signes à Coop.

— Qu'est-ce qui se passe ? interrogea-t-il tout en grimpant avec elle dans une camionnette.

— Quelqu'un s'est introduit ici, a cassé le verrou de l'enclos du tigre et l'a attiré dehors avec du sang et un appât. Il va bien. Je l'ai endormi.

— Comment ça, « il va bien » ?

— Oui, l'important, c'est de le faire rentrer le plus vite possible dans son gîte, de bidouiller une fermeture avec un cadenas en attendant qu'on répare la porte. J'ai prévenu Willy. Mais je veux que le tigre soit en sécurité si possible avant l'arrivée des stagiaires.

Elle arrêta la camionnette, sauta à terre.

— Je ne peux pas le soulever toute seule. Il pèse plus de deux cents kilos. Je vais l'attacher par ce harnais et on va le hisser tous les deux ensemble.

— Il va rester combien de temps endormi ?

— À peu près quatre heures. Je lui en ai administré une bonne dose. Coop, ce sera plus facile à raconter aux stagiaires si on peut leur dire que tout est rentré dans l'ordre.

— Alors allons-y. Ensuite, j'aurai beaucoup de choses à te dire.

Ils commencèrent par attacher le harnais autour du tigre.

– Je parie que tu n'aurais jamais imaginé faire cela un jour.

– Je fais beaucoup de choses inimaginables, Lilly. Je vais approcher la camionnette. On pourrait le tirer jusqu'à son gîte.

– Sûrement pas ! Il est vieux, le sol est trop accidenté pour lui. Je ne veux pas le blesser. En plus, c'est un tigre sibérien, une espèce protégée. Non, on va le hisser avec ce treuil. J'ai déjà fait ça avec d'autres félins.

Elle ne précisa pas qu'ils étaient quatre, alors, et que les félins en question étaient beaucoup plus petits.

– Tu as serré le frein ? demanda-t-elle.

– Je ne suis pas nul à ce point.

– Pardon. Allez, on va s'y mettre lentement. Dès qu'on l'aura un peu soulevé, je manœuvrerai la camionnette jusqu'à l'enclos. Tu es prêt ?

Lentement, ils parvinrent à le hausser au-dessus du sol.

– Encore un petit peu. Je vais redémarrer. Toi, surveille-le et avertis-moi dès que tu vois quelque chose qui cloche.

Ils y passèrent beaucoup plus de temps que ne l'aurait souhaité Cooper, mais ils finirent par remonter le félin jusqu'à son enclos. Les premières lueurs de l'aube apparaissaient lorsqu'ils l'étendirent sur le sol de son gîte.

– Il respire bien, souffla Lilly, agenouillée, ses pupilles sont réactives. Je vais dire à Matt de venir l'examiner de plus près. En espérant que la chair de l'élan n'aura pas été empoisonnée.

– Tu as un cadenas ?

– J'en ai récupéré un dans la remise. Il est dans ma poche.

– Donne, et on y va.

– J'arrive.

Elle caressa une dernière fois la tête du tigre puis se leva. Audehors, elle vérifia la chaîne que Cooper venait de cadenasser.

– Les stagiaires ne vont plus tarder, maintenant. La police non plus. J'ai besoin d'un bon café. Et d'une minute pour respirer.

Il ne dit rien sur le chemin du retour, mais, en vue des chalets, il observa :

– J'ai peur que tu n'aies même pas cette minute.

– Au moins le café, alors ! Ce qui sera plus intelligent que les trois doigts de whisky dont j'ai plutôt envie. Tu as refermé le portail ?

– Non. Ça ne faisait pas partie de mes priorités, ce matin.

– Je veux bien le croire, dit-elle en souriant. Ce doit être la police. Je peux te demander encore quelque chose ? Tu pourrais accueillir Willy pendant que je vais chercher ce café ? Je t'en apporte un aussi.

– Bon, mais fais vite.

Dans la cuisine, elle put constater que ses mains tremblaient encore. Elle s'aspergea le visage d'eau froide avant de remplir deux mugs de café bien noir.

Puis elle alla retrouver Cooper, qui discutait en compagnie de Willy et de deux adjoints.

– Ça va, Lilly ? lui demanda le shérif.

– Mieux, maintenant. Mais ce type est complètement fou ! S'il avait réussi à éloigner le tigre, Dieu sait ce qui aurait pu se produire !

– Il va falloir que j'aille examiner les lieux. À quelle heure l'alarme s'est-elle mise en route ?

– Vers 5 h 15. J'avais regardé la pendule juste avant de quitter mon chalet.

Elle les conduisit vers l'enclos tout en leur détaillant chacune de ses interventions.

Le shérif n'était pas vraiment content.

– La prochaine fois, il faudra m'appeler avant toute chose, Lilly. C'était à moi de m'occuper de cette affaire. Quant à vous, Coop, je n'aurais pas cru que vous alliez me contaminer ainsi un lieu de crime.

– Vous avez raison.

Willy prit un air faussement agacé.

– Jamais vous ne cherchez à vous justifier ? (Il se tourna vers ses adjoints :) Bon, il va falloir me prendre des photos, ici, et autour du gîte, sans oublier le verrou brisé.

– Je l'ai laissé où je l'ai trouvé, précisa Lilly. Et j'ai essayé de ne pas marcher dans les empreintes que j'ai vues. Nous n'avons pas non plus touché à l'appât. Le tigre n'était sorti que depuis une dizaine de minutes quand je l'ai rejoint, mais il l'avait déjà bien déchiqueté, à ce que j'ai vu. C'était un jeune élan.

– Restez ici pendant que je vais voir.

Il fit signe à ses deux hommes de le suivre et reprit la trace de la camionnette.

– Il est un peu énervé, soupira Lilly. Toi aussi, non ?

– Bien vu.

– Écoute, j'ai fait ce que j'avais à faire. Mais… les stagiaires arrivent. Il faut que j'aille leur expliquer. Merci d'être venu si vite, Coop. C'est formidable, ce que tu as fait.

– Laisse tomber. On verra si tu auras toujours envie de me remercier quand j'aurai réglé le reste. Je vais attendre Willy.

– D'accord.

En remontant, elle songea qu'une femme qui avait su gérer un tigre en liberté saurait bien gérer un homme en colère.

Vers 7 h 30, Lilly était déjà aussi fatiguée qu'après une longue journée de travail. Il lui fallait affronter un solide mal de crâne et une équipe de stagiaires désorientés. Si leur trimestre n'avait dû s'achever quelques jours plus tard, plusieurs d'entre eux auraient abandonné en cours de route. Bien qu'elle eût aimé assister Matt lorsqu'il examina Boris, elle en chargea deux stagiaires. Elle avait trop à faire pour se disperser. Et puis il était essentiel de prouver à tous qu'elle ne lâchait pas prise.

– J'ai l'impression qu'on va avoir quelques éléments malades dans les jours qui viennent, observa Lucius quand ils se retrouvèrent seuls dans le bureau.

– On dirait, oui. Et que d'autres refuseront toute leur vie le travail sur le terrain. Ça va nous faire quelques bureaucrates de plus. Eh… Vous n'allez pas tomber malade, vous aussi !

– Non, non. Même si je passe le plus clair de mon temps ici. D'un autre côté, je ne serais jamais sorti armé d'une carabine tranquillisante pour neutraliser un tigre sibérien. Je me serais planqué.

– Vous vous rendez compte des horreurs qui auraient pu se produire si je ne l'avais pas anesthésié à temps ? Jamais je n'aurais pu affronter cela.

– Ce n'était pas votre faute.

Néanmoins, en sortant, elle s'avisa qu'elle venait de recevoir une leçon vitale : il lui faudrait installer à tout prix un système de sécurité infaillible aussi vite que possible.

Elle rencontra Willy et Cooper de retour de ce qu'ils appelaient le lieu du crime.

– On a emporté ce qu'il restait de la carcasse pour voir les informations qu'on pourra en tirer, annonça le shérif. J'ai envoyé des hommes suivre la trace de sang. Je vais faire venir d'autres adjoints.

– Bon.

– Il va me falloir une déposition en bonne et due forme, de votre part à tous les deux. Si on allait chez vous en discuter, Lilly ?

– Très bien.

À la cuisine, devant un café, elle reprit son récit dans les moindres détails.

– Qui savait que vous alliez vous retrouver seule ici une fois Farley parti ?

– Je l'ignore. Les gens ont dû apprendre qu'il partait pour le Montana avec Tansy ce matin. J'avais des affaires à régler, je n'ai pas pensé à leur dire de garder le secret. Mais je ne sais pas si ça aurait servi à quelque chose. Et puis, si Farley était resté ici, ça n'aurait rien changé. Sauf que je n'aurais pas eu besoin d'appeler Cooper pour m'aider à remonter Boris vers son gîte.

– Il n'empêche que la porte a été ouverte quelques minutes après leur départ et près de deux heures avant l'arrivée de votre équipe. Alors, soit c'était un coup du hasard, soit quelqu'un vous surveillait.

– Dans ce cas, il aurait dû savoir que l'alarme sur les gîtes est mise en permanence, sauf quand nous travaillons nous-mêmes à l'intérieur. Sinon, le seul but du type a été d'attirer le tigre dehors, car, en temps normal, il nous aurait fallu deux bonnes heures avant de nous apercevoir que l'enclos était ouvert. À ce moment-là, Boris aurait eu tout le temps d'errer où il voulait ou bien de regagner son gîte de lui-même, rassasié.

– Voilà près de cinq ans que vous êtes là. Je n'ai jamais entendu dire que vous ou quelqu'un d'autre ayez essayé de faire sortir un de vos animaux.

– Non, ça ne s'est jamais produit. Je crois qu'on a voulu provoquer d'énormes dégâts.

– En effet, approuva Willy. Je vais organiser une chasse à l'homme avec les rangers. Je ne voudrais pas avoir l'air de vous dire ce que vous avez à faire, Lilly, mais, en tant qu'ami, je préférerais que vous ne restiez pas seule ici. Même une heure.

– Je serai là, intervint Coop.

– Je comprends, dit-elle. Il ne faut pas que quiconque reste seul ici tant que ce malade n'aura pas été mis hors d'état de nuire. Je vais appeler une société de sécurité dès ce matin pour faire installer le meilleur système possible. Willy, mes parents vivent à moins de deux kilomètres d'ici. Alors il faut me croire quand je dis que je ne veux pas leur faire courir le moindre risque à eux non plus.

– Je vous crois. Et je vous aime bien, Lilly…

Willy se tourna vers Cooper avec un sourire.

– À seize ans, j'étais fou amoureux d'elle. Si vous le dites à ma femme, je vous traiterai de menteur.

Il se leva.

– J'ai examiné vos clôtures. Elles sont en bon état. Donc, je ne fermerai pas la réserve, même si j'en ai le pouvoir.

Comme Lilly laissait échapper un cri étranglé, il ajouta :

– Mais je vous conseille quand même de faire venir ces gens. Vous me tiendrez au courant. Comme je l'ai dit, je vous aime bien, Lilly, mais j'ai aussi des citoyens à protéger.

– Je comprends. Nous n'avons jamais enfreint la loi, nous n'allons pas commencer maintenant.

– Je sais, ma belle. Moi aussi, j'emmène ici mes gosses deux ou trois fois par an. Et j'aimerais continuer. Bon, je m'en vais, mais vous téléphonez immédiatement à cette entreprise.

Elle promit, attendit qu'il ait refermé la porte derrière lui pour murmurer à l'adresse de Cooper :

– C'est à ton tour, maintenant.

– Tu aurais dû rester ici le temps que j'arrive. Deux personnes armées de carabines tranquillisantes valent mieux qu'une.

– Il n'y avait pas le temps. Tu t'y connais, en tigres de Sibérie ?

– Ce sont de gros félins au pelage rayé qui doivent venir de Sibérie.

– Ce sont surtout des animaux à l'instinct férocement territorial, capables de courir à plus de soixante kilomètres à l'heure. Ils n'attaquent en général pas l'homme, mais, statistiquement, ce sont les félins qui en ont le plus tué.

– On dirait que tu vas dans mon sens, Lilly.

– Non, écoute. Les mangeurs d'hommes sont des éléments plutôt vieux, comme Boris, qui n'ont plus vraiment les moyens de s'en prendre à des proies trop puissantes. Si j'avais attendu, il aurait parcouru des kilomètres ; il aurait pu se retrouver dans le jardin de mes parents, dans les pâturages de tes grands-parents, ou atteindre l'arrêt de car des écoliers. Tout ça pendant que j'aurais attendu de l'aide ici, bien au chaud ?

– Tu n'aurais pas eu besoin d'attendre si tu n'avais pas été seule.

– Tu veux que je reconnaisse avoir sous-estimé le salaud qui s'en prend ainsi à moi ? C'est vrai. J'ai eu tort. Et cette erreur aurait pu coûter la vie à plusieurs personnes. Je n'aurais jamais cru qu'une chose pareille était possible. Tu ne t'y attendais quand même pas, Cooper ? Tu sais très bien que je prenais des précautions puisque je suis venue te parler des systèmes de sécurité.

– Effectivement, tu t'es même donné la peine de passer m'annoncer que Farley serait là, pour m'empêcher de venir.

Prise d'un léger vertige, elle baissa les yeux.

– C'était normal qu'il vienne ici puisqu'il partait à l'aube. Ne va pas chercher autre chose.

– N'importe quoi, Lilly ! Tu crois que je pensais plus à coucher avec toi qu'à te protéger ?

– Non, quand même pas. Je t'ai appelé, que je sache. Avant tout le monde, avant Willy.

– Parce que j'étais plus près, disponible, et que tu ne voulais pas faire peur à tes parents.

Elle percevait de l'amertume dans sa voix et, au fond, elle le comprenait.

– C'est vrai, mais aussi parce que je savais que je pouvais compter sur toi, se défendit-elle. Que tu viendrais sans l'ombre d'une hésitation.

– Tu as raison, et, pour que tu ne l'oublies pas, je propose qu'il ne soit plus question d'amour entre nous.

– Pardon ?

– Ne me demande pas pardon.

– Attends, je ne comprends pas…

– C'est simple. Je ne te toucherai plus. Je ne te demanderai rien. Mais je passerai toutes mes nuits ici, moi ou quelqu'un d'autre que j'enverrai à ma place.

Il se leva.

– Maintenant, ajouta-t-il, à ta place, je parlerais à mes parents avant que quelqu'un d'autre s'en charge.

15

Il aurait pu la descendre aussi facilement que le jeune élan, la viser et la descendre. À ce moment-là, le tigre s'en serait pris à elle. Une balle dans la jambe, rien de mortel, juste de quoi l'immobiliser. Le tigre aurait-il échangé l'élan contre la femme ?

Il aurait bien parié là-dessus.

Quel spectacle ç'aurait été !

Mais cela ne faisait pas partie du jeu. D'un autre côté, il s'était déjà bien amusé à observer ses réactions. Elle l'avait surpris, il devait le reconnaître. Il ne s'était pas attendu à la voir réagir si rapidement, avec une telle détermination. Ni même à traquer le félin avec une telle maîtrise.

Il lui avait laissé le choix des armes, et le félin en prime ; pour voir.

Elle avait su garder la tête froide, en faisant preuve d'un grand courage, en quoi il l'admirait. Cela lui avait valu une journée supplémentaire à vivre.

La plupart de celles qu'il avait chassées jusque-là ne lui avaient opposé qu'une lamentable résistance. La première ne lui était tombée sous la main que par accident, pour répondre à une pure impulsion, à un concours de circonstances. En l'occurrence, il y avait trouvé un objectif inédit, une façon d'honorer ses ancêtres.

À présent, cette nouvelle phase augmentait considérablement les enjeux. Le moment venu, sa proie saurait lui opposer une véritable résistance, ce serait passionnant. Certainement beaucoup plus que ces deux rustauds de shérifs adjoints qui essayaient de suivre sa piste.

Eux aussi, il pouvait les descendre. Ce serait facile. Il les avait suivis, observés comme il l'aurait fait d'un cerf écarté de sa harde. Visés, pan, pan… Il pouvait les descendre tous les deux et se retrouver à des kilomètres avant que quiconque s'en aperçoive.

Cela l'avait tenté.

Il avait déjà tué des hommes, mais il préférait les femmes.

Les femelles. Elles étaient meilleures chasseresses, ça se vérifiait pour presque toutes les espèces de mammifères.

Finalement, il avait laissé la vie à ces deux adjoints parce que leur mort n'aurait réussi qu'à en attirer d'autres à travers les collines et que cela aurait gâché sa partie de chasse. Il ne voulait pas perdre sa cible principale ni être obligé de s'éloigner avant d'en avoir fini.

Patience, se rappela-t-il en s'éclipsant.

Sa discussion avec ses parents, ses tentatives pour les rassurer laissèrent Lilly épuisée. Lorsqu'elle prit contact avec l'entreprise de sécurité, depuis la cuisine de la ferme, la réceptionniste lui passa immédiatement la direction. Dix minutes plus tard, elle raccrochait et retournait voir ses parents.

– Vous avez entendu ?

– Quoi ? Qu'on va venir poser des systèmes d'alarme dans le refuge ?

– Pas « on », le patron de la boîte. Il attendait mon coup de fil parce que Cooper a pris contact avec lui il y a une demi-heure pour le mettre au courant. Il prend l'avion, il sera là cet après-midi.

– Quand est-ce que tout sera prêt ? demanda sa mère.

– Je ne sais pas. On va voir. En attendant, il y a des flics et des rangers partout. Je serai prudente, j'ai promis de ne pas rester seule au refuge, même dix minutes. Désolée, mais je ne me doutais pas de ce que ce type avait dans la tête ; je croyais qu'il chercherait à faire du mal aux animaux, sûrement pas à en lâcher dans la nature. Maintenant, il faut que j'y retourne. L'équipe et les stagiaires ont besoin de ma présence.

– Josiah, va avec elle.

– Maman...

Les yeux de Jenna lancèrent des éclairs, et il n'en fallut pas davantage pour faire taire sa fille.

– Lillyian, voilà longtemps que je ne t'ai pas dit ce que tu devais faire, mais, là, je te le dis. Ton père vient avec toi et il restera jusqu'à ce qu'il estime pouvoir m'assurer que tu es en sécurité. Et je ne veux pas entendre un mot.

– C'est que... je vous ai déjà volé Farley pour deux jours.

– Je suis parfaitement capable de tenir cette ferme. Point final.

– Viens, Lilly, murmura Josiah. Quand ta mère a parlé, on s'incline, tu le sais aussi bien que moi.

Il se pencha pour embrasser sa femme.

– Ne t'inquiète pas.

– Maintenant, je m'inquiète beaucoup moins.

Baissant les bras, Lilly attendit que son père prenne sa veste et ne dit rien en le voyant sortir un fusil. Elle s'installa au volant de sa fourgonnette, lui jeta un regard tandis qu'il montait à bord.

– Comment se fait-il que tu ne m'aies pas accompagnée chaque fois que je suis partie ? Je ne t'ai pas vu au Népal. Tu sais, des tigres, j'en ai déjà suivi en pleine nature.

– Sauf qu'il n'y avait pas quelqu'un derrière pour tenter de les retourner contre toi.

– Si tu veux. De toute façon, je serai contente de t'embaucher pour m'aider à construire le nouvel enclos. Parce que si tu crois que tu vas déjeuner gratis…

– Je te rappellerai ça à midi. Si je suis en plein boulot, je commanderai un sandwich.

Ce qui la fit éclater de rire. Josiah lui serra la main.

Cooper mit en route un groupe de huit touristes venus de Fargo pour une randonnée de trois jours. Il s'agissait d'un enterrement de vie de garçon, ce qui lui parut plus original qu'une nuit dans un club de strip-tease. Ils ne cessaient de plaisanter et emportèrent de la bière pour un régiment. Comme les chevaux lui appartenaient, il vérifia leur matériel de camping et leurs provisions avant de les laisser partir.

Assisté de Gull, il les regarda s'éloigner sur le chemin en se demandant comment ils auraient réagi s'ils avaient su qu'un psychopathe rôdait dans les collines. Vraisemblablement, cela ne les aurait pas empêchés de poursuivre gaiement leur route ; de toute façon, ils ne partaient pas en direction du refuge.

– Ils vont bien se débrouiller, assura Gull. Celui qui s'appelle Jake, il y a six ans qu'il vient tous les printemps. On l'a équipé, avec votre grand-père. Il sait ce qu'il fait.

– Ils seront complètement cassés ce soir.

– Oui. N'empêche que des groupes comme celui-ci, j'en voudrais plus souvent.

– Ils vont se les geler s'ils ne sont pas fichus de faire un feu.

– Espérons que les pluies arriveront après la lune de miel. Patron, j'ai une famille qui rapplique dans une heure. Le père doit peser dans les cent vingt kilos. J'avais l'intention de le mettre sur Sasquash.

– Il est prêt. Qu'est-ce que tu fais ce soir, Gull ?

– Sais pas trop. Pourquoi ? Vous voulez m'inviter à dîner ?

– Je n'ose pas… je suis trop timide.

Gull s'esclaffa.

– Non, c'est Lilly qui a des ennuis, continua Coop.

– J'en ai entendu parler.

– Elle aurait besoin d'aide. Tu pourrais passer une nuit de garde au refuge ? Disons de 2 à 6 heures ?

– Bien sûr, patron. Vous voulez que j'emmène quelqu'un d'autre ?

Cooper ne put s'empêcher de remarquer la bonne volonté de son employé, qui n'avait pas hésité un instant.

– Je te confierais bien deux hommes assez sûrs pour ne pas se tirer l'un sur l'autre.

– Je vais voir ce que je peux faire. En attendant, je prépare les paniers de pique-nique de nos prochains clients.

– Tu me les montreras avant de les leur remettre.

Ils se séparèrent, et Cooper se rendit au bureau d'accueil. La vue donnait sur un Deadwood qui ne ressemblait plus exactement à la ville qu'avaient connue Calamity Jane et Wild Bill, encore qu'elle eût conservé un parfum de western avec ses vérandas et ses réverbères à l'ancienne ; dans ses rues en pente se croisaient cow-boys et touristes, voisinaient saloons et boutiques de souvenirs.

Comme au bon vieux temps, on pouvait y jouer nuit et jour au black jack ou au poker. Cependant, les propriétaires de bar ne s'amusaient plus à abattre un homme pour le jeter ensuite à des cochons.

Le progrès.

Lorsque la famille de touristes arriva, Cooper avait déjà préparé tous les papiers nécessaires et il put aussitôt confier ces apprentis cavaliers à Gull. Après quoi, il s'offrit un soda et s'assit devant son ordinateur.

Il ouvrit le fichier de Lilly. Sans doute n'était-il plus détective, mais il en avait gardé les réflexes. Il aurait préféré posséder la liste complète de ses employés et de ses stagiaires, sans oublier les bénévoles. Mais il avait déjà de quoi s'occuper avec ceux qu'il avait. Très vite, il en apprit plus sur chacun d'eux que ce qu'eux-mêmes auraient sans doute aimé révéler.

Bien que Jean-Paul n'eût pas à proprement parler fait partie de l'équipe, Cooper avait également effectué quelques recherches sur lui. Rien de plus propice qu'une rupture pour remuer les histoires oubliées. Il savait que le Français avait été marié, pour divorcer vers l'âge de vingt-cinq ans. Vraisemblablement, Lilly connaissait cette information, qui ne changeait pas grand-chose à la situation actuelle. Cooper ne trouva trace d'aucune infraction sur le sol américain et récupéra son adresse actuelle à Los Angeles.

Restes-y, se dit-il.

En revanche, d'anciens membres du personnel avaient eu quelques anicroches, mais rien de bien grave : des échauffourées durant une manifestation contre l'expérimentation animale une quinzaine d'années auparavant.

Les anciens stagiaires représentaient un morceau plus considérable, car ils provenaient de groupes diversifiés sur le plan tant économique que géographique. Il n'eut aucun mal à reconstituer les études d'une bonne partie d'entre eux, du primaire au supérieur. Apparemment, un large pourcentage de ceux qui étaient passés chez Lilly avaient poursuivi leur carrière dans la même branche.

Certains d'entre eux avaient eu maille à partir avec la justice : conduite en état d'ébriété, deux agressions et/ou destruction de biens privés, en général liées à la drogue ou à l'alcool.

Il mit leurs dossiers de côté pour y regarder de plus près.

Il fit de même avec les bénévoles dont il avait les noms, en commençant par ceux qui vivaient ou avaient emménagé dans les deux Dakota. La proximité pouvait, certes, représenter un facteur, et il estimait que celui qui harcelait Lilly connaissait les collines aussi bien qu'elle.

Après un fastidieux travail de recoupements, il situa géographiquement les agressions, les saisies de drogue et autres conduites en état d'ivresse, pour aboutir à un seul nom.

Ethan Richard Howe, trente et un ans. Intrusion dans une propriété privée à Sturgis, non loin de Deadwood, quand il avait vingt ans, plainte retirée. Détention d'arme illégale, un revolver de calibre 22, deux ans plus tard dans le Wyoming. Ensuite, une agression qui avait commencé par une bagarre dans un bar mais lui avait valu dix-huit mois de prison dans le Montana dès ses vingt-cinq ans. Il avait été relâché avant l'heure pour bonne conduite et, se dit l'ancien policier, pour faire de la place à de nouveaux arrivants.

Trois condamnations ; il n'allait plus lâcher ce Howe.

Il vérifia ensuite les dossiers des femmes, même si à son avis ils avaient affaire à un homme, mais, en toute hypothèse, celui-ci pouvait avoir une complice.

Il avala son soda et la moitié du sandwich au jambon que sa grand-mère lui avait préparé. Impossible de l'empêcher de lui confectionner ses repas ; d'ailleurs, il n'avait pas trop résisté. Et puis cela faisait du bien de savoir que quelqu'un se donnait du mal pour vous.

Mariages, divorces, enfants, diplômes. L'une des premières stagiaires vivait maintenant à Nairobi, une autre était devenue vétérinaire à Los Angeles, spécialisée dans les animaux exotiques.

Une autre avait disparu.

Depuis huit mois, personne n'avait revu Carolyn Lee Roderick, vingt-trois ans. Dernière apparition au parc national de Denali, où elle effectuait des recherches.

Les sens en alerte, il se plongea dans la recherche de tout ce qui pouvait concerner Carolyn Roderick.

Au refuge, Lilly serra la main de Brad Dromburg, propriétaire de Safe and Secure, l'entreprise de sécurité. C'était un grand gaillard en jean et en boots, à la coupe GI blonde et aux yeux verts, souriant, la main ferme, doté d'un léger accent de Brooklyn.

– Je vous remercie d'être arrivé aussi rapidement.

– Cooper avait l'air d'y tenir. Il est là ?

– Non, je…

– Il a dit qu'il essaierait de passer. C'est magnifique ce que vous avez installé là, mademoiselle Chance ! Il y a combien de temps que vous avez ouvert ?

– Cela fera six ans en mai.

Il désigna les clôtures que des stagiaires achevaient de monter.

– Vous vous agrandissez ?

– On nous amène un jaguar mélanique.

– Vraiment ? Cooper m'a dit que vous aviez eu des ennuis, qu'on vous aurait saboté un gîte ?

– L'enclos du tigre, oui.

– Ça, pour causer des ennuis… Si vous voulez bien me montrer un peu les lieux, que je me fasse une petite idée. Vous me direz ce que vous voulez exactement.

Il posa des questions, prit des notes dans son agenda électronique et ne parut pas s'émouvoir quand elle le fit pénétrer dans certains enclos pour y examiner de plus près les portes et les loquets.

– En voilà, une grosse bête ! commenta-t-il lorsque Boris vint s'étirer devant eux.

– Oui, deux cent vingt kilos.

– Fallait vraiment être crétin pour ouvrir son enclos en pleine nuit ; comme si ce petit père allait s'arrêter à un appât quand il y avait tellement de chair vivante autour de lui !

– En fait, un animal qu'on viendrait de tuer lui convient tout aussi bien. Boris a été capturé illégalement vers l'âge d'un an et il n'a jamais vraiment connu la liberté ni la chasse. Il est habitué aux humains. On continue à le nourrir le soir pour stimuler son instinct de chasseur nocturne, mais il a pris l'habitude de recevoir ses repas.

– Et il n'est pas devenu obèse.

– Non, heureusement. L'autre nuit, il a suivi la piste sanglante et a dévoré cet en-cas inattendu.

– Il fallait du cran pour sortir lui mettre une seringue.

– Nécessité fait loi.

– C'est sûr que je préfère le voir derrière ces grillages. Ça fait beaucoup de clôtures pour les tenir éloignés du public.

– Je ne peux pas clôturer tout le domaine, sans compter que ce serait un cauchemar pour l'entretenir. Il y a des chemins qui traversent les collines, la propriété de mon père et celles d'autres gens. On a dressé des panneaux par-ci, par-là, ainsi que des portails sur les routes pour empêcher le passage des gens, mais ça s'arrête là. Pour moi, l'important est de protéger mes animaux, et de protéger le public des animaux.

– Je vais vous faire une proposition, mais je vous recommanderai avant tout les détecteurs de mouvement disposés à l'extérieur des enclos. Assez loin pour que les animaux ne les déclenchent pas mais assez proches pour que toute personne qui rôde autour soit aussitôt repérée.

Elle sentit son budget frémir d'épouvante.

– Il m'en faudra combien ?

– Je vais voir ça. Il vous faudra davantage de lumière. Dès qu'une alarme se déclenche, toutes les lampes s'allument. Je peux vous dire que, ainsi éclairé, un intrus y réfléchira à deux fois avant de toucher à un enclos. Ensuite, il y a les serrures, les portails. Intéressant…

– Oui, mais très cher, je suppose. Pardon de me montrer si impolie.

– Je vous présenterai deux ou trois montages possibles. En toute franchise, ce n'est pas donné, mais, à prix coûtant, ça pourrait vous rapporter pas mal d'économies.

– À prix coûtant ? Je ne comprends pas.

– C'est pour Coop.

– Non, c'est pour moi.

– C'est Cooper qui a téléphoné. Il veut qu'on équipe ce domaine. On va l'équiper. À prix coûtant.

– Écoutez, cette réserve vit effectivement de dons et compte beaucoup sur la générosité du public, je ne le nie pas, mais de là à vous donner tout ce mal sans rien y gagner…

– Mon entreprise n'existerait pas sans Coop. Il m'appelle, je ne lui fais rien payer. Tiens, quand on parle du loup…

Brad Dromburg s'illumina en voyant Cooper arriver.

Ils ne se serrèrent pas la main mais se donnèrent de grandes claques dans le dos.

– Je voulais arriver plus tôt, mais j'ai été retenu. Le vol s'est bien passé ?

– C'était long ! N'empêche que ça fait plaisir de te voir, Cooper !

– Au moins tu ne seras pas venu pour rien. Tu as fait le tour ?

– Oui, ta dame m'a montré tout ça.

Lilly ouvrit la bouche, la referma. Inutile de s'immiscer dans ces retrouvailles pour préciser qu'elle n'était pas la « dame » de Coop.

– Excusez-moi, lança-t-elle, je vais donner à manger aux animaux.

– C'est vrai ? demanda Brad.

Il avait l'air d'un enfant devant un gâteau au chocolat.

– Je vous apporte une bière ? proposa-t-elle.

Comme Lilly s'éloignait, il se tourna vers Cooper.

– Elle est plus mignonne que sur la photo.

– C'était une vieille photo.

– Maintenant, je comprends pourquoi tu n'es pas revenu à New York.

– Ça n'a rien à voir avec elle.

– Peut-être, mais je ne vois pas de meilleure raison de rester.

Il regarda autour de lui les collines, les forêts.

– Sacré bel endroit !

– Combien de temps comptes-tu rester ?

– Mon avion repart ce soir, on va donc s'en tenir à une bière. J'ai dû reporter quelques rendez-vous pour venir aujourd'hui. Mais je vais vous préparer deux, trois devis et c'est moi qui viendrai procéder aux installations. On va te faire ça aux petits oignons.

– J'y compte bien.

Après leur avoir servi une bière, Lilly se garda de les déranger plus longtemps et préféra regagner son bureau.

Cooper l'y retrouva un peu plus tard.

– Brad a dû partir. Il m'a prié de te dire au revoir. Il te fera parvenir ses propositions avant la fin de la semaine.

– Bon. Pour une journée qui a si mal commencé, elle se termine plutôt bien. Je viens d'avoir Tansy au téléphone. Cléo est aussi belle qu'on nous l'avait décrite et elle sera prête pour le voyage demain. Tu sais que Brad veut effectuer les travaux à prix coûtant ?

– Oui, c'était convenu comme ça.

– On devrait tous avoir des amis aussi généreux.

– Il prétend me devoir quelque chose. Je ne vais pas le détromper.

– Ma reconnaissance de dette envers toi ne fait que grandir.

– Mais non ! Je ne veux pas être en compte avec toi.

Il n'avait pas l'air de plaisanter.

– Tu as toujours été ma meilleure amie ; à une certaine époque, tu étais la seule personne en qui je pouvais avoir confiance. C'était très important pour moi.

Voyant ses yeux s'emplir de larmes, il tendit les mains vers elle.

– Arrête !

– J'arrête.

Cependant, elle dut se lever pour aller vers la fenêtre, le temps de se reprendre.

– Pour moi aussi, c'était important, ajouta-t-elle. Tu m'as manqué, en tant qu'ami. Et te revoilà. J'ai des ennuis, je ne sais pas pourquoi, et te voilà.

– J'ai peut-être un indice à propos de ces ennuis.

– C'est vrai ? Quoi ?

– Une stagiaire du nom de Carolyn Roderick. Ça te dit quelque chose ?

– Attends.

Fermant les yeux, elle essaya de se concentrer.

– Oui, oui, je crois. Il y a deux ans, à peu près. Un séjour d'été, après son diplôme, je crois. Elle était brillante, motivée. Il faudra que je vérifie dans son dossier si tu veux en savoir plus, mais je me rappelle qu'elle travaillait dur, qu'elle tenait beaucoup à la défense de l'environnement. Jolie, avec ça.

– Elle a disparu. Depuis environ huit mois.

– Comment ? Où ? Tu sais ?

– En Alaska. Au parc national de Denali. Elle faisait de la recherche avec un groupe d'étudiants. Un matin, on ne l'a pas revue dans le camp. Au début, ils ont cru qu'elle était juste sortie faire des photos, mais, comme elle ne revenait pas, ils se sont lancés à sa recherche. Ils ont appelé les rangers, puis les secours. Jamais on n'a retrouvé la moindre trace d'elle.

– J'ai fait un stage à Denali, en terminale. C'est extraordinaire, immense. On peut facilement s'y perdre si on ne fait pas attention.

– Ou pire.

– Pardon ?

– On a retrouvé dans sa tente son appareil photo, ses carnets, son magnétophone, son GPS. Elle n'était pas du genre à partir les mains dans les poches.

– Tu crois qu'elle a été enlevée ?

– Elle avait un petit ami, quelqu'un qu'elle avait rencontré ici, dans le Dakota du Sud. D'après les amis que j'ai pu identi-fier, personne ne savait qui était ce type. Il semblait très discret. Mais tous deux partageaient une passion pour les étendues sau-vages, pour la marche et le camping. Ça ne s'est pas bien passé et elle a fini par rompre avant son départ pour l'Alaska. Une sale rupture, puisqu'elle a dû appeler la police ; il s'était enfui quand ils sont arrivés. Il s'appelait Ethan Howe. Il s'était porté volontaire ici à plusieurs reprises. Il avait fait de la prison pour agression. Je vérifie son casier.

Lilly se frotta les tempes pour tenter de mettre un peu d'ordre dans sa tête.

– Quel rapport avec ce qui nous arrive en ce moment ?

– Il se vantait d'avoir vécu toute son enfance ici, de descendre directement d'un chef sioux qui vivait dans les Black Hills, les terres sacrées de son peuple.

– Si la moitié de ceux qui prétendent descendre directement d'un chef sioux ou d'une princesse… Attends, je crois que je me souviens vaguement de lui. Je n'arrive pas à bien revoir son visage.

Elle a disparu, et je ne trouve rien sur lui. Personne ne l'a revu depuis leur rupture.

Accablée, elle finit par formuler la phrase qu'elle ne voulait pas prononcer :

– Tu crois qu'elle est morte ? Tu crois qu'il l'a enlevée et tuée ? Et qu'il a fini par revenir ici, à cause du refuge… À cause de moi ?

Il ne chercha pas à la rassurer.

– Je crois qu'elle est morte et qu'il en est responsable. Je crois qu'il est là, qu'il se cache quelque part dans les collines. C'est l'unique lien avec ces événements. On va lancer des recherches et l'arrêter. Alors, seulement, on comprendra à qui on a affaire.

16

Tansy but une seconde gorgée du vin infect qu'on lui avait servi, en essayant de ne pas trop écouter le groupe qui massacrait des chansons country. La clientèle, mélange de motards et de cow-boys accompagnés de femmes qui aimaient ce genre, semblait parfaitement capable de lancer sur la scène les nachos indigestes qu'on leur avait servis, mais, jusque-là, n'en avait pas trouvé l'énergie. Certains dansaient.

Depuis cinq ans qu'elle vivait dans cette région, qu'elle considérait comme l'un des derniers bastions du Far West, il lui arrivait encore, dans des moments pareils, de s'y sentir comme une touriste.

– Tu es certaine de ne pas vouloir une bière ?

Elle jeta un regard vers Farley en se disant qu'il collait parfaitement avec le décor. En fait, elle l'avait toujours vu à l'aise partout.

– C'est ce que j'aurais dû prendre dès le début, j'aurais mieux fait de t'écouter. Trop tard, maintenant. D'ailleurs, je vais rentrer.

– Une danse.

– Tu avais dit un verre.

– Un verre, une danse.

Il lui saisit la main pour la faire descendre de son tabouret de bar.

– Une, finit-elle par accepter.

À vrai dire, elle n'avait plus le choix puisqu'ils étaient déjà sur la piste. Et puis il fallait dire que la journée avait été longue, ils pouvaient bien s'offrir ça.

Du moins le pensa-t-elle jusqu'à ce qu'il lui pose les mains sur la taille et la colle contre lui en souriant à pleines dents.

– Il y a longtemps que je rêvais de danser avec toi.

On se calme, songea-t-elle, un rien troublée.

– Tu sais y faire.

Les Collines de la chance

– C'est Jenna qui m'a appris.
– Pas vrai ?
– Si, quand j'avais dix-sept ans. Elle m'a expliqué que les filles aiment danser et qu'un mec intelligent a intérêt à savoir les guider.
– Elle a raison.

Il se débrouillait bien, en souplesse et avec autorité. Heureusement, d'ailleurs, parce qu'elle était beaucoup moins douée que lui.

– Ça va bien entre nous, confia-t-il. Pour une première fois…
– Tu trouves ?
– Je t'apprendrai, Tansy. Tu aimeras ça.

Elle en était si peu convaincue que, dès que la musique s'arrêta, elle regagna sa place avant de se voir entraîner dans la danse suivante.

– Je vais rentrer, maintenant, insista-t-elle. Je veux m'assurer que tout se passera bien demain. On part tôt. Mais reste, toi, amuse-toi.

– Je t'ai amenée ici. Même si tu n'étais pas la plus jolie femme dans cette salle, je te raccompagnerais.

Il n'y avait que quelques mètres de rue glaciale entre le bar et leur motel, mais elle savait qu'il était inutile d'insister. Farley pouvait se montrer inflexible dans certains domaines, vraisemblablement désignés par Jenna. À savoir, entre autres, qu'un homme devait accompagner une femme jusqu'à sa porte.

Cependant, elle se hâta de mettre les mains dans ses poches pour l'empêcher de les lui prendre.

– Lilly sera contente quand elle verra ce jaguar, lâcha-t-il.
– Elle sera ravie. C'est une merveille. J'espère qu'il supportera bien le voyage. En tout cas, Lilly m'a promis que l'enclos provisoire serait prêt et qu'ils avaient attaqué le définitif.

Elle s'emmitoufla dans son manteau car il ne faisait décidément pas chaud. Le bras de Farley se posa sur son épaule.

– Tu frissonnes.

Pas juste de froid, songea-t-elle.

– Euh… je crois que si on allait chercher Cléo à 7 heures, ce serait bien assez tôt.

– Il faudra d'abord faire le plein. Je propose qu'on démarre à 6 heures, ça nous donnera le temps de prendre un petit déjeuner.

– Très bien.

Elle se hâtait de répondre car elle sentait monter en elle une excitation bizarre.

– On se retrouve au restaurant, ajouta-t-elle. On commence par payer l'hôtel, comme ça on pourra partir directement ?

– Si tu veux, souffla-t-il en lui caressant le dos. Sauf si on s'y rend ensemble.

– Tu n'auras qu'à frapper à ma porte demain matin, marmonna-t-elle, en cherchant la clef de sa chambre.

– J'ai pas envie de frapper à ta porte. Je veux que tu me laisses entrer tout de suite.

Elle leva les yeux sur lui, mais, déjà, il la retournait doucement pour la pousser vers l'intérieur.

– Laisse-moi entrer, Tansy.

– Farley, ce n'est pas…

Il la fit taire d'un baiser. Il avait une façon de l'embrasser gentille, ferme et décidée qui ne donnait qu'une envie : lui rendre son baiser.

Et puis zut ! Elle l'entoura de ses bras avec délice.

– Cela ne nous mènera à rien, protesta-t-elle pour la forme.

– Déjà de l'autre côté de la porte. Laisse-moi entrer.

Les yeux dans les yeux, il insista.

– Dis oui !

Non, lui soufflait son esprit. Mais sa bouche formula tout autre chose.

– Ce sera comme le verre et la danse. Une fois. Tu comprends ?

Il sourit, passa le seuil avec elle.

Tansy contemplait le plafond les yeux grands ouverts. *Eh bien, je viens de faire l'amour avec Farley Pucket… deux fois. Et où est-ce que ça nous mène ?*

Mieux valait considérer cette soirée comme un incident de parcours. Après tout, elle était une femme expérimentée. L'important était de ne pas se répéter sans cesse qu'elle venait de passer un moment incroyable, qu'ils s'entendaient tous les deux comme elle ne l'aurait jamais cru possible. Qu'il la traitait comme si elle était l'unique femme au monde. Non, elle devait se rappeler qu'elle était plus âgée, plus raisonnable que lui.

– Farley, je voulais te dire, nous sommes bien d'accord : on ne recommencera pas, une fois rentrés.

Il lui accrocha les doigts, les embrassa.

– Franchement, Tansy, je dois t'avouer que je ferai tout pour que ça recommence. J'ai passé de bons moments dans ma vie, mais c'est avec toi que je me sens le mieux.

Elle s'assit contre les oreillers tout en remontant le drap devant elle pour ne pas lui donner des idées.

À son tour il s'assit et la contempla d'un regard calme.

– Je t'aime. Et je sais que tu as des sentiments pour moi.

– Bien sûr. Sinon, on ne serait pas là. Seulement ça ne veut pas dire…

– De grands sentiments.

– Bon, d'accord, je veux bien. Mais il faut rester réaliste, Farley. J'ai plusieurs années de plus que toi. J'ai atteint la trentaine, quand même !

– Et moi je l'atteindrai bien un jour. Seulement je n'ai pas envie d'attendre si longtemps pour vivre avec toi.

Poussant un grand soupir, elle approcha la lampe de son visage :

– Enfin, regarde-moi ! J'ai trente ans et je suis black !

– Disons caramel, comme les pommes de Jenna en automne. Dorées et sucrées, un peu acides parfois. J'adore ça. J'adore la couleur de ta peau, mais ce n'est pas la seule chose que j'aime en toi.

Elle se mit à trembler, pas seulement à cause de ses paroles mais aussi à cause de son regard.

– Tu es plus intelligente que moi.

– Non, Farley.

– Bien sûr que si. C'est même ce qui m'a donné le trac avec toi pendant un certain temps. Ça me plaît que tu sois intelligente ; parfois, quand vous discutez, avec Lilly, je n'y comprends rien. Pourtant, je me dis que je ne suis quand même pas bête.

– Tu n'es pas bête. Pas le moins du monde. Tu es solide, futé, gentil. En d'autres circonstances…

– Il y a des choses qu'on ne peut pas changer, Tansy, mais ce n'est pas pour ça qu'elles ont de l'importance.

Et de la faire taire avec un nouveau baiser.

Étrange de savoir que des hommes armés patrouillaient autour du domaine. Plus étrange encore : Lilly avait insisté pour en faire partie. Ses animaux guettaient les mouvements de la nuit et poussaient des cris, alertés pas l'odeur des humains et les lumières qui brillaient encore.

Elle passa plus de temps encore que d'habitude avec Bébé, qui en manifesta un tel contentement qu'elle se sentit quelque peu apaisée. Dans la fraîche soirée sans lune, elle faisait les cent pas, armée de son fusil, et avalait café sur café.

Tout cela finirait par s'arrêter. Si l'intrus était bien Ethan Howe, ils le trouveraient et l'appréhenderaient.

Lilly se souvenait un peu mieux de lui, maintenant. Elle avait dû feuilleter le dossier de Carolyn pour se remettre certains détails en mémoire, mais elle avait fini par se le représenter assez clairement, reconnaître dans cette image un homme qui était effectivement passé à plusieurs reprises pour offrir son aide et flirter avec Carolyn. Elle avait pu le décrire : de taille moyenne, mince mais musclé. Rien de spécial, si ce n'était qu'il prétendait descendre en ligne directe de Crazy Horse.

Elle n'avait pas dû échanger vingt paroles avec lui, toutefois, elle se rappelait l'avoir entendu parler de la terre sacrée et du devoir d'honneur envers elle. Il la dévisageait étrangement en disant cela.

Il lui faudrait demander à Tansy ce qu'elle en pensait.

Peut-être cela n'avait-il aucun rapport avec ce qui arrivait maintenant, mais Cooper insistait, il était sûr de ne pas se tromper, et elle lui faisait confiance.

Frissonnante, Lilly changea de posture. Le ciel couvert garantissait un air plus doux, elle aurait tout de même préféré voir la lune et les étoiles.

Dans la lumière crue des lampes de secours, elle vit Gull arriver vers elle en la saluant d'un grand geste. Sans doute une précaution pour s'assurer qu'elle l'avait bien reconnu.

– Ça va, Gull ?

– Oui. Cooper veut que je vous remplace un certain temps.

– Merci de tout ce que vous faites pour nous ici.

– Je sais que vous feriez pareil pour moi. Je ne suis jamais venu ici à cette heure. On dirait que les animaux ne veulent pas dormir.

– Ils vivent plutôt la nuit. Et puis ce remue-ménage les intrigue. J'ai l'impression que notre type ne va pas se manifester ce soir.

– Non, avec tous ces gens qui discutent dehors et qui boivent trop de café, ça m'étonnerait.

– Bien vu.

– Vous pouvez rentrer, Lilly.

Elle s'éloigna, vit des hommes autour des camions, amis ou voisins venus à la rescousse. Les voix portaient dans le froid, ils se racontaient des blagues, se souhaitaient une bonne nuit.

Apercevant ses parents, elle pressa le pas.

– Tu avais promis de ne pas me surveiller et de dormir dans le chalet, lança-t-elle à sa mère.

– C'était pour que tu me laisses tranquille. Maintenant, je vais dormir et tu vas en faire autant. Ramène-moi à la maison, Josiah, je suis fatiguée.

– Va te coucher, ma fille, lança à son tour son père. On discutera demain.

Lilly n'en doutait pas. Ils allaient garder l'œil sur elle tant que l'affaire ne serait pas résolue. Une fois dans le chalet, elle rangea son fusil, ôta sa pelisse. Elle était trop énervée pour dormir – elle avait bu trop de café. Aussi préféra-t-elle allumer un feu dans la cheminée du salon. Et tant pis si cela ne plaisait pas à Coop. En attendant, elle trouvait cela plus gai.

Elle se rendit ensuite à la cuisine pour se préparer du thé mais n'eut pas le courage d'attendre que l'eau arrive à ébullition et se versa à la place un verre de vin, dans l'espoir qu'il atténuerait les effets du café. Sans doute pourrait-elle travailler un peu, passer une heure devant son ordinateur jusqu'à ce qu'elle ait envie de dormir. Mais l'idée de s'asseoir ne lui chantait guère.

C'est alors qu'elle entendit la porte s'ouvrir. En fait, elle n'attendait que cela. Que lui. En regagnant le salon, elle le trouva sur le canapé en train d'ôter ses chaussures.

– Je pensais que tu étais montée depuis longtemps.

– Trop de café. Et puis je dois réagir comme nos félins ; je n'ai pas l'habitude de voir autant de gens ici la nuit.

Elle alla regarder par la fenêtre ce qui se passait dehors.

– Je te proposerais bien une partie de gin-rami, mais ça ne me dit rien, ironisa Cooper.

– Moi pareil. Je vais essayer un solitaire.

– Tu ferais mieux d'éteindre et de fermer les yeux.

– Ce serait la meilleure chose, marmonna-t-elle en vidant son verre. Je monte. Dors bien.

Elle alla jusqu'à l'escalier, s'arrêta, se retourna. Il n'avait pas bougé.

– Et si j'avais envie de remettre l'amour sur le tapis ? dit-elle.

– Tu veux faire l'amour sur le tapis ?

– Tu as dit qu'il n'en était plus question. Mais j'ai peut-être envie d'y revenir, de ne pas dormir seule cette nuit. Tu es là, on est amis. Nous sommes bien d'accord ?

– Comme toujours.

– Dans ce cas, c'est bon. On n'est jamais seul avec les amis. On sait comment aider l'autre à se détendre.

– Oui, mais je dois être trop fatigué.

Elle fit la grimace.

– N'importe quoi !

– Ou pas.

Pourtant, il ne bougeait pas de sa place. Il la regardait. Il attendait.

– Tu as dit que tu ne me toucherais plus. Je te demande d'oublier cette règle, ou disposition, enfin, appelle ça comme tu veux, mais laisse tomber. Monte avec moi, viens dans mon lit, reste près de moi. Il faut que je me libère l'esprit. Au moins quelques heures. S'il te plaît.

– Dis-moi s'il te plaît pour me faire rester dehors dans le froid jusqu'à 2 heures du matin, pas pour t'emmener au lit. Dis-moi seulement que ce n'est pas pour te libérer l'esprit mais parce que tu as envie de moi.

– Voilà. J'ai envie de toi… Je vais certainement le regretter demain.

– Oui, mais il sera trop tard.

Il se leva pour l'embrasser.

– C'est déjà trop tard, conclut-il.

Sans doute avait-il toujours été trop tard. Elle avait l'impression de remonter des années en arrière, au temps où ils filaient au lit sans arrière-pensée. Comme si la boucle était soudain bouclée. Il avait suffi de si peu…

– Je me sens déjà mieux, murmura-t-elle.

À la porte de la chambre, les yeux bleus se fixèrent dans les siens.

Lorsque sa bouche prit la sienne, ce ne fut pas pour la réconforter ni pour l'apaiser mais pour lui mettre les nerfs en feu. Se libérer l'esprit ? Avait-elle cru trouver la paix avec lui ? Le désir la dévorait plus que jamais.

Elle était toujours agrippée à lui lorsqu'ils tombèrent sur le lit. Les lampes de l'extérieur éclairaient la pièce à travers les stores, tels les barreaux d'une cage lumineuse. Elle s'y laissa enfermer sans hésiter.

Cooper commença par lui enlever ses bottes, ce qui la fit rire aux éclats. Bientôt, il attaqua sa chemise de flanelle.

– Défais ta natte, s'il te plaît.

Elle leva les bras, glissa l'élastique autour de son poignet et dégagea ses cheveux tandis qu'il ôtait sa chemise.

– Attends, souffla-t-il.

Il se mit à les coiffer du bout des doigts.

– Je n'arrête pas de penser à leur odeur, à leur douceur sur mes mains.

Il roula des mèches brunes autour de son poignet, les porta à sa joue dans un geste passionné.

– Je te voyais quand tu n'étais pas là, souffla-t-il, comme un fantôme. Une tête dans la foule, une silhouette derrière moi qui disparaissait dès que je me retournais. Tu étais partout.

Elle secoua la tête, mais il resserra son emprise. Elle vit passer un éclair de colère dans ses yeux, et il finit par la relâcher.

– Maintenant, tu es là, dit-il en lui retirant sa chemise par la tête.

– J'ai toujours été là.

Non, songea-t-il. Non. Mais maintenant, oui. Excitée, comme lui, un rien agacée, comme lui. Pour les apaiser l'un et l'autre, il lui caressa doucement la base du cou jusqu'à la naissance des seins. La fille qu'il avait connue était plate comme une limande. Depuis, elle s'était épanouie, loin de lui.

Elle frémit à ce contact, comme il le désirait.

Il lui poussa un peu le front pour la courber en arrière, mettant ainsi sa poitrine en valeur. Elle éclata de rire, et il s'allongea sur elle.

– Tu as pris du poids, observa-t-elle.

– Toi aussi.

– C'est vrai ?

– Là où il faut.

Elle sourit encore, lui passa à son tour la main dans les cheveux.

– Ça fait tellement longtemps…

– Je n'ai pas oublié comment on faisait. Ce que tu aimais.

Plus il l'embrassait, plus il la caressait, plus elle le reconnaissait, mélangeait présent et passé.

Il ouvrit son soutien-gorge et l'envoya promener pour enfin goûter à ces seins qu'il ne connaissait pas encore. Elle respirait de plus en plus fort, ses muscles se raidissaient. Il ne lui connaissait pas non plus de telles réactions.

Dans la semi-obscurité, ils se redécouvrirent. Une courbe, un angle, une nouvelle source de plaisir. Du bout des doigts, elle lui trouva une cicatrice qui n'existait pas autrefois. Et elle murmura son nom alors qu'il parcourait tout son corps de ses lèvres voraces.

Dehors, les félins s'interpellaient, et l'un d'eux répondit par un rugissement profond qui aurait pu aussi bien sortir de la gorge de Lilly lorsque Cooper se retrouva enfin en elle, remua en elle, l'emporta avec lui. Il voyait ses yeux noirs briller dans la pénombre. Tout ce qu'il avait perdu et retrouvé, tout ce qui manquait à sa vie et qui lui revenait enfin, odorant, moite, féminin. Les battements de son cœur contre le sien, ces reins qui se cambraient pour mieux s'offrir et ce cri qu'elle lançait sans fin.

Son nom à lui. Elle ne cessait de crier son nom.

Il se retint tant qu'il le put, jusqu'à l'accompagner lorsqu'ils furent chacun secoués de tremblements. Alors ils ne furent plus que mouvements fous, désordonnés, et, lorsqu'elle explosa de nouveau, il explosa avec elle.

Elle avait envie de se coller contre lui, d'épouser chaque centimètre de son corps. Pourtant, elle se laissa retomber, afin de mieux goûter le plaisir qui l'envahissait et la paix qui revenait sur elle.

Elle allait pouvoir dormir. Si elle fermait les yeux, elle dormirait. Le reste attendrait le lendemain.

– Tu as froid.

Vraiment ? Elle ne s'en était pas rendu compte. Cependant, il releva sur eux le drap et la couverture puis l'attira contre lui.

– Dors bien.

Trop fatiguée pour répondre, elle lui obéit.

Elle s'éveilla avant l'aube, resta immobile. Cooper avait passé un bras autour d'elle et elle en avait fait autant au cours de ces brèves heures de sommeil.

Pourquoi fallait-il qu'un acte aussi fondamental, aussi humain la mette au désespoir ? Il avait pourtant fini par lui procurer le réconfort dont elle avait tant besoin. Et peut-être lui en avait-elle donné en retour. Inutile d'en demander davantage.

Elle l'avait aimé toute sa vie et elle savait qu'il en serait ainsi jusqu'à sa mort. En l'occurrence, ils venaient de faire l'amour comme deux amis pour se rassurer l'un l'autre. Elle était assez forte, assez intelligente pour l'accepter. Il s'agissait maintenant de se détacher de lui et de sortir du lit.

Avec des mouvements lents, en prenant mille précautions, elle gagnait centimètre après centimètre, lorsqu'il ouvrit un œil et lui sourit sans retenue.

– Pardon.

Elle ne sut pas trop pourquoi elle disait cela, aussi s'empressa-t-elle d'ajouter :

– Je ne voulais pas te réveiller. Il faut que j'y aille.

Il la retint près de lui, lui tournant juste le poignet pour lire l'heure à sa montre lumineuse.

– Oui, moi aussi, décréta-t-il. Dans quelques minutes.

Sans lui laisser le temps de réagir, il roula sur elle.

Alors il ralentit le mouvement, reprit possession de ce corps qu'elle lui abandonna sans se faire prier.

Elle soupira longuement. Se détendit.

– Je te dois un petit déjeuner, finit-elle par dire.

– Je n'ai rien contre un petit déjeuner.

En se détournant, elle s'efforça de garder un ton léger.

– Je vais mettre le café en route, si tu veux prendre ta douche en premier.

– D'accord.

Saisissant une robe de chambre, elle sortit en hâte. Elle évita de se regarder dans la glace et s'efforça de ne penser qu'aux gestes de base à effectuer. Descendre dans la cuisine, préparer un café bien fort ; elle n'avait pas faim, cependant, elle mangerait bien quelque chose. Personne ne saurait qu'elle était retombée folle d'amour. Malade.

Mieux valait se concentrer sur les aspects positifs de la chose. Elle venait de mieux se reposer en quatre heures qu'en plusieurs jours. En outre, la tension sensuelle qui régnait entre elle et Cooper allait certainement s'apaiser. Ils étaient passés à l'acte et n'en étaient pas morts.

Le bacon grillait dans la poêle pendant qu'elle réchauffait des galettes dans le four. Il aimait les œufs sur le plat, pour autant qu'elle s'en souvînt.

Quand il descendit, fleurant bon le savon, Lilly remplissait les assiettes. Il versa le café dans les tasses puis s'accouda au comptoir pour mieux la regarder.

– Tu es belle. C'est agréable de t'observer par-dessus mon café du matin. Tu as faim, non ?

– Je me suis dit que je te devais bien ça.

– J'apprécie, mais je n'attends aucun paiement.

– Peu importe. En tout cas, j'espère que mes nouveaux systèmes de sécurité seront bientôt installés. Les gens ne vont pas revenir tous les jours pour garder le refuge comme s'il s'agissait de Fort Apache. Ils ont aussi leur vie, même toi.

– Regarde-moi.

– Qu'est-ce que tu attends pour t'asseoir ? C'est prêt.

– Si tu as l'intention de reculer, c'est trop tard.

Avec des mouvements parfaitement coordonnés, elle versa les pommes de terre sautées dans les assiettes.

– L'amour n'est pas un boulet, rétorqua-t-elle. Je vais où je veux.

– Non, c'est fini.

– Quoi, fini ? Je n'ai jamais… Attends, je ne veux pas jouer à ce petit jeu. J'ai trop à faire aujourd'hui.

– Je ne suis pas près de m'en aller, Lilly.

– Tu es parti plus de dix ans. Tu n'es revenu que depuis quelques mois. Alors ne crois pas qu'il te suffise de claquer des doigts pour que tout recommence comme avant.

– Tu veux entendre ce que je crois, ce que je souhaite ? Tu es prête à l'entendre ?

– En fait, non.

Elle craignait que son cœur ne le supporte pas.

– Je n'ai aucune envie de discuter de tout cela, Coop. Nous sommes amis, sauf si tu préfères qu'on en reste là. À toi de voir. Si ce qui s'est passé doit nous coûter notre amitié, j'en serai navrée, crois-moi.

Il s'approcha d'elle. Elle recula. Et la porte s'ouvrit.

– Bonjour, je voulais vous dire…

Gull n'était pas un rapide, mais lui-même sentit qu'il tombait mal.

– Pardon de vous déranger.

– Pas du tout, répliqua Lilly. En fait, vous arrivez bien. Cooper allait prendre son petit déjeuner. Vous n'avez qu'à lui tenir compagnie, voici une assiette.

– Je ne voudrais pas…

– Bon, je monte m'habiller. Tout se passe comme il faut, dehors ?

– Oui, oui. Euh…

– Mangez donc. Je reviens dans cinq minutes.

Elle prit son café et monta sans se retourner.

Gull s'éclaircit la gorge.

– Désolé, patron.

– Ce n'est pas ta faute, marmonna Coop.

17

Elle ne revint pas au bout de cinq minutes. En fait, elle ne repassa pas par la cuisine. Elle se doucha, s'habilla puis sortit par la porte de devant.

Bon, elle se défilait. Mais elle ne pouvait se permettre de s'enliser l'esprit, le cœur, la raison. Les stagiaires passaient avant tout, jusqu'au retour de Tansy… sans compter qu'ils allaient recevoir un nouveau félin.

Très vite, elle fut absorbée par l'inspection de l'enclos provisoire, après quoi, elle discuta avec l'équipe de ce qu'il faudrait prévoir pour l'habitat permanent du jaguar.

Ce matin-là, le soleil brillait assez pour permettre de rester en bras de chemise ; bientôt, ce serait la fonte des neiges dans les collines, la boue qui dévalerait les chemins. L'inconstant mois de mars allait faire place au capricieux avril et le printemps amènerait davantage de clients, davantage de dons.

Lilly s'accorda dix minutes pour rendre visite à Bébé, se détendit en le caressant et en écoutant ses ronronnements.

– En fait, c'est votre chat, observa Mary. Sauf qu'il est plus grand que ceux des gens normaux. Et moins arrogant que mon matou.

– Votre matou ne pourrait vous déchirer la jugulaire d'un coup de patte.

– Celui-là non plus. C'est un bon gars. Belle journée, vous ne trouvez pas ?

Les mains sur les hanches, Mary leva la tête vers le ciel bleu.

– J'ai plein de bulbes qui poussent dans mon jardin. Et des crocus qui fleurissent.

– J'avoue que je serai contente de voir arriver le printemps.

Toutes deux déambulèrent parmi les enclos, passant des lynx perchés dans leurs arbres aux lions des montagnes qui les toisaient.

– Je sais que le jaguar et le nouveau système de sécurité vont mordre dans le budget. Mais on peut assumer, n'est-ce pas, Mary ?

– C'est bon. Les dons ont un peu tardé à venir, cet hiver ; en revanche, le chèque de Cooper nous tire d'affaire pour ce début d'année.

– Maintenant, on va pouvoir s'inquiéter du deuxième trimestre.

– Avec Lucius, on envisage d'organiser une collecte de fonds. Nous pensons que tout marchera mieux dès l'arrivée des beaux jours.

– J'espère que nos ennuis ne vont pas empêcher les gens de venir ; ce serait une catastrophe si on ne pouvait plus compter sur un minimum de billets d'entrée et de dons spontanés des visiteurs. Nous avons deux nouveaux pensionnaires, Xena et Cléo, à loger, à nourrir, à soigner. J'aurais voulu engager un assistant vétérinaire à mi-temps pour assister Matt cet été, mais je ne suis pas certaine de pouvoir assumer ce budget.

– Il va vite falloir en trouver un. Matt est surchargé, mais pas seulement lui. Enfin, on a l'habitude, Lilly, ne vous en faites pas. C'est comme ça qu'on fonctionne, ici. Et vous, comment allez-vous ?

– Bien. Je suis en forme.

– Si vous voulez mon avis, et si vous ne le voulez pas je vous le donne quand même, je vous trouve un peu pâlotte. Si quelqu'un a besoin d'une journée de vacances ici, c'est vous. Et d'un rendez-vous.

– Pardon ?

– Oui, vous n'avez pas oublié ce que c'est, quand même ! Un dîner, un cinéma, aller danser. Vous n'avez pas pris une journée depuis votre retour, et, même si vous avez apprécié ce voyage en Amérique du Sud, je sais que, là-bas aussi, vous n'avez pas arrêté.

– J'aime ça.

– Sans doute, mais une petite soirée romantique vous ferait le plus grand bien. Et puis vous devriez emmener votre mère à Rapid City pour la journée. Faire du shopping, passer une heure ou deux chez l'esthéticienne et puis rentrer pour dîner avec ce beau Cooper Sullivan, qu'il vous emmène danser et tout ce qui s'ensuit.

– Mary !

– Si j'avais trente ans de moins, si j'étais célibataire, je ferais tout pour qu'il m'invite à dîner et le reste. Franchement, ma petite, vous m'inquiétez.

– Il n'y a pas de quoi.

– Prenez un jour de repos. Bon, là-dessus, je retourne à mon boulot. Tansy et Farley devraient arriver dans deux ou trois heures. Là, on va s'amuser.

En la regardant s'éloigner, Lilly se dit qu'elle n'avait aucune envie de prendre un jour de repos ni d'aller faire du shopping, encore moins de passer entre les mains d'une esthéticienne. Elle n'avait ni soirée ni événement médiatique en vue pour le moment. S'il le fallait, elle ferait le nécessaire pour être présentable. Quant à sortir dîner avec Coop, c'était sûrement la dernière chose à laquelle elle pensait pour le moment ; cela ne ferait que compliquer une situation déjà inextricable. Dont elle était seule responsable, il fallait le reconnaître.

Pourquoi n'avait-elle pas dressé cette fichue liste ?

Elle s'arrêta devant l'enclos du tigre, affalé à l'entrée de sa tanière, les yeux mi-clos. Il ne dormait pas encore, témoin sa queue qui remuait paresseusement et son regard vif entre les paupières.

Elle s'approcha du grillage, vit ses oreilles se dresser.

– Tu ne m'en veux plus, j'espère ? J'étais obligée de faire ça. Je ne veux pas qu'il t'arrive quoi que ce soit ni que tu provoques des catastrophes. Ce ne serait pas notre faute, mais nous serions tenus pour responsables.

Boris émit un grondement peu amène qui arracha un sourire à Lilly.

– Tu es tellement beau ! Bon, je ne peux pas rester, j'ai du boulot, moi aussi.

Elle se redressa en contemplant les enclos délimités par les arbres et, plus loin, les collines. Que pouvait-il leur arriver de mal par une aussi belle journée ?

Il mâchonnait sa barre chocolatée. S'il aimait vivre dans la nature, il ne crachait pas forcément sur les douceurs du monde extérieur. En l'occurrence, il avait volé cette boîte de goûters dans un terrain de camping, ainsi qu'un sachet de chips et un pack de bière.

Il se limitait à une cannette tous les deux jours. Quand on est chasseur, on ne peut laisser l'alcool vous ralentir la cervelle. Aussi l'avalait-il avant de se coucher.

La boisson avait toujours été son point faible, il tenait cela de son père qui, lui-même, assurait que c'était là une des tares de leur peuple, une des pires armes utilisées par l'homme blanc pour les anéantir.

À force de s'enivrer, il avait attiré l'attention des autorités blanches, ce qui lui avait valu les pires ennuis. Pourtant, il n'aimait rien tant qu'une bonne bière fraîche. Il ne pouvait le nier. À lui de ne pas en abuser. Question de volonté. Et de priorité. S'il avait laissé la vie aux campeurs, c'était aussi par sens pratique. Il se serait bien amusé en les tuant, mais guère plus : trop facile. Il avait même envisagé d'en tuer trois et de garder le quatrième comme gibier pour une partie de chasse. Histoire de s'entraîner.

Sauf que ç'aurait été le meilleur moyen d'attirer des régiments de flics et de rangers dans les collines. Certes, il n'aurait pas de mal à leur échapper, comme ses ancêtres avant lui. Un jour, il lancerait son expédition punitive sur ceux qui avaient profané cette terre. Un jour, on prononcerait son nom avec crainte et respect.

Mais, pour le moment, il avait d'autres priorités.

Avec ses jumelles, il observa de nouveau le refuge en contrebas, fier de voir tant de gardes venus protéger les lieux pour la nuit.

Rien qu'à cause de lui.

Sa proie l'avait flairé, elle avait peur. Jamais il n'en avait éprouvé une telle satisfaction. Il aurait été tellement facile, tellement jouissif de tous les abattre ! De se déplacer de l'un à l'autre tel un fantôme pour les égorger en silence, de se couvrir les mains de leur sang tiède.

Tout ce gibier abattu en une seule nuit.

Qu'aurait ressenti sa proie au matin, en sortant de son chalet, au vu du carnage qu'il laissait derrière lui ? Se serait-elle enfuie en hurlant de terreur ? Il aimait les voir fuir, en hurlant. Et encore plus lorsque le souffle leur manquait, lorsque les hurlements eux-mêmes ne sortaient plus.

Pourtant, il s'était abstenu. Ce n'était pas le moment.

En revanche, il pourrait lui envoyer un message. Quelque chose qui la touche personnellement. Plus l'enjeu serait élevé, plus la compétition deviendrait intense le moment venu. Il ne pouvait désormais se rassasier de la peur qu'il lui infligeait. C'était trop facile.

Il l'observa un long moment, alors qu'elle se rendait vers les bureaux. Non, pas seulement sa peur, songea-t-il en léchant le chocolat sur ses doigts. Il voulait qu'elle se sente plus impliquée que n'importe qui d'autre.

Il se retourna, jeta son sac sur son épaule et repartit vers son antre en sifflotant.

En croisant un promeneur solitaire un peu essoufflé, il sourit.

– Perdu ?

– Non. Pas vraiment. Mais ça fait plaisir de rencontrer quelqu'un. Je voulais escalader le Crow Peak. La prochaine fois, je ne prendrai pas de détour pour m'écarter des chemins touristiques.

– Vous êtes seul ?

– Oui. Ma femme a préféré rentrer directement. J'en aurais bien fait autant, mais, quand elle a dit que je n'étais pas capable de marcher dix kilomètres de plus… Vous savez ce que c'est…

– Je peux vous accompagner un bout de chemin et vous indiquer la bonne direction si vous voulez.

– Avec plaisir. Et puis c'est agréable de ne plus se sentir seul. Je me présente : Jim Tyler, de St Paul.

Il lui tendit la main.

– Ethan Félin rapide.

– Enchanté. Vous êtes du coin ?

– Oui, tout à fait.

Il emmena Jim Tyler de St Paul par les pistes des collines, loin des signaux gravés dans les pins, loin des panneaux indicateurs. Il ne marchait pas trop vite pour ne pas l'épuiser avant l'heure, vérifiant que personne d'autre ne se manifestait, écoutant l'homme parler de sa femme, de ses enfants, de son agence immobilière à St Paul.

De temps à autre, il lui désignait des endroits qu'on repérait encore sur les cartes et le laissait prendre des photos avec son joli petit Canon numérique.

– Vous en savez plus que n'importe quel guide touristique ! s'exclamait Jim, ravi. Quand je montrerai ces paysages à ma femme, elle regrettera de ne pas m'avoir accompagné. J'ai de la chance d'être tombé sur vous.

– Et quelle chance !

Avec un large sourire, il pointa son revolver sur Jim.

– Maintenant, tu cours, lapin.

En voyant arriver Farley au volant de son camion, Lilly se précipita dehors, imitée par les employés, mais aussi par les stagiaires et les bénévoles. Il avait à peine tiré le frein à main que la portière s'ouvrait du côté de Tansy.

– Alors ? Ça s'est bien passé ?

– Oui. Mlle est un peu énervée depuis un moment. Comme si elle savait qu'on allait arriver. Tu vas voir comme elle est belle, ta panthère !

– Vous avez son dossier médical ? demanda Matt.

– Oui. Dans l'ensemble, elle va bien. Elle a eu des ennuis intestinaux il y a quelques mois, parce que sa propriétaire la gavait de chocolat belge et de caviar. Il paraît qu'elle adore le praliné-noisette et le béluga sur des toasts à peine grillés.

– Miséricorde ! se lamenta Matt.

– Elle n'aura plus une vie de luxe, mais elle s'y fera très bien, conclut Lilly.

Elle devait se retenir pour ne pas foncer vers l'arrière afin de voir le jaguar.

– On va sortir Cléo de sa cage, reprit-elle, et la conduire vers son enclos provisoire. Elle doit avoir envie de s'étirer un peu.

Lilly jeta un coup d'œil vers le groupe de visiteurs qui suivait deux stagiaires vers les bois.

– Annie, dit-elle à la jeune femme à côté d'elle, si vous alliez leur dire de se diriger du côté des enclos ? Ils seraient sûrement ravis d'assister à ce qui va se passer.

Puis elle revint vers Tansy.

– On vous attendait depuis plus d'une heure.

– Oui, euh… on est partis un peu plus tard que prévu.

– Tout va bien ?

– Oui, oui. Cléo a parfaitement supporté le voyage. Elle a dormi presque tout le temps. J'ai apporté les papiers, si tu veux les voir…

Lilly eut le souffle coupé en découvrant le jaguar. Le poil lustré, une musculature harmonieuse, un regard d'ambre, Cléo se tenait dans sa cage telle une reine sur son trône. Elle scrutait tous ces humains avec une sorte de mépris et laissa échapper un court rugissement pour le cas où certains n'auraient pas compris qui dominait qui.

Lilly s'approcha pour lui permettre de sentir son odeur.

– Bonjour, Cléo. Tu es magnifique et puissante, et tu le sais. Mais le patron, ici, c'est moi. Alors plus de chocolats ni de caniche pour le dîner.

Le fauve ne la quittait pas des yeux.

– Sortons-la d'ici, lança Lilly à la cantonade. Écartez-vous, tous, ne laissez pas traîner vos mains sur les barreaux. Pour tuer, elle préfère transpercer le crâne, mais si elle voit un bras traîner à sa portée elle pourrait bien l'arracher. Je n'ai aucune envie d'envoyer qui que ce soit à l'infirmerie. Ce n'est pas parce qu'elle aime le chocolat qu'elle ne possède pas les mâchoires les plus puissantes dans le monde des félins.

La cage fut abaissée à hauteur du sol et, tandis que les touristes prenaient des photos, déposée devant l'entrée de l'enclos grillagé.

Cléo grondait, sans doute inquiète de percevoir tant d'odeurs à la fois, humaines et animales. De l'autre côté du refuge, la lionne rugit.

Lilly souleva la porte de la cage, recula.

La panthère commença par renifler l'atmosphère tout en examinant le petit jardin qu'on venait de lui aménager, l'arbre, les rochers, les clôtures. Et les autres animaux derrière. Sa queue battit furieusement l'air quand elle aperçut sa voisine, la vieille Sheba.

– Ce jaguar noir femelle n'a pas atteint sa maturité, expliqua Lilly à l'adresse des touristes. Elle tient sa couleur d'un allèle dominant, une association unique de gènes. Mais, si vous y regardez de plus près, vous distinguerez des rosettes, des taches parfaitement visibles à l'œil nu. C'est l'un des quatre grands félins, avec le lion, le tigre et le léopard.

Tout en parlant, elle observait les réactions de Cléo.

– Comme vous pouvez le constater, bien que très jeune, elle possède un corps compact et musclé. Un jaguar est un peu plus grand et massif que la panthère classique ou le léopard, mais ils sont de la même famille. Sauf que celle-ci se conduirait davantage comme un tigre et que, comme le tigre, elle aime nager.

Cléo fit un pas en direction de l'enclos. Sans bouger d'un pouce, Lilly continua :

– Et, comme chez le tigre, la femelle envoie promener le mâle une fois qu'elle a mis bas ses petits.

Ce qui suscita quelques rires dans le groupe, tandis que les appareils photo cliquetaient dans tous les sens.

– En liberté, c'est l'un des prédateurs les plus dangereux, au sommet de la chaîne alimentaire. Son seul ennemi reste l'homme. À cause de la déforestation, de l'empiétement sur son territoire, la population des jaguars est en déclin. C'est une espèce quasi menacée. En la préservant, nous assurerons également la survie d'autres espèces de moindre importance.

Tapie sur elle-même, Cléo progressait en flairant tant le sol que l'air. Quand elle eut quitté sa cage, Lilly vint boucler la porte de l'enclos.

L'assistance applaudit.

– Ici, elle sera protégée, ajouta Lilly, bien soignée et nourrie par l'équipe de la réserve naturelle Chance grâce aux dons de nos mécènes et de nos visiteurs. Elle pourra vivre plus de vingt ans.

Cléo se frottait au sol et commençait à marquer son territoire en lançant de temps à autre de brefs rugissements. Quand elle se dressa sur ses pattes arrière pour se faire les griffes contre un tronc d'arbre, Lilly éprouva un élan de fierté devant tant de beauté et de puissance.

Alors que tout le monde avait fini par s'éloigner, elle demeura là près d'une heure, muette d'admiration. Jusqu'au moment où le jaguar sauta sur une branche.

– Bienvenue, Cléo, dit Lilly à haute voix.

Quittant enfin sa nouvelle pensionnaire, elle regagna son bureau pour se mettre à jour dans son courrier.

Tansy leva la tête de son clavier.

– Tout va bien ?

– Je vais te dire ça dans une minute. Mais toi, d'abord, qu'est-ce qui t'arrive ?

– Rien. Je n'ai pas envie d'en parler maintenant. On verra ça plus tard, devant un verre d'alcool.

– Bon, ce soir, après le repas des animaux. On s'offrira du vin et on se racontera tout. En attendant, il faut que je te mette au courant de quelque chose.

Elle s'assit et rapporta à Tansy ce qui s'était passé pendant son déplacement.

– Mon Dieu, Lilly ! Mon Dieu ! Il aurait pu te tuer, ou sérieusement te blesser. Et si un des enfants…

– En pleine nuit, il n'y a pas d'enfants ici. On fait tout ce qu'on peut, à commencer par le nouveau système d'alarme. Je reconnais que j'aurais dû le faire installer avant.

– Nous étions dans les normes ; il a fallu qu'un fou furieux s'en prenne à nous. Il faut être complètement cinglé pour ouvrir la cage d'un tigre. Celui qui a fait ça risquait lui-même de terminer en chair à pâté. Les flics n'ont rien trouvé ? Aucune trace ?

– Pour l'instant non. Cooper pense tenir quelques indices. Dis-moi, tu te rappelles Carolyn Roderick ?

– Oui. Qu'est-ce qu'elle vient faire là-dedans ?

– Elle a disparu. Depuis des mois, en fait. Elle était en Alaska avec un groupe de chercheurs.

– Ce n'est pas vrai ! Sa pauvre famille ! J'ai parlé plusieurs fois avec sa mère quand elle travaillait ici.

– Elle avait un petit ami. Il venait parfois ici la voir.

– Le type des collines ? Ed ? Non, pas Ed.

– Ethan.

– C'est ça, Ethan. Le soi-disant descendant de Crazy Horse.

– Tu t'en es souvenue plus vite que moi.

– J'ai dîné plusieurs fois avec Carolyn et les autres stagiaires. Et lui finissait toujours par rappliquer. Il la ramenait tellement avec ses ancêtres que je ne pouvais plus le supporter. Pourtant, elle, elle semblait apprécier. Il lui apportait des fleurs des champs. Il a fait un peu de bénévolat. Et il l'emmenait danser. Elle était folle de lui.

– Ça a fini par se gâter entre eux et elle a rompu. Des gens qui les connaissaient le trouvaient violent. Après avoir consulté son dossier, je me suis souvenue de ce type. Il râlait parce que le domaine empiétait, d'après lui, sur leurs terres sacrées.

– Tu crois que c'est lui ? Lui qui a tué le couguar et le loup ? Pourquoi s'en prendre à toi ?

– Je ne sais pas. Mais il a disparu, lui aussi. Cooper n'arrive pas à le situer. Pas encore. Si tu vois quoi que ce soit d'autre sur son compte, le moindre détail, il faut en avertir Cooper et Willy.

– Je vais y réfléchir. Tu crois qu'il a fait quelque chose à Carolyn ?

– J'espère que non. Je ne sais pas si c'est ma mémoire qui me joue des tours, mais il donnait la chair de poule. Il n'arrêtait pas de me regarder, il me semble. À l'époque, il n'avait peut-être pas plus d'arrière-pensées que les autres bénévoles qui veulent juste observer ce que je fais…

– Bien sûr.

– Mais je devais déjà me douter de quelque chose et je n'ai pas voulu en tenir compte.

– Que veux-tu que je fasse ?

– Que tu parles aux stagiaires pour les apaiser. Je leur ai dit tout ce que je pouvais et j'ai pris contact avec les universités pour ceux qui vont venir. Je ne crois pas qu'aucun d'eux soit en danger, et il faut que la réserve continue de fonctionner normalement. Mais sans rien leur cacher, même si ça fait peur à certains.

– D'accord. La plupart seront en train de préparer la nourriture les animaux. Je vais tâter le terrain.

– Très bien.

– Et on discute tout à l'heure, conclut Tansy en se levant. Tu veux que je passe la nuit ici ?

Sur le point d'accepter, Lilly se traita mentalement de lâche, non parce qu'elle craignait l'attaque d'un malade qui rôdait dans les collines, mais parce que c'était un moyen échapper à Cooper.

– Non, c'est gentil, mais on gère. Je préfère qu'on fasse comme d'habitude, autant que possible.

Alors que Tansy sortait, ce fut Lucius qui se présenta sur le seuil.

– Je vous ai envoyé par courriel des photos de Cléo. Je peux les poster sur le Web si vous voulez.

– Je vais y jeter un coup d'œil et ajouter un commentaire. Est-ce que Mary s'est occupée de commander des peluches panthères noires pour la boutique et les donateurs ?

– Je crois qu'elle vous a envoyé quelques suggestions.

– Bon, je vais consulter mes messages.

Elle prit un soda et s'installa devant son ordinateur.

Il lui fallut une bonne heure de travail avant de passer à autre chose, et, encore, elle se promit d'y revenir après le dîner, avec un œil neuf. Les mécènes préféraient presque toujours les belles histoires à des informations pures et dures. Un nouvel animal devait susciter de l'intérêt, et elle comptait bien exploiter cet avantage.

À la nuit tombée, elle sortit du bureau, ferma derrière elle et vit partir les derniers stagiaires. Un de ces jours, elle trouverait les fonds pour leur édifier un dortoir, avec leur propre cuisine. Encore deux années à patienter, une fois qu'elle aurait amorti les dépenses de sécurité et le nouvel enclos.

Tansy l'attendait dans le salon avec une bouteille de vin et un sachet de chips.

– De l'alcool et du sel, commenta celle-ci, tout ce dont j'avais besoin.

– La nourriture des dieux !

Lilly se débarrassa de sa veste, se servit un verre.

– Tu as l'air fatiguée, lui dit-elle encore.

– C'est que je n'ai pas beaucoup dormi, cette nuit. J'ai trop fait l'amour avec Farley.

– Oh ! je comprends pourquoi il te fallait un breuvage fort. C'était bien, au moins ?

– Très, très bien. Et qu'est-ce que je fais, maintenant ?

– Euh… tu recommences ?

– Lilly, tu te rends compte ? Je savais pourtant qu'il ne fallait pas m'engager dans ce processus… quatre fois.

– Quoi ? Quatre fois en une nuit ? Eh bé ! Santé, Farley ! Quel talent !

– Lilly !

– Quoi ? Vous êtes des adultes, tous les deux.

– Il croit qu'il m'aime, marmonna Tansy en croquant des chips. Tu sais ce qu'il m'a dit ?

– Avant ou après l'amour ?

– Après, tu es pénible ! Et aussi avant. J'essaie de rassembler mes idées.

Elle lui rapporta presque mot pour mot tout ce que lui avait dit Farley. Et Lilly ne put s'empêcher de s'exclamer, la main sur le cœur :

– Oh, c'est trop mignon ! Ça lui ressemble tellement, ce cher Farley.

– Ce matin, au petit déjeuner, j'ai essayé… comment dire ? De calmer un peu le jeu. D'être raisonnable. Et lui, il n'arrêtait pas de me sourire.

– Tu m'étonnes, quatre fois… il y a de quoi faire sourire un garçon.

– Arrête ! Il m'a dit : « On va se marier, Tansy, mais tu peux prendre ton temps pour te faire à cette idée. »

– Alors là…

– Je peux raconter ce que je veux, il ne fait que sourire et, une fois dans la rue, il me prend de nouveau dans ses bras, m'embrasse à m'en faire perdre la tête. En fait, ma tête, j'ai dû l'oublier dans le Montana.

– Vous avez choisi une date ?

– Arrête ! Tu ne m'aides pas, là !

– Désolée. Mais aussi, tu es là à stresser en te gavant de Fritos et à me dire qu'un des hommes les plus gentils, les plus honnêtes que je connaisse est amoureux de toi. Un homme qui, en plus, sait te donner de multiples orgasmes, franchement…

– Ça me fait peur, Lilly. Je ne sais plus où j'en suis.

– Ce serait bien la première fois que ça t'arriverait. Je suis enchantée que tu sois amoureuse de lui, je trouve ça super. Tu me rends un peu jalouse.

– Je n'aurais pas dû coucher avec lui. Je l'aimais bien, maintenant, je suis complètement dingue de lui. Pourquoi est-ce qu'on fait ça, Lilly ? Pourquoi est-ce qu'on couche avec eux ?

– Je n'en sais rien. J'ai bien couché avec Coop, moi.

Tansy croqua une chips, avala une gorgée de vin.

– J'aurais cru que tu résisterais plus longtemps.

– Eh bien, non. Et, maintenant, nous sommes tous les deux fous l'un de l'autre. Sauf que, ce matin, j'ai trouvé le moyen de le rembarrer ; j'avais dix pour cent de bonnes raisons, le reste, les quatre-vingt-dix pour cent, c'était juste de la défense.

– Il t'a trahie, autrefois.

– Réduite en lambeaux. Farley est incapable de te faire ça.

– Moi, je pourrais.

– C'est vrai. Ne me dis pas que c'est ce que tu veux.

– L'ennui, c'est que je n'en sais rien. Il ne correspond en rien au genre d'homme que je cherche.

– Si tu crois qu'on a le choix… Tiens, moi, si je pouvais en sélectionner un, ce serait Jean-Paul. C'est celui qui me correspondait le mieux. Pourtant, ça n'a pas marché et c'est moi qui ai fini par lui faire du mal sans le vouloir.

– Tu vas me mettre le moral à zéro.

– Excuse-moi. On parle d'autre chose. Allez, raconte-moi comment ça se passe, une nuit avec Farley. Je veux tous les détails.

– C'est ça ! Pas tant que j'aurai un peu bu, en tout cas. Et comme je dois encore conduire pour rentrer chez moi, ce ne sera pas ce soir. Ça ira, toi, pour cette nuit ?

– Il y a une demi-douzaine d'hommes armés dehors.

– Bon. Mais je parlais de Cooper.

Lilly soupira.

– Comme je prends le dernier tour de garde et lui le premier, le problème ne se posera pas. Ce n'est pas une solution à long terme, mais ça le fera pour le moment. Tansy, encore une question. Réponds sans réfléchir : tu es amoureuse de Farley ? Pas dingue de lui, juste amoureuse ?

– Je crois que oui. Là, je déprime encore plus. Allez, je rentre broyer du noir.

– Bonne chance et à demain.

Demeurée seule, Lilly se prépara un sandwich qu'elle mangea devant son ordinateur en buvant du café.

Lorsque la porte s'ouvrit, elle se crispa, avant de constater avec soulagement que c'était sa mère.

– Je t'avais dit de ne pas venir ce soir.

– Ton père est là, je suis là. Il faudra t'y faire.

Jenna ouvrit le réfrigérateur, poussa un soupir en constatant qu'il ne contenait presque rien, sortit une bouteille d'eau.

– Tu travailles et je te dérange.

– C'est bon. J'étais en train de réviser un article pour mon site Web sur notre nouvelle princesse.

– Je l'ai vue. Elle est très belle. Si élégante et si mystérieuse ! Elle va te faire une formidable publicité.

– Je crois, oui. Et puis elle sera heureuse, ici, surtout avec toute la place qu'elle récupérera dans son nouvel enclos. Elle aura un régime équilibré, elle sera bien soignée. Peut-être même qu'on pourra lui présenter un mâle l'année prochaine.

Après un court silence, Jenna s'assit.

– Ce n'est sans doute rien du tout, mais…

– Mais quoi, maman ?

– Tu connais Alan Tobias, le ranger ?

– Oui. Il amène ses enfants ici.

– Il est venu nous prêter main-forte, ce soir.

– C'est gentil. J'irai le remercier tout à l'heure.

– Tu pourras. En attendant, il nous a dit qu'un randonneur avait disparu.

– Depuis combien de temps ?

– Il aurait dû rentrer vers 16 heures. Sa femme n'a commencé à s'inquiéter qu'au bout d'une heure.

– Il est presque 20 heures, maintenant.

– Oui, et il fait nuit, et son téléphone portable ne répond pas.

Lilly parvint à réprimer un frisson d'effroi.

– Le signal est mauvais en pleine nature. Tu le sais.

– Oui, et ce n'est probablement rien. Il a pu s'égarer un peu, ce qui risque de lui valoir une nuit assez désagréable s'il ne retrouve pas vite son chemin. Seulement, il se trouvait du côté de Crow Peak, pas loin de l'endroit où vous avez pris ce couguar au piège, avec Coop.

– Il faut une journée entière pour escalader cette colline et en redescendre, et ce n'est pas une ascension facile. S'il manque d'expérience, ça peut lui demander plus longtemps, trop longtemps. Qu'est-ce qu'il faisait là-bas tout seul ?

– Je ne sais pas. Je ne connais pas tous les détails, mais on a lancé des recherches.

– On finira bien par le retrouver.

– L'homme qui a tué ton couguar et qui est venu ici, on ne l'a pas trouvé, lui.

– C'est parce qu'il se cache. Pas le randonneur.

– On attend de la pluie pour cette nuit. Beaucoup de pluie.

Jenna jeta un coup d'œil par la fenêtre.

– On la sent venir, d'ailleurs. J'ai un mauvais pressentiment, Lilly.

18

La pluie arriva, violente et drue. À l'aube, Lilly rentra, épuisée, dans son chalet, se débarrassa de son ciré et de ses bottes pleines de boue.

Elle rêvait d'une petite heure de sommeil, de deux si possible, avant de s'offrir vingt-quatre heures de douche chaude et un repas gargantuesque.

On n'avait pas retrouvé le randonneur, un certain James Tyler, de St Paul. Elle espérait juste qu'il n'avait pas passé une nuit plus déplaisante que la sienne.

Pieds nus, elle gagna l'escalier, jetant au passage un coup d'œil dans le salon, mais le canapé était vide. Lilly n'avait d'ailleurs pas vu le pick-up, quoique, sous la pluie battante, on ne distinguât pas grand-chose. Elle grimpa les marches en soupirant.

Brancher l'alarme du réveil. Quatre-vingt-dix minutes, ce serait un bon compromis. Et au lit. Au chaud, au sec, foncer dans le pays des rêves.

En entrant dans la chambre, elle put constater que le lit en question était déjà occupé. La jeune femme ravala de justesse un juron, mais, lorsqu'elle recula pour sortir à pas de loup, Cooper ouvrit les yeux.

– Fini de dormir sur ton canapé défoncé.

– Ça tombe bien, on est le matin. Tu dois te lever pour aller travailler. Prépare-toi du café si tu veux mais sans bruit, j'ai sommeil.

Et elle courut se réfugier dans la salle de bains.

Autant commencer par la douche, elle n'en dormirait que mieux ensuite. Après tout, Cooper avait eu raison d'utiliser le lit après une veille de plusieurs heures dans le froid et la pluie. Elle se déshabilla, abandonnant ses vêtements encore tellement dégoulinants qu'ils formèrent une flaque sur le carrelage. Puis elle ouvrit le robinet, aussi brûlant qu'elle put le supporter, poussa un gémissement de plaisir en sentant cette eau réchauffer son corps glacé jusqu'aux os.

Elle poussa un cri lorsque le rideau s'ouvrit.

– Je n'y crois pas !

– Je veux prendre une douche.

– C'est ma douche !

– Il y a plein de place et plein d'eau, répliqua-t-il en se glissant derrière elle.

Elle lui balança ses cheveux trempés en plein visage.

– Tu vas trop loin, Cooper !

– J'irais trop loin si je te posais les mains sur les fesses, ce qui n'est pas le cas.

– Je suis fatiguée. Je n'ai pas envie de discuter avec toi.

Elle demeura encore un instant sous le jet et finit par sortir, s'enveloppa dans une serviette, en enroula une autre autour de sa tête. Dans la chambre, elle enfila un pantalon de jogging et un tee-shirt puis s'assit au bord du lit pour régler le réveil.

Cooper sortit à son tour, en jean et chemise ouverte, les cheveux mouillés.

– On a retrouvé le randonneur ?

– Non, pas encore.

Hochant la tête, il s'assit pour enfiler ses chaussettes, la regarda se glisser sous le drap. Et il s'étira jusqu'à se retrouver à côté d'elle pour l'embrasser doucement.

– Dors bien. Je reviendrai plus tard.

Il lui promena un doigt sur la joue puis se releva et se dirigea vers la porte.

– Ce n'était pas que physique, Lilly. Ça ne l'a jamais été.

Les paupières closes, elle l'écouta s'éloigner.

Et elle se laissa aller à l'émotion qu'il venait de susciter. Alors que la pluie continuait de tambouriner contre les carreaux, elle pleura jusqu'à sombrer dans le sommeil.

La pluie ne cessant de tomber, il fallut annuler les randonnées équestres prévues pour la matinée. Cooper s'occupa des animaux et cessa de pester contre le mauvais temps.

Tandis que son grand-père s'activait dans l'atelier et que sa grand-mère se plongeait dans les livres de comptes, tous deux bien au chaud, il fit entrer les chevaux dans la remorque.

– Il y a largement de quoi s'abriter, dans les collines, dit Lucy en lui apportant son déjeuner. J'espère que ce pauvre homme s'y sera réfugié. Dieu seul sait comment on va le retrouver par un temps pareil.

– On a six chevaux montés par six volontaires et j'emmène ceux-ci pour le cas où il leur en faudrait davantage. Avec les crues qui menacent, on risque d'avoir des problèmes.

– Ça commence à en faire beaucoup.

– Dès que le ciel s'éclaircira, il faudra peut-être m'envoyer des hommes en renfort. Je t'avertirai. Sinon, je rentrerai dans quelques heures.

– Tu passes encore la nuit chez Lilly ?

Il s'arrêta, une main sur la porte.

– Oui, jusqu'à ce que tout ça soit réglé.

– Et toi et Lilly ? Vous allez tout régler aussi ?

– On s'en occupe.

– Je ne sais pas ce qui s'est passé entre vous depuis le temps que vous vous connaissez, et je ne veux pas le savoir. Mais si tu aimes cette fille, cesse de perdre ton temps. Je voudrais te voir heureux, établi. Et puis j'aimerais bien commencer à voir des bébés par ici.

Il se frotta la nuque.

– Là, tu sautes quelques étapes.

– Pas de mon point de vue… Si tu te joins à l'équipe de secours, tu prends un fusil.

Elle lui caressa la joue.

– Fais attention, mon garçon, parce que je tiens à toi.

– Ne t'inquiète pas.

Pas besoin de s'affoler, se dit-il en roulant vers Deadwood sous des trombes d'eau. Ce n'était pas lui qu'on harcelait, pas lui qui s'était perdu dans les collines. Lui, il ne faisait qu'arriver après coup, prêter ses chevaux et son attention. Et pour Lilly ? Tout ce qu'il pouvait lui offrir, c'était sa présence.

L'aimait-il ?

Il l'avait toujours aimée. Il avait pris les choses comme elles venaient, bien obligé de vivre sans elle. Quand il voyait à quoi elle était parvenue, exactement à ce qu'elle avait voulu, il se disait qu'elle avait réalisé ses rêves. Et lui aussi, en un sens.

À présent, il prenait les choses comme elles venaient, l'ennui étant qu'il ne savait pas où se situer par rapport à elle.

Un ami ? Un amant de passage ? Un port dans la tempête ?

De toute façon, cela ne lui suffisait plus, cette fois. Alors il allait insister, parce qu'il voyait bien ce qui allait venir ensuite. Et, là, tous deux sauraient.

Comme il se garait, Gull sortit de l'écurie. L'eau dégoulinait de son chapeau alors qu'il l'aidait à faire descendre les chevaux.

— On ne l'a pas encore trouvé, cria-t-il pour couvrir le vacarme de la pluie. Ça ne sert à rien de sortir sous ce déluge. Je ne vous dis pas à quoi ça ressemble, là-haut !

— Ils vont avoir besoin d'autres chevaux.

Même si les hélicoptères pouvaient décoller, personne n'y verrait rien. Seuls des cavaliers avaient encore une chance d'intervenir.

— On essaie de le localiser grâce à son mobile, reprit Gull. Si vous avez pas besoin de moi ici, je pourrais me rendre utile sur la piste.

— Prends la monture que tu voudras et vas-y. On reste en contact.

— Entendu.

Cooper entra dans son bureau et se prépara du café. Tant qu'on ne l'appelait pas à la rescousse, il comptait effectuer des recherches sur Ethan Howe.

Il alluma son ordinateur et décrocha le téléphone.

L'heure suivante s'écoula en discussions avec des policiers et autres enquêteurs de l'Alaska, du Dakota du Nord, de l'État de New York. À force de questions, il obtenait davantage de détails, remplissait les blancs. Il put également s'entretenir avec l'agent de probation de Howe, ses anciens propriétaires et d'autres personnes qui lui apportèrent des précisions.

Quant aux femmes que le suspect avait pu fréquenter, elles semblaient rares, dispersées. L'homme était un solitaire, une sorte de vagabond qui préférait les régions peu peuplées ; pour autant que pût le constater Coop, Howe ne restait guère plus de six mois au même endroit. En général, il campait. Parfois, il prenait une chambre dans un motel ou un meublé et ne payait qu'en liquide.

Il travaillait par à-coups, comme journalier, garçon d'écurie, guide de randonnée. Il ne se liait guère. Solitaire. Il travaillait dur mais ne se fixait pas.

Cooper poussa plus loin ses recherches, et cela le mena à un bar de Wise River, dans le Montana.

– Allô ? Chez Bender's ? Je voudrais parler au propriétaire ou au gérant.

– Je suis Charlie Bender, le propriétaire.

– Vous étiez déjà là il y a quatre ans, en juillet, août ?

– Ça fait seize ans que je suis là. Pourquoi ?

– Monsieur Bender, ici Cooper Sullivan, détective privé à New York.

– Alors pourquoi vous appelez du Dakota du Sud ? Votre numéro s'est inscrit sur mon écran, mon pote.

– Parce que je suis dans le Dakota du Sud. Je peux vous donner mon numéro de licence, si vous voulez vérifier.

Certes, il avait vendu son cabinet, mais sa licence était toujours valable.

– Je suis à la recherche d'un homme qui a travaillé chez vous pendant deux mois, l'été de 2005.

– Qui ça ?

– Ethan Howe.

– Ça ne me dit rien. En quatre ans, j'en vois, du monde ! Pourquoi ? Qu'est-ce que vous lui voulez ?

– Il pourrait être lié à un cas de disparition dont je m'occupe pour le moment. Il doit avoir une trentaine d'années…

Cooper ajouta une description sommaire.

– J'en connais des centaines comme ça.

– Il venait de sortir de prison pour agression.

– Ce qui ne le distingue pas davantage des autres.

– Il se dit à moitié sioux et prétend pouvoir vivre dans la nature. Il est plutôt solitaire mais très poli et charmant avec les dames. Du moins au début.

– Le Chef. On l'appelait le Chef parce qu'il se vantait de ses liens de parenté avec Crazy Horse dès qu'il avait un peu forcé sur la bière. Un vrai con. Tenez, il portait un collier de dents d'ours, à ce qu'il racontait, soi-disant qu'il chassait ces bêtes-là avec son paternel quand il était petit. Il bossait pas mal quand il était là, mais ça n'a pas duré. Il a fini par se barrer avec ma meilleure serveuse.

– Comment s'appelait-elle ?

– Molly Pickens. Ça faisait quatre ans qu'elle travaillait pour moi. Du coup, je me suis retrouvé avec deux employés en moins du jour au lendemain. J'ai été obligé de mettre ma femme en salle et j'en ai entendu parler pendant des semaines.

– Vous savez où je pourrais joindre Molly ?

– Je n'en ai plus jamais eu de nouvelles.

Cooper sentit ses tempes le démanger.

– Elle a de la famille ? Des amis ? Quelqu'un avec qui je puisse prendre contact ?

– Désolé, mon pote, mais je ne tiens pas des dossiers pour chacun de mes employés. Elle est venue demander du travail. Je lui en ai donné. Les clients l'aimaient bien. Elle ne s'occupait pas de mes affaires et je ne m'occupais pas des siennes.

– D'où venait-elle ?

– Je vous en pose, moi, des questions ? De la côte est, je crois. Un jour, elle a dit qu'elle en avait marre de son vieux ; je ne sais même pas si c'était son père ou son mari. Chez moi, elle n'a jamais fait d'histoires, jusqu'à ce qu'elle se barre avec le Chef.

– Elle a emporté ses bagages ?

– Quelques vêtements, des bricoles. Elle a vidé son compte en banque et elle est partie dans sa vieille Ford Bronco.

– Elle aime le grand air ? La randonnée, le camping ?

– Qu'est-ce que j'en sais ? C'est elle que vous cherchez ou lui ?

– En fait, les deux.

Bender laissa échapper un soupir.

– Maintenant que vous le dites, elle aimait bien se balader. C'était une fille sportive, assez vaillante. Ses jours de congé, elle sortait prendre des photos. Elle voulait devenir photographe et elle se faisait un peu d'argent de poche en vendant ses clichés aux touristes. Peut-être qu'elle a fini par réaliser son rêve.

Cooper n'en était pas si sûr. Il posa encore quelques questions à Bender, prit des notes.

Après avoir raccroché, il s'adossa à sa chaise, ferma les yeux. Un schéma liait tous ces éléments… Car il existait certainement un lien qui les faisait converger vers un point précis. Restait à déterminer lequel.

Préférant ne tirer aucune conclusion, il alla voir Willy.

Le shérif lui présenta un visage blême de fatigue, des yeux rouges.

– Le rhume des foins, dit-il d'une voix caverneuse.

Il éternua, sortit un mouchoir.

– C'est le printemps, paraît-il ! Il y a une demi-heure qu'on est rentrés de l'expédition de secours.

– Vous n'avez pas retrouvé Tyler ?

– Non. C'est la cata, là-haut, une chatte n'y retrouverait pas ses petits. On remet ça demain. Si ce pauvre type est vivant, il doit en baver. Mais ça ne fait jamais qu'un jour. S'il n'est pas blessé ou mort, il a pu se réfugier dans une grotte. Il a emporté de l'eau, des barres énergétiques, des fruits secs. Il ne mourra pas de faim. On craint plutôt qu'il ne se soit laissé emporter par un torrent.

– Vous avez besoin d'aide ?

– On est bien assez nombreux comme ça. Je n'ai pas envie qu'un de mes hommes tombe à son tour et se noie. J'en ai déjà deux qu'il a fallu évacuer, l'un avec une cheville cassée, l'autre victime de ce qu'on a pris pour une crise cardiaque, en fait, une indigestion. En revanche, si on repart demain, ce sont plutôt d'autres chevaux qu'il nous faudrait.

– Vous les aurez. Willy…

Il fut interrompu par une femme qui venait d'apparaître sur le seuil.

– Shérif !

– Entrez, madame Tyler. Asseyez-vous. Vous n'auriez pas dû sortir par ce temps.

– Je ne peux pas rester dans ma chambre d'hôtel. Je vais devenir folle. Il faut que je sache ce qui se passe. Dites-moi quelque chose !

– Nous faisons tout ce qui est en notre pouvoir. Nous avons lancé beaucoup d'hommes à la recherche de votre mari. Des hommes qui connaissent les collines, qui ont déjà fait partie d'expéditions de secours. Vous m'avez dit que M. Tyler était un homme raisonnable ?

– D'habitude, oui.

Elle s'affala sur un siège et porta une main à ses yeux. À les voir, rouges et gonflés, Cooper se douta qu'elle n'avait guère dû les fermer plus d'une heure depuis la disparition de son mari.

– Il n'aurait pas dû se lancer dans cette randonnée, ajouta-t-elle en se balançant sur sa chaise. Il ne s'entraînait plus depuis des années.

– Vous n'aviez pas dit qu'il faisait de l'exercice ?

– Si, mais pas assez. J'aurais dû aller avec lui. Je n'aurais pas dû le laisser continuer tout seul. Tout ça parce que je n'avais pas envie de marcher des kilomètres. J'avais envie de louer des chevaux, mais Jim n'a jamais été à l'aise sur une selle. Je croyais pouvoir le convaincre de rentrer avec moi et je n'étais pas contente qu'il s'entête, je l'ai envoyé se faire voir. Quand je pense que c'est la dernière chose que je lui aie dite… Oh, mon Dieu !

Willy la laissa pleurer et, après avoir fait signe à Cooper de rester, lui tapota la main.

– Je sais que vous avez peur et je voudrais pouvoir vous en dire davantage, ne serait-ce que pour vous apaiser.

– Son téléphone. Vous avez dit qu'on pouvait le repérer.

– On a essayé, mais on ne capte pas le signal. La batterie est peut-être à plat.

– Il aurait appelé, dit-elle d'une voix tremblante. Il aurait essayé d'appeler. Il n'aurait pas voulu que je m'inquiète. Nous avions chargé nos téléphones avant de partir. Il paraît qu'il y a eu des inondations, d'après les informations.

– C'est un homme sensé. Il sera resté en hauteur. Nous ne l'avons pas trouvé, madame Tyler, mais nous n'avons pas non plus découvert de signe indiquant que quelque chose lui serait arrivé. Tenons-nous-en là pour le moment.

– J'essaie.

– Je vais vous faire ramener à votre hôtel. Si vous le désirez, quelqu'un peut rester avec vous.

– Non, merci. Non. Ça ira. Je n'ai pas encore appelé mes fils. J'étais tellement sûre qu'il allait revenir ce matin, et maintenant… voilà vingt-quatre heures qu'il aurait dû rentrer. Je dois les prévenir.

– C'est vous qui savez.

– Jim rêvait tellement de ce voyage au pays de Calamity Jane, de Crazy Horse, des Black Hills ! Nous avons un petit-fils de trois ans et un autre qui va bientôt arriver. Il voudrait les emmener en randonnée. Il venait d'acheter du matériel tout neuf.

Le shérif se leva pour la raccompagner.

– Et vous dites qu'il avait emporté tout ce qui était recommandé par les guides, une carte, une lampe torche…

Cooper regardait par la fenêtre la pluie marteler le sol. Lorsque Willy revint, il ferma la porte derrière lui en commentant :

– Je ne sais pas comment cet homme va supporter une nouvelle nuit là-haut.

Cooper se retourna.

– S'il est tombé sur Ethan Howe, il n'y aura pas de nouvelle nuit.

– Qui est Ethan Howe ?

Cooper lui raconta tout ce qu'il savait sous forme d'un rapport rapide et concis, comme on le lui avait appris quand il était flic.

– La relation semble mince avec Lilly et ses animaux, mais elle existe, reconnut Willy. Savez-vous s'il y a jamais eu un conflit entre ce Howe et Lilly ?

– Elle se souvenait à peine de lui, et encore, seulement à cause de la stagiaire. Ce type est insaisissable, shérif. Vagabond, solitaire, marginal… à un détail près : il boit. C'est là son point faible. Sans ça, il rase les murs, personne ne le remarque, sauf quand il a un verre dans le nez et qu'il commence à étaler ses origines indiennes. Là, il s'emporte, il ne se contrôle plus.

– Je connais beaucoup de gens à qui ça arrive.

– D'après les amis et la famille de cette Carolyn Roderick, il peut dérailler gravement. Avec la serveuse du Montana, elle a plusieurs points communs, le même type de femme : sportive, jolie, du caractère, célibataire. Molly Pickens a vidé son compte en banque pour partir avec lui.

– De son plein gré.

– C'est là qu'on la perd de vue. Aucune trace de mouvement sur ses cartes de crédit que, jusque-là, elle utilisait régulièrement. Elle n'a pas non plus mis à jour son permis de conduire ni payé ses impôts. Elle avait quitté Columbus, dans l'Ohio, en 1996, à dix-huit ans. On disait que son père la maltraitait et qu'il n'aurait pas signalé sa disparition. Mais j'ai pu reconstituer son parcours grâce à ses papiers, ce qui n'est plus le cas depuis qu'elle a suivi Ethan Howe. Plus rien.

Plongé dans ses réflexions, Willy finit par laisser tomber :

– Vous croyez qu'il a tué cette serveuse et la stagiaire ?

– Exactement.

– Et vous croyez que c'est lui qui provoque toutes ces dégradations chez Lilly ?

– Il colle bien dans le tableau, et puis elle correspond à son type.

– Et si Tyler a croisé son chemin…

– Il ne veut sans doute pas être vu ; il ne souhaite pas qu'on parle de lui, qu'on aille signaler sa présence sur la piste. À moins que Tyler ne soit tombé sur son camp ou ne l'ait surpris en train de braconner. Ou alors c'était juste pour le plaisir de tuer. Et ce n'est pas tout.

– Misère ! souffla Willy en se pinçant le nez. Allez-y.

– Melinda Barrett. Vingt ans.

– C'est la fille que vous avez découverte, avec Lilly.

– Le caractère bien trempé, sportive, jolie. Seule sur la piste. Je pense que c'était sa première victime. Il devait avoir à peu près le même âge qu'elle.

Cooper jeta un dossier sur le bureau.

– Il y en a eu d'autres par la suite. Je vous ai préparé des copies.

– Nom d'un chien, ne me dites pas qu'on a affaire à un tueur en série ! Ça en ferait, des meurtres, sur près de quinze ans…

– Qui se sont interrompus, comme par hasard, durant un an et demi, à l'époque où Howe était en prison. Il y a eu d'autres vides, parfois assez longs, mais nous trouvons alors pas mal de disparitions qui coïncident avec ces périodes.

Willy jeta un coup d'œil sur le dossier en toussant.

– Fichu printemps ! maugréa-t-il. Je vais lire tout ça et il faudra qu'on en reparle. Vous cherchez du boulot ?

– J'en ai un, merci.

– Allons ! Vous êtes flic dans l'âme.

Cooper se leva.

– Il n'y a que mes chevaux qui m'intéressent, mais, là, je me sens personnellement concerné. Je ne le laisserai pas toucher à Lilly. Pas une chance. Si vous me cherchez, vous savez où me trouver.

Il repassa chez lui pour jeter quelques vêtements dans un sac en se disant qu'il avait moins dormi dans ce dortoir aménagé que sur le canapé de Lilly. Ou dans son lit. Et il en serait ainsi tant que l'affaire ne serait pas réglée.

Il courut sous la pluie battante jeter le sac dans son pick-up avant de filer au ranch.

Après avoir fait asseoir ses grands-parents dans la cuisine, il les mit au courant de ce qu'il savait. Lorsqu'il eut terminé, Lucy se leva pour aller chercher une bouteille de whisky et trois verres.

Elle vida le sien d'une traite.

– Tu en as parlé à Jenna et à Josiah ?

– Je passerai chez eux en montant au refuge. Je ne peux pas prouver…

– Tu n'as rien à prouver, le coupa Sam. Il nous suffit que tu le croies. Nous espérons juste que tu t'es trompé au sujet de ce pauvre homme qu'on recherche, qu'il s'est juste perdu, qu'il est juste trempé et qu'il s'est fait une belle peur.

– En attendant, j'aimerais que vous ne sortiez pas. Je me suis occupé des animaux et je reviendrai demain matin. Alors bouclez la maison derrière moi et gardez un fusil chargé sous la main. Promettez-le-moi, sans ça, je ne peux pas m'en aller ni m'occuper de Lilly.

– Tu me mets la pression, là, marmonna Sam.

– Parfaitement.

– Alors tu as ma parole.

– Très bien. Si vous entendez quoi que ce soit, si vous avez le moindre doute, appelez-moi et prévenez la police. N'hésitez pas, ne craignez pas les fausses alertes. Cela aussi, il faut me le promettre, sinon, j'envoie deux hommes pour veiller sur vous.

– Tu crois qu'il pourrait venir ici ? interrogea Lucy.

– Non. Je crois qu'il se sent investi d'une mission et que le ranch ne se trouve pas sur les lieux qui l'intéressent. Mais ce n'est pas pour autant qu'il faut baisser la garde. Il pourrait avoir besoin de provisions ou chercher un coin pour dormir. C'est un psychopathe. Je ne veux même pas savoir ce dont il est capable. Je ne veux pas que vous preniez le moindre risque.

– Va retrouver Lilly, dit Sam. Tu as notre parole. À mon avis, Josiah et Jenna sont déjà partis pour le refuge ou ne vont pas tarder. Tu les y retrouveras. En attendant, je vais téléphoner chez eux, pour le cas où ils y seraient encore. Je leur raconterai tout.

Cooper hocha la tête et but un peu de whisky. Le nez dans son verre, il ajouta, songeur :

– Tout ce qui fait ma vie est ici. Dans ce ranch, avec Josiah et Jenna, et chez Lilly. Rien d'autre ne compte pour moi.

Lucy lui prit la main.

– Dis-le-lui.

Le temps qu'il arrive chez Lilly, l'équipe s'employait à donner à manger aux bêtes. Il avait assisté plus d'une fois au cérémonial, mais jamais sous de telles trombes d'eau. On ne voyait que des silhouettes en ciré noir, armées d'énormes paniers de nourriture, poulets entiers, pièces de bœuf ou de gibier, le tout préparé à l'intendance. Il y en avait des centaines de kilos, parfaitement sains, nettoyés, apportés tous les soirs. Des tonnes de grain, des bottes de foin déposés et installés jour après jour, par tous les temps.

Il faillit proposer son aide mais s'avisa qu'il ne saurait pas quoi faire. Il pouvait se rendre utile d'une autre façon.

Après avoir déposé au chalet la marmite de ragoût de bœuf préparé par sa grand-mère, il ouvrit une bouteille de rouge et s'assit pendant que le plat et les petits pains réchauffaient.

Étrange de se détendre ainsi au sec alors que la pluie martelait le toit et les fenêtres, que le vent soufflait avec vigueur. Il alluma deux bougies, mit le couvert.

Lorsque Lilly entra, trempée, la mine morose, elle fut accueillie par une odeur appétissante, un éclairage chaleureux et un verre de vin.

– Je suis encore capable de préparer mon dîner toute seule.

– Vas-y. Ça me fera davantage de ragoût.

– Ils viennent pour commencer les travaux de sécurité demain, si le temps le permet. Comme ça, on pourra mettre fin à cette situation idiote.

– Parfait. Tu bois du vin ?

– C'est mon vin !

– Non, c'est moi qui l'ai apporté.

– J'en ai, merci.

– Comme tu voudras.

Mine de rien, elle goûta tout de même celui qu'il lui avait versé.

– Très bon.

Elle se laissa tomber sur le banc, fit la grimace quand elle remarqua les bougies allumées.

– On veut jouer les romantiques ?

– C'est pour le cas où l'électricité serait coupée.

– On a un groupe électrogène.

– Il faut un certain temps pour le mettre en route. Tu n'as qu'à les souffler si elles te gênent.

Elle poussa un soupir mais ne souffla pas sur les flammes.

– J'ai horreur de te voir aimable et décontracté alors que je t'envoie bouler.

Il remplit un autre verre, y goûta à son tour.

– Avale-moi ce pinard, espèce de garce ! Ça te va mieux comme ça ?

Elle réprima un sourire.

– Presque.

– Sacré boulot de nourrir les animaux par un temps pareil !

– Il faut bien qu'ils mangent. Mais c'est vrai que ça fatigue et que j'ai faim. Alors tu remercieras ta grand-mère de m'avoir envoyé ce dîner qui sent si bon. Je n'ai pas encore dressé ma liste, mais je l'ai dans la tête et il va falloir qu'on en discute. J'ai décidé de changer certaines choses. Je ne me suis pas bien conduite avec toi et je le regrette, je ne voudrais pas que ça retombe sur notre amitié.

– On ne peut pas toujours tout faire à ta façon, Lilly.

– Ni à ma façon ni à la tienne. Et je te jure que les choses ne se sont pas déroulées comme je le voulais. Simplement, j'aimerais qu'on établisse des bases plus concrètes. Alors…

– Ça va devoir attendre un peu. Il faut que je te dise ce que j'ai encore découvert sur Ethan Howe.

– Le type qui aurait enlevé Carolyn Roderick ?

– Oui. Elle et d'autres femmes. Mais pas seulement. Je pense que c'est lui qui a tué Melinda Barrett.

Elle s'immobilisa.

– Qu'est-ce qui te fait croire cela ? Ça remonte à près de vingt ans.

– On va dîner et je t'expliquerai tout. Au fait, s'il y a quoi que ce soit, dans ta liste, qui m'empêche de rester ici ou de veiller à ce qu'il ne t'arrive rien, tu oublies.

– Je n'ai pas l'intention de refuser qu'on nous protège, moi, mon équipe, ma famille, mes animaux. Mais tu n'es pas responsable de moi, Cooper.

– La responsabilité n'a rien à voir là-dedans.

Il sortit la marmite chaude, s'assit et se mit à tout lui raconter à la lumière des bougies.

19

Elle l'écouta jusqu'au bout, réagissant à peine alors qu'il exposait ses théories, essayant à nouveau de reconnaître dans sa mémoire le suspect que Cooper évoquait. Cependant, elle n'en percevait encore qu'une silhouette imprécise, de vagues détails, tel un dessin au crayon à demi effacé.

Au fond, Howe ne l'avait pas impressionnée et leurs conversations s'étaient réduites à leur plus simple expression.

– Je me rappelle qu'il m'a interrogée sur mes ancêtres d'origine sioux Lakota. Quand les gens apprennent ce détail, ils me posent souvent des questions là-dessus, même s'ils ne me connaissent pas. C'est pour ça que je l'ai indiqué dans ma biographie, sur le Web, pour préciser que ma famille a toujours vécu dans ces collines. Mais lui, il voulait davantage de précisions et il m'a dit qu'il descendait de Crazy Horse… Tu vois le tableau. Je n'y ai pas trop prêté attention parce que des ahuris qui se proclament de sa lignée ou de celle de Sitting Bull, j'en rencontre régulièrement.

– Tu l'as donc repoussé. Poliment.

– Je suppose. Je n'en garde aucun souvenir précis. Il était quelconque et il m'énervait parce qu'il s'intéressait plus à ces histoires qu'à son travail. Tu sais, je passe mon temps à discuter avec des personnes que je ne connais pas.

– Sauf qu'en général ils ne tuent personne. Essaie encore.

Elle tenta de se reporter à cette époque. Il avait fait chaud, cet été-là, et le premier souci de l'équipe tournait autour des insectes, avec leur cortège de parasites et de maladies.

Assainissement, désinfectants. Ils avaient eu une marmotte blessée. À moins qu'elle ne confonde avec l'été précédent.

Les odeurs. La sueur, les excréments, les écrans solaires.

Beaucoup de touristes. En été, ils se bousculaient.

Elle se revit brièvement dans un gîte qu'elle achevait de rincer après l'avoir lavé à fond. Que lui expliquait-elle, déjà ? Oui, la procédure à suivre pour assurer un environnement sain aux animaux.

– Le quartier des couguars, murmura-t-elle. C'est ça. Je venais de nettoyer leurs jouets, surtout la balle bleue préférée de Bébé, le mât orange, le ballon rouge. Tout propre et bien rangé pendant que je rinçais et que j'expliquais les différentes étapes de l'assainissement quotidien. Et…

Elle avait beau essayer, elle ne parvenait pas à voir son image. Juste un type en jean, bottes et chapeau de cow-boy. Cependant…

– À un moment, il a voulu savoir si j'avais l'intention de demander la restitution des terres sacrées pour mon peuple et leurs guides spirituels, les animaux. J'avais autre chose à faire. Je ne sais plus exactement ce que je lui ai répondu, mais ce devait être quelque chose du genre : je pense surtout à protéger les animaux sauvages et à informer les gens.

– Ainsi, tu l'as repoussé une seconde fois.

– Et zut ! J'ai l'air d'une mégère, maintenant. Pourtant, je ne cherchais pas à me montrer désagréable. Il nous aidait. Je n'avais pas intérêt à le vexer.

– Tu ne te rappelles rien d'autre ? Ce qu'il aurait pu dire ou faire ? Comment il a réagi ?

– On avait trop de travail. Chichi, le léopard qu'on a perdu cet automne, était malade. Alors je pensais à autre chose. Je ne sais pas si c'est le recul ou si je fais une projection avec les éléments que je viens d'apprendre, mais je ne l'aimais pas beaucoup. Il venait de nulle part et il passait son temps autour des enclos à regarder les animaux… et moi.

– Toi ? Précisément ?

– C'est ce qu'il me semble, maintenant. Mais c'est normal, je suis la patronne et la réserve porte mon nom. Sauf que… Bébé ne l'aimait pas. C'est vrai, j'avais oublié ! Bébé adore qu'on s'occupe de lui, pourtant, il ne s'approchait pas de la clôture avec ce type dans les parages. Il ne ronronnait pas. En fait, il a même chargé deux fois en sa présence. Et ça ne ressemble pas à Bébé. Il n'est pas agressif. Il apprécie les gens.

– Mais pas ce mec.

– Pas vraiment. Sinon, on ne le voyait pas souvent, et j'ai très peu travaillé avec lui. Il ne portait pas de collier en dents d'ours ni rien de ce genre. Je l'aurais remarqué.

– Ça aurait fait tache dans un endroit pareil. Tu n'aurais pas apprécié.

– C'est certain. Coop, tu crois qu'il a assassiné tous ces gens ? Que c'est lui qui a tué Melinda Barrett ?

– Je n'en ai aucune preuve. Juste des présomptions.

– Non, je voulais savoir si toi, tu le croyais ?

– Oui. Tu n'as pas peur ?

– Si. Mais ça ne changera rien. Il faut que j'en parle à mes parents, que je les mette au courant.

– Mon grand-père s'en occupe. Je croyais les trouver ici.

– Je leur ai demandé de rester chez eux cette nuit. Je les ai sermonnés. « Vous vous faites du souci pour moi ? Et moi, alors ? Je ne peux pas m'en faire pour vous ? J'ai peur que vous ne dormiez plus assez, etc. » Mon père a passé six heures avec l'équipe de secours aujourd'hui. Ma mère a aidé à réparer des clôtures. Maintenant, je regrette de leur avoir dit ça. S'ils étaient restés là, ils seraient fatigués, mais, au moins, je les saurais en sécurité.

– Téléphone-leur, ça te rassurera.

– Si tu ne te trompes pas, Howe était encore un gamin quand il a commencé à tuer. Je ne comprends pas ce qui peut pousser quelqu'un à faire des choses pareilles.

Cooper remplit leurs verres et revint s'asseoir.

– C'est pourtant devenu le but de sa vie. Quand il était petit, il a été ballotté de famille en famille parce que son père se retrouvait régulièrement en prison pour avoir battu femme et enfant ; puis il en sortait et ça recommençait, parce que la mère n'a jamais porté plainte. Ils déménageaient sans arrêt ; on les a vus dans le Wyoming, au Montana. Le père a même été arrêté pour braconnage dans cette forêt.

– Ici ?

– Quand Ethan avait à peu près quinze ans. Pas de trace de la mère à cette époque.

– J'aurais pu les croiser…, murmura Lilly, songeuse. Je suis peut-être passée devant eux quand ils faisaient du stop.

– Et lui pourrait très bien t'avoir vue. En famille. Qui sait si, avec son père, ils ne se sont pas présentés pour demander du travail ?

– Je ne m'en souviens pas.

Agacée, elle se leva pour aller chercher des crackers et sortit un énorme morceau de cheddar.

– Mes parents ont pour règle de ne pas engager de vagabonds. Sans doute à cause de moi. Ils sont généreux mais très protecteurs. Jamais ils n'auraient laissé entrer des inconnus, surtout un homme et son fils adolescent, alors que j'avais treize ans.

Elle posa le fromage et les biscuits sur la table.

– Et puis un garçon de quinze ou seize ans qui aurait travaillé à la ferme, tu penses que je ne l'aurais pas oublié ! Je commençais tout juste à trouver les garçons intéressants.

– En tout cas, c'est bien à cette époque qu'on perd Ethan de vue pour deux ans. Je le retrouve ensuite comme guide de randonnée dans le Wyoming, où il est resté six mois, jusqu'à l'âge de dix-huit ans. Et puis il s'est enfui, sur un cheval, avec des provisions volées.

– On ne vole pas un cheval pour partir sur la route mais pour s'enfoncer dans l'arrière-pays.

– Bien vu ! dit-il en lui tendant une tartine. On ferait de toi un bon flic.

– C'est logique, non ? Et ses parents ? Si on pouvait leur parler, ça nous aiderait à y voir plus clair.

– Son père est mort il y a huit ans à Oshoto. L'alcool aura fini par le tuer. Quant à sa mère, je n'ai rien trouvé sur elle. Pas un seul signe de vie depuis dix-sept ans. La dernière trace que j'ai trouvée est un chèque qu'elle aurait déposé sur son compte, à Cody, dans le Wyoming, où elle était employée comme aide-cuisinière dans une gargote. Personne ne se souvient d'elle. Mais, jusque-là, elle travaillait quelques semaines par-ci, quelques mois par-là. Chaque fois qu'ils déménageaient, elle se cherchait un boulot. Et puis ça s'est arrêté.

– Tu crois qu'elle est morte ?

– Certaines personnes sont assez motivées par la peur pour apprendre à se cacher définitivement. Elle pourrait avoir changé de nom, émigré au Mexique ; peut-être qu'elle s'est remariée et qu'elle est en train de faire sauter ses petits-enfants sur ses genoux. Mais ça m'étonnerait. À mon avis, elle est morte. Soit accidentellement, soit parce que son mari l'aura battue une fois de trop.

– Ethan n'était alors qu'un gamin, et qui sait à quelles scènes il a pu assister…

Cooper lui opposa un regard fermé.

– C'est ce que dira son avocat. Le pauvre enfant battu, maltraité par un père alcoolique, avec une mère passive. Certes, il a tué tous ces gens, mais ce n'est pas sa faute !

– Tu crois que ses autres victimes, il a commencé par les harceler comme moi ?

– Pour Melinda Barrett, on dirait qu'il a cédé à une impulsion. Molly Pickens, d'après son patron, est partie avec lui de son plein gré. Mais Carolyn Roderick ? Je crois que oui, il l'a poursuivie. Tout dépend des relations qu'il entretient avec sa proie. Et de son obsession. Aucune des femmes dont on a retrouvé le cadavre n'a été violée. Aucune trace d'abus sexuel, de torture ou de mutilation. C'est le meurtre qui le motive.

– De toute façon, soupira Lilly, ce qu'il a fait nous a tous mis en état d'alerte. Il lui devient impossible de nous approcher, moi ou mes proches. Du coup... il doit me considérer comme un défi de plus ?

– Peut-être. Il est venu au moins quatre fois ici, et qui sait s'il n'y en a pas eu d'autres ? En ton absence, par exemple. Il peut très bien avoir trouvé du travail dans les environs, dans une ferme ou dans un ranch. Il connaît la région comme sa poche. S'il voulait seulement te tuer, tu serais déjà morte.

Cooper avait dit cela d'un ton si calme qu'elle en frémit.

– Tu as l'art de réconforter les amis, toi !

– Il aurait pu te descendre la nuit où il a laissé sortir le tigre. Ou à n'importe quel autre moment quand tu étais seule ; il n'avait qu'à ouvrir la porte pour l'enlever. Tu te rends chez tes parents, il te tend une embuscade. Ce ne sont pas les scénarios qui manquent, pourtant, il n'en a suivi aucun. Pas encore.

– Tu essaies de me terroriser.

– Je veux, oui !

– Ce n'est pas la peine, j'ai déjà assez peur comme ça ; je vais faire attention.

– Tu devrais en profiter pour repartir en voyage. Il y a sûrement un pays que tu aimerais étudier pendant quelques semaines, un ou deux mois.

– C'est ça ! Je suis assez connue pour qu'il l'apprenne immédiatement et m'y suive ; et, là, je ne serai plus sur mon terrain. Ou alors il peut attendre que je commence à l'oublier. Mais tu y as déjà pensé.

– Décidément, je te verrais bien flic. Oui, j'y ai pensé. En même temps, j'ai aussi pensé à le traquer en ton absence. Et ça, ça me plaît.

– Il n'est pas question que je m'en aille, Coop.

– Et si on éloignait tes parents quelque temps ?

Elle posa son verre, se mit à pianoter sur la table.

– Tu ne vas pas te servir d'eux, maintenant !

– Je me sers de tout ce qui peut te mettre à l'abri.

Elle se leva pour aller préparer du café.

– Je ne pars pas, répéta-t-elle. On ne me fera pas abandonner mon poste, ce refuge que j'ai bâti de mes mains. Je ne lâcherai pas mon équipe, mes animaux, qui se retrouveraient en première ligne. Tu le sais très bien, ou alors tu ne me connais pas.

– Je devais quand même essayer.

– Tu consacres beaucoup de temps et d'énergie à cette histoire.

– Tu veux une facture ?

– Ça va, Coop, je ne cherche pas à te mettre hors de toi. C'est vrai que je ne comprends pas où tu veux en venir. Je sais qu'on ferait mieux de mettre un terme à toute cette ambiguïté une bonne fois pour toutes, mais ce n'est pas le moment. Enfin… on n'a pas le temps… Bon, il faut que j'appelle mes parents et que je prenne mon tour de garde.

– Il y a bien assez de gens dehors. Tu n'as pas besoin de sortir. Tu es épuisée, Lilly, ça se voit.

– Tu commences par miner ma confiance et maintenant tu attaques mon ego. C'est ça, les amis ?

– Repose-toi, cette nuit.

– Tu le ferais, toi, à ma place ? De toute manière, je ne pourrai pas dormir.

– Je t'envoie une dose de tranquillisant. Ça te calmera quelques heures.

Tout en remplissant sa Thermos, elle ne put s'empêcher de rire.

– Tiens, dit-elle. Emporte ça. Je te rejoins dès que j'ai raccroché avec mes parents.

Il se leva, la prit dans ses bras.

– Regarde-moi. Jamais je ne permettrai qu'il t'arrive quoi que ce soit.

– Alors inutile de s'inquiéter.

Doucement, il posa les lèvres sur les siennes, juste le temps de les effleurer. Et elle sentit son cœur fondre.

– Il faut y aller, souffla-t-elle. Prends le café.

Il enfila son caban, ramassa la Thermos.

– Je ne dors pas sur le canapé.

– Non.

Elle soupira en le regardant sortir. Sa vie prenait un tour qu'elle n'avait pas prévu.

Lilly s'arrêta le long des barrières de l'enclos des petits félins. Malgré la pluie, Bébé et ses compagnons jouaient avec le gros ballon rouge. Les lynx se poursuivaient dans un arbre en grognant avec conviction et en montrant les crocs. En temps normal, sans ces flots de lumière, sans cette agitation alentour, ils se seraient plutôt abrités de la pluie.

De l'autre côté, la nouvelle pensionnaire feulait de temps à autre comme si elle se demandait ce qu'elle faisait là tout en rappelant qu'il ne fallait pas l'oublier pour autant.

– On dirait qu'ils font la fête.

Elle sourit à Farley, qui s'approchait.

– On dirait, oui. Ils sont enchantés d'avoir un public pour les admirer. Ce type ne va jamais se manifester dans une telle cohue. Je me sens un peu noyée au milieu de tous ces pauvres gens.

– Au contraire, c'est là qu'il faut faire deux fois plus attention. Quand on se croit en sécurité.

– Sans doute. Tu veux du café ?

– J'en ai déjà bu, mais ce n'est pas de refus.

Il se versa un gobelet avant d'ajouter :

– Je suppose que Tansy vous a raconté.

– Oui. Je trouve qu'elle a beaucoup de chance.

Il lui décocha un large sourire.

– Ça fait plaisir d'entendre ça.

– Deux de mes meilleurs amis qui deviennent inséparables ? Pour moi, c'est le rêve.

– Elle croit que pour moi c'est juste une passade. Enfin, c'est ce qu'elle voudrait croire. Et elle risque de le croire jusqu'à ce qu'on ait deux enfants.

Lilly faillit s'étrangler.

– Bon sang, Farley, quand tu t'y mets, tu fonces, toi !

– Une fois qu'on sait ce qu'on veut, autant y aller. Je l'aime, cette petite ! Elle en est toute retournée, elle ne sait plus ce qu'elle pense de moi, mais ça m'est égal. En fait, je trouve ça plutôt flatteur.

Sous la pluie qui gouttait de son chapeau, il buvait son café à petites gorgées.

– En tout cas, j'espère que vous allez pouvoir me rendre un petit service.

– Je lui ai déjà parlé, Farley. Je lui ai dit que vous étiez faits l'un pour l'autre.

– Merci, Lilly. Mais c'est pas ce que je voulais dire. J'aimerais que vous veniez avec moi pour lui choisir sa bague. Je n'y connais rien à ce genre de chose. Je veux pas faire de boulette.

Lilly écarquilla les yeux.

– Farley, je… Sérieusement ? Tu veux lui offrir une bague et la demander en mariage ? Comme ça ?

– Je lui ai déjà dit que je l'aimais et que je voulais l'épouser. J'ai couché avec elle. Je dis pas ça pour me vanter, puisqu'elle vous en a déjà parlé. Je veux lui offrir quelque chose qu'elle aimerait et je suis sûr que vous saurez quoi choisir. Vous voulez bien ?

– Certainement. Je n'ai jamais choisi une bague de fiançailles, mais je crois que je saurais en trouver une qui lui plaise. C'est fou, Farley !

– Vous croyez qu'on en trouvera une bien à Deadwood ? Sinon, je pourrai vous emmener jusqu'à Rapid City.

– Essayons déjà Deadwood. On devrait… je n'en reviens pas ! Farley !

Elle éclata de rire et se hissa sur la pointe des pieds pour l'embrasser sur la joue.

– Tu l'as dit à papa et maman ?

– Jenna a pleuré. Mais pleuré dc joie, hein ! C'est elle qui m'a conseillé de vous demander, pour la bague. J'ai promis de ne rien dire tant que ça ne serait pas fait. Alors motus, hein, Lilly ?

– Et bouche cousue.

– Je voulais leur en parler d'abord. Comme pour… enfin, ça va vous paraître un peu bête…

– Quoi ?

– Comme pour obtenir leur bénédiction, vous voyez…

– Ce n'est pas bête du tout. Tu es un type bien, Farley, je t'assure. Comment se fait-il que tu ne sois pas tombé amoureux de moi, d'abord ?

Il eut un sourire chagrin, pencha la tête de côté.

– Lilly, vous êtes presque ma sœur !

– Je peux te demander quelque chose ?

– Oui.

Elle se mit à marcher et il lui emboîta le pas, comme si, malgré leurs fusils, tous deux ne faisaient que se promener sous la pluie.

– Tu en as bavé quand tu étais gosse.

– Pas mal, oui.

– Je sais. Je crois que je m'en rends d'autant plus compte que moi j'ai été heureuse. Quand tu t'es enfui, tout seul, tu n'étais encore qu'un gamin.

– En tout cas, c'était comme ça que je me voyais.

– Pourquoi t'es-tu enfui ? C'est quand même quelque chose qu'on ne décide pas sur un coup de tête. Même quand on n'apprécie pas sa famille, ça reste la famille.

– Ma mère, c'était pas de la tarte de vivre avec elle, et j'en avais marre de voir tout le temps arriver des tas d'inconnus qui me viraient de la maison. Le soir, elle arrêtait pas de crier et de se disputer ; quelquefois, c'était elle qui commençait, quelquefois, c'était l'autre, mais ça se terminait toujours de la même façon : c'était moi qui prenais tout. Un jour, j'ai failli m'armer d'une batte de base-ball pour me défendre, mais c'était un gros et j'ai eu peur qu'il me l'arrache des mains et me tape dessus jusqu'à ce que j'en crève…

Il s'interrompit soudain.

– Attendez, Lilly ! Vous croyez que je pourrais toucher à Tansy, que je pourrais la traiter comme ça ?

– Jamais de la vie, Farley ! Non, c'est autre chose. Quand tu es arrivé ici, tu n'avais pas un sou et tu mourais de faim. Pourtant, tu n'as pas montré la moindre méchanceté, mes parents s'en seraient tout de suite aperçus. Tu n'as jamais volé, tu n'es pas du genre bagarreur ni tricheur. Et Dieu sait que tu aurais eu des raisons de l'être.

– Je n'étais pas meilleur que ceux que j'ai plantés là-bas.

– Oh, que si !

– La vérité, c'est que Josiah et Jenna m'ont sauvé. Je ne sais pas où j'en serais aujourd'hui sans eux.

– Nous avons tous eu de la chance le jour où tu as tendu le pouce devant leur voiture. Je te dis ça parce que ce type, celui qui rôde par ici, il a connu lui aussi une enfance malheureuse.

– Et alors ? C'est plus un gosse, que je sache !

C'était un raisonnement pur Farley, logique et droit, comme elle les aimait. Seulement elle savait que les gens étaient souvent plus compliqués que cela.

À 2 heures du matin, elle rentra au chalet, rangea son fusil et monta. Il lui restait quelques pièces de lingerie qu'elle conservait depuis l'époque de Jean-Paul, cependant, elle hésitait à porter pour

Cooper ce qu'elle avait acheté pour un autre homme. Si bien qu'elle enfila sa tenue habituelle, tee-shirt et pantalon de jogging, avant de s'asseoir sur le lit pour se brosser les cheveux.

Fatiguée ? Certes, mais tout de même sur ses gardes. Elle désirait qu'il vienne, elle désirait sa présence après cette longue et dure journée. Faire l'amour avec lui en écoutant la pluie marteler le toit, jusqu'au retour de l'aube.

En l'entendant arriver, elle se leva, posa la brosse sur la commode, ouvrit le lit et se tourna vers la porte.

– Je voudrais te parler, commença-t-elle, mais il est 2 heures du matin, alors on va réserver ça pour demain, en plein jour. En attendant, j'aimerais qu'on dorme dans le même lit, j'aimerais sentir quelque chose de bon et de fort à côté de moi après une journée aussi lugubre.

– Et demain on discute.

Il l'embrassa, avec une douceur, une persévérance qu'elle avait presque oubliées.

Dans les draps frais, ils s'unirent l'un à l'autre, corps et âme, lentement, doucement… et la tension finit par s'évanouir sous les baisers.

Inutile de se presser désormais, de prendre et se surprendre. Là, tout n'était que soie et velours, délicatesse et douceur. Plus seulement désir et sensation, mais aussi sentiments. Elle lui ôta sa chemise, traça du doigt la cicatrice qu'il portait au côté.

– Je ne sais pas si j'aurais pu supporter que…

– Chut ! souffla-t-il en lui baisant les mains. Ne pense plus à rien. Ne t'inquiète pas.

Elle avait la peau qui sentait la pluie, sombre et fraîche, frémissante lorsqu'il la goûta. Elle aussi portait des cicatrices, sans doute le fruit de son métier. La vie les avait tous deux marqués. Ils n'étaient plus ni l'un ni l'autre ce qu'ils avaient été au début de leurs amours. Pourtant, elle demeurait la seule femme dont il eût jamais rêvé.

20

Ce fut Gull qui découvrit Jim Tyler, par hasard plus qu'à force de recherches méthodiques. En compagnie de son frère, Jesse, et d'un shérif adjoint débutant, il avait conduit les chevaux par les sentiers boueux menant aux eaux gonflées de la rivière de Spearfish Creek, dans une atmosphère opaque.

Ils s'étaient écartés de la route qu'aurait dû emprunter Tyler pour se rendre au sommet de Crow Peak, puis le groupe des sauveteurs s'était éparpillé à travers les pentes arborées du canyon pour mieux en inspecter chaque boqueteau, chaque détour de rocher. Gull, qui ne s'attendait pas à trouver quoi que ce soit, s'en était presque voulu d'apprécier cette balade parmi les méandres schisteux aux paysages verdoyants. Un geai fondit tel un éclair bleu à travers la brume, interpellant les mésanges qui piaillaient dans un tintamarre de cour de récréation.

Pluie et neige fondue dévalaient en torrent le lit de la rivière, mais, en quelques endroits, les eaux demeuraient claires. Gull espéra avoir bientôt à guider un groupe de pêcheurs afin de venir lui aussi taquiner la truite. Dire qu'on le payait pour ça !

— Si notre homme s'est à ce point écarté de la piste balisée, dit Jesse, c'est qu'il n'a aucun sens de l'orientation. On perd notre temps.

— Belle journée pour perdre son temps ! Et je te rappelle qu'avec la tempête de l'autre nuit il y avait de quoi s'égarer.

— Cet imbécile aurait mieux fait de s'asseoir dans un coin et de ne plus en bouger, on l'aurait retrouvé.

Cy Fletcher, le shérif adjoint, se gratta la tête.

— Je propose qu'on suive encore un peu la rivière avant de faire demi-tour.

— Ça me va ! lança Gull.

— On n'y voit rien dans ce brouillard, maugréa Jesse.

– Le soleil ne va pas tarder à le chasser. Regarde, il perce déjà les nuages à l'ouest. De toute manière, qu'est-ce que tu as de mieux à faire ?

– Juste à travailler pour vivre. Moi, je ne suis pas payé pour me balader sur une selle devant une troupe de touristes. J'ai des chevaux à ferrer.

Les deux frères se chamaillèrent ainsi jusqu'à ce qu'ils arrivent en vue d'une petite cascade dont le bruit finit par couvrir leurs voix.

Enchanté, Gull s'apprêtait à profiter du paysage tout en se disant qu'il était un peu tôt pour organiser des excursions en radeau sur les rapides. La pluie pouvait encore tomber dru. Cependant, il poussa un long soupir de satisfaction, car, ainsi qu'il l'avait prévu, l'atmosphère se réchauffait. Il aperçut une truite qui sautait gaiement entre les eaux, et il pensa au plat que préparait sa mère pour Noël.

Il la suivit des yeux alors qu'elle filait vers le tourbillon mousseux des chutes, et c'est alors que ses cheveux se dressèrent sur sa tête.

– Je crois qu'il y a quelque chose, là-bas, sous la cascade.

– On n'y voit que dalle.

Sans tenir compte des protestations de son frère, Gull dirigea sa monture au bord de l'eau.

– Si tu tombes, je n'irai pas te chercher.

Ce n'était sans doute qu'un rocher, ce qui lui vaudrait les sarcasmes de Jesse pour un bon moment, mais il avait l'impression d'avoir aperçu le talon d'une chaussure.

– Regardez, dit-il à l'adjoint, on dirait un pied.

– D'ici, ce n'est pas clair, répliqua Cy Fletcher.

– Alertez la presse ! railla Jesse en s'agitant sur sa selle. On vient de retrouver la chaussure d'un campeur !

Gull avait préféré sortir ses jumelles ; une fois qu'il les eut ajustées, il blêmit.

– Bon sang ! Il y a quelqu'un dans cette chaussure !

– Arrête tes conneries !

– Ah oui ? Tu crois que je vais inventer un truc pareil ?

Jesse serra les dents.

– Faudrait peut-être aller y voir de plus près.

Ils attachèrent leurs chevaux.

L'adjoint n'avait pas bronché, comme s'il attendait que quelqu'un d'autre se dévoue.

– Bon, marmonna Gull. Je dois mieux nager que vous autres.

– C'est mon boulot, protesta mollement Cy.

– Sans doute, intervint Jesse en sortant sa corde. Mais Gull nage comme une loutre, et les courants ne sont pas faciles, par ici. Alors on s'en charge. Gull, tu es un abruti mais aussi mon frère, je ne vais donc pas te laisser te noyer.

Ce dernier se mit en caleçon avant de passer le lasso autour de sa taille.

– Je parie que cette eau est glaciale.

– C'est toi qui l'as voulu.

Gull s'approcha de l'eau, qui lui parut plus remuante que du haut de son cheval, y trempa un pied.

– Ouh, c'est froid ! cria-t-il. Donne du mou.

Derrière lui, son frère commença de dérouler la corde, et il s'immergea, nagea en imaginant ses membres sans doute déjà violets. Il heurta plusieurs fois les rochers mais réussit à s'en écarter.

Arrivé à l'endroit où il pensait avoir aperçu une chaussure, il plongea la tête, ouvrit les yeux sous l'eau transparente et put constater qu'il ne s'était pas trompé.

Il remonta à la surface en éternuant.

– Ramène-moi ! Ramène-moi !

La tête bourdonnante, au bord de la nausée, buvant à moitié la tasse à chaque mouvement, il comptait sur son frère pour lutter contre la panique qui le prenait. Quand il s'échoua sur le rivage, ce fut pour vomir son petit déjeuner avant d'articuler :

– Je l'ai vu ! Je l'ai vu ! Les poissons lui ont à moitié dévoré la figure.

La nouvelle se répandit comme une traînée de poudre. Cooper l'apprit de trois sources différentes, assortie de détails variant de l'une à l'autre, avant que Willy vienne le rejoindre aux écuries.

– Vous êtes au courant ?

– Oui, je vais voir Gull.

Le shérif avait encore la voix éraillée, même si son rhume des foins commençait à se calmer.

– Il a été assez secoué. Je dois aller recueillir sa déposition. Si vous voulez m'accompagner… En fait, Coop, j'apprécierais beaucoup que vous veniez. Pas seulement parce qu'il travaille pour vous. J'ai déjà traité plus d'un meurtre, mais pas dans ces conditions. Nous serons nombreux à nous mêler de cette affaire. J'aimerais que vous en soyez… même si ce n'est pas officiel.

– Je vous suis. Vous avez prévenu la femme de Tyler ?

Willy fit la grimace.

– Oui, c'est ce qu'il y a de pire dans ce type d'enquête. Vous avez dû vous taper ce genre de mission, vous aussi, sur la côte est.

– Le pire, en effet. Pour Tyler, j'ai eu droit à plusieurs versions. Vous savez ce qui a causé sa mort ?

– Le légiste n'a pas terminé. Notre homme est resté longtemps sous l'eau, vous imaginez ce que ça veut dire. Tout ce qu'on sait, c'est qu'il n'y est pas tombé par accident et que ce ne sont pas les poissons qui lui ont coupé la gorge ni lesté la cheville. Si Gull n'avait pas des yeux de lynx, Dieu sait quand nous l'aurions découvert… et dans quel état !

– De quoi s'est servi le meurtrier ?

– D'une corde en Nylon et de pierres. À mon sens, cet enfoiré a dû lui-même entrer dans l'eau pour ça. Il lui a pris son portefeuille, sa montre, sa veste et sa chemise pour ne lui laisser que son pantalon et ses chaussures.

– Ce ne devait pas être à sa taille, sinon, il les aurait volés aussi. Dommage de gâcher la marchandise.

Gull possédait un petit appartement à l'autre bout de la ville, au-dessus d'un bar. L'endroit sentait le cuir et les chevaux, comme lui ; on se serait plutôt cru dans une chambre d'étudiant garnie de meubles récupérés chez ses parents, son frère et tous ceux qui avaient une table ou une chaise à recycler.

Ce fut Jesse qui leur ouvrit. Il avait beau prétendre que ses chevaux l'attendaient, il ne quittait plus son frère d'un pouce.

– J'allais l'emmener chez notre mère pour qu'elle le dorlote un peu.

– C'est peut-être ce qu'il lui faut, remarqua Willy. Je vais prendre sa déclaration. J'ai déjà la vôtre, mais n'hésitez pas à intervenir si des détails vous reviennent.

– On vient de préparer du café, si ça vous tente.

– Ce ne serait pas de refus, dit Willy en s'approchant du petit lit où Gull se tenait la tête dans les mains.

– J'arrive pas à chasser cette image de mon esprit.

– Vous avez affronté une sale épreuve, Gull. C'était très courageux.

– J'aurais préféré que ce soit quelqu'un d'autre qui s'y colle.

Levant les yeux, il vit Coop.

– Bonjour, patron. Je comptais venir, mais…

– Ne t'en fais pas. Raconte ce que tu sais à Willy. Dis-lui tout, tu te sentiras mieux après.

Tout en buvant du café, Cooper écouta, durant l'heure qui suivit, son employé répéter une fois de plus son histoire et le shérif lui poser diverses questions.

Arrivé à la description de la scène sous l'eau, le cow-boy ne put s'empêcher de tourner un regard terrifié à Coop.

– Je n'avais jamais rien vu de pareil. Ce n'est pas comme dans les films ni nulle part. Je ne savais même pas si c'était le gars qu'on recherchait. On avait vu sa photo, mais là… avec les poissons qui l'avaient tout bouffé… Je crois qu'en remontant je pleurais comme une fille.

Quand ils se retrouvèrent seuls dans la rue, Willy paraissait contrarié.

– Cela fait une sacrée distance, entre la piste balisée et l'endroit où Tyler a abouti. Il pourrait avoir rencontré son meurtrier à peu près n'importe où.

– Vous croyez qu'il s'est à ce point éloigné de son chemin ?

– Non. Certainement pas tout seul. D'autant qu'il avait une carte et son téléphone. Je crois qu'on l'y a conduit.

– Je suis d'accord avec vous. L'autre ne voulait pas qu'on découvre trop vite le cadavre, trop près de son territoire. Il attire sa proie hors de votre… du domaine de Lilly, l'exécute, dépose le corps dans la rivière et retourne chez vous.

– Il a eu de la chance qu'il pleuve.

– Il ne pourra pas toujours compter sur la chance.

– Pour l'instant, nous recherchons un sujet non identifié. Nous ne pouvons relier le meurtre de Tyler à ce qui est arrivé à Lilly ni à aucun des autres crimes que vous avez attribués à Ethan Howe. Je vais tout de même diffuser sa photo au titre de suspect. Mon brave Cy a maintenu les lieux aussi intacts que possible. Il manque d'expérience, mais il n'est pas idiot. On a pris des photos ; vous ne m'en voudrez pas si je vous envoie quelques épreuves ?

– Non.

– C'est la criminelle qui ratisse les lieux en ce moment. Eux non plus ne sont pas idiots. Si ce salopard a oublié ne serait-ce qu'un cure-dents, ils le trouveront. Dès qu'on aura une fourchette pour situer l'heure de la mort, on pourra envisager quelques scénarios. Je suis à l'écoute de toutes vos suggestions. Je vous jure que je ne laisserai pas le minable qui terrorise mes amis et tue des touristes s'en tirer.

– Dans ce cas, voici ce que j'en pense. Il se terre quelque part dans les collines, vraisemblablement dans plusieurs repaires, mais il doit en avoir un principal où il garde son matériel. Il n'en a sans doute pas beaucoup, parce qu'il lui faut se déplacer rapidement. Quand il a besoin de quelque chose, il le vole. Dans les campings, dans les motels, dans les maisons vides. On sait aujourd'hui qu'il a au moins une arme de poing, il a donc besoin de munitions. Il chasse pour se nourrir, mais il pille également les terrains de camping. Et il sait coller l'oreille au sol. Il apprendra vite que vous avez découvert le cadavre. S'il était malin, il hausserait les enjeux en allant se cacher un certain temps dans le Wyoming. Mais je ne crois pas qu'il fera ça. Il poursuit un objectif qu'il n'a pas encore réalisé.

– On va le chercher partout. Qu'il montre le bout de son nez, et on ne le ratera pas.

– Avez-vous eu des plaintes récentes pour vol de campeurs, de randonneurs, de propriétaires de maisons ou de magasins ?

– On en reçoit tous les jours. Je vais faire examiner tout ce qui nous est arrivé ces six derniers mois. Si je vous nommais shérif adjoint, le temps que tout ça soit réglé ?

– Non, merci, je ne veux plus porter de plaque.

– Un de ces quatre, Coop, il faudra m'expliquer pourquoi.

– On verra. Maintenant, je voudrais aller chez Lilly.

– Passez d'abord chercher ces photos. Plaque ou pas, j'ai besoin de vous.

Cette fois, lorsque Cooper arriva chez Lilly, il portait son 9 mm sous sa veste. Il avait également emporté son ordinateur, les dossiers que Willy lui avait donnés et trois chargeurs. Après une courte hésitation, il en fourra un dans sa poche et rangea les deux autres dans un tiroir de la commode.

Ses yeux tombèrent sur une courte chemise de soie noire agrémentée de dentelles aux endroits adéquats. Lui qui se demandait pourquoi elle ne portait que de la flanelle… Apercevant également une petite chose rouge quasi transparente, il remit le tout à sa place.

Dans la cuisine, il posa son ordinateur sur la table, prit deux bouteilles d'eau dans le placard puis sortit jeter un coup d'œil sur la progression des travaux du système de sécurité.

Il passa quelque temps avec l'installateur mandaté par Brad Dromburg ; venu de Rapid City, l'homme préparait les branchements auxquels procéderait ensuite la société de Brad. Cooper repéra trois groupes de touristes qui faisaient le tour de la réserve, sans compter un bus scolaire arrêté à proximité.

De quoi occuper Lilly, ce qui était une bonne chose. Il ne leur restait que quelques heures avant la tombée du jour… et leur rendez-vous.

Après avoir accroché la remorque à son pick-up, Cooper y fit grimper Rocky, le cheval qu'il avait vendu à Lilly. Il y avait déjà installé le plus jeune, le plus vigoureux de ceux qui lui restaient. Amusant que personne ne lui pose de question. Apparemment, tout le monde le connaissait bien, et il avait l'air tellement sûr de lui… Les stagiaires vaquaient à leurs occupations, et, de l'autre côté du chemin, Tansy lui adressa un grand signe.

Il lui suffit d'une question à un employé pour apprendre que Lilly se trouvait dans son bureau. Il arrêta la remorque devant et entra dans le chalet.

— Bonjour, Coop, lui lança Mary d'un ton distrait. Elle est au téléphone, mais elle ne devrait pas tarder.

Elle baissa la voix, l'air soudain plus intéressée.

— Vous êtes au courant, pour le meurtre ? Vous croyez que c'est vrai ?

— Oui, c'est vrai.

— Le pauvre homme ! Sa pauvre femme ! Ils viennent passer quelques jours de vacances, et la voilà veuve. J'ai beau me dire que les humains sont foncièrement bons, il y en a toujours pour venir me convaincre du contraire.

— Vous avez raison.

— C'est ça, l'ennui, non ? Oh, votre ami de New York, le gars du système d'alarme, il nous a donné des nouvelles.

— J'ai discuté avec lui. Il arrive et devrait avoir tout terminé dans deux jours.

— Tant mieux. Mais avouez que c'est quand même une honte d'être obligé d'en passer par là.

— C'est un bon investissement.

— Bon. Tenez, elle a raccroché. Allez-y avant qu'elle appelle quelqu'un d'autre.

– Mary, ça vous dérange si je vous l'enlève quelques heures ?

– Non, si ce n'est pas pour l'emmener travailler, parce qu'elle n'a pas arrêté depuis des semaines.

– Promis.

– Alors ne la laissez pas vous dire non.

En ouvrant la porte du bureau de Lilly, il trouva celle-ci en train de pianoter sur son clavier. Avait-elle conscience de sa pâleur, de ses cernes ?

– J'ai une tigresse qui demande à venir vivre ici, annonça-t-elle.

– Il n'y a pas beaucoup de gens qui peuvent dire une chose pareille.

– Boris est très seul. À Sioux City, une boîte de strip-tease utilisait une tigresse du Bengale dans un numéro.

– Elle se déshabillait ?

– Ha ! ha ! Non, elle restait en cage ou enchaînée. Finalement, ils ont dû fermer pour maltraitance d'animaux. On lui avait arraché les griffes, on la droguait et Dieu sait quoi encore. Nous allons la prendre.

– Bon. Et tu vas la chercher ?

– J'ai demandé qu'on nous l'amène. Comme certains journaux ont parlé d'elle, je vais en profiter pour réclamer davantage de dons sur le site. Il me faut…

– Viens avec moi.

Elle frémit.

– Quoi ? Qu'est-ce qui se passe, encore ?

– Rien pendant les deux heures à venir. Ta tigresse peut attendre, et tout le reste aussi, tant qu'on peut profiter de la lumière du jour.

– Cooper, je travaille. On a un bus de scolaires et des touristes en pleine visite ainsi que des gens qui travaillent à notre système de sécurité. Matt vient de recoudre un faon attaqué par un félin, et j'essaie de faire venir DaLillya dès le début de la semaine prochaine.

– Je suppose que DaLillya est ta prochaine tigresse. Moi aussi, j'ai du travail, Lilly, et il attendra un peu, lui aussi. Viens.

– Où ? Enfin, Coop, on vient de tuer un pauvre homme, et toi tu parles d'aller se promener ou je ne sais quoi.

– Il ne s'agit pas de promenade. Puisque c'est comme ça, je vais devoir insister.

Contournant le bureau, il la souleva de terre pour la balancer sur son épaule.

– Arrête, bon sang ! cria-t-elle en lui frappant le dos. Tu es dingue ? Ne fais pas ça ! Si tu me sors…

Il attrapa le chapeau de Lilly au passage.

– Nous sortons quelques heures, Mary ! lança-t-il.

Celle-ci les suivit d'un œil goguenard.

– Très bien.

– Vous pourrez fermer, si nous ne rentrons pas à temps ?

– Pas de problème.

– Arrête ! cria Lilly. Je suis chez moi. Tu n'as pas à dire à mes employés… Ne sors pas de cette maison, Cooper, tu vas nous couvrir de ridicule !

– Je ne me sens pas gêné, dit-il en l'emmenant vers son pick-up. Mais c'est toi qui le seras si tu ne t'assieds pas où je te dis parce que je te rattraperai et t'y remettrai de force.

– Tu m'exaspères.

– Pas de souci.

Il ouvrit la portière côté passager, la déposa sur le siège.

– Je ne plaisante pas, Lilly. Je t'y remettrai aussi sec.

Là-dessus, il lui jeta son chapeau sur les genoux.

– Reste là.

– Oui, je reste, parce que j'en ai assez de tes scènes.

– Tant mieux.

Il claqua la portière, contourna le capot et alla s'installer derrière le volant.

– On va monter à cheval, annonça-t-il. Et on ne reviendra pas tant que tes joues n'auront pas repris des couleurs. Bien sûr, je ne parle pas du rouge de la colère.

– C'est pourtant tout ce que tu obtiendras.

– On verra. Je te conduis à Rimrock, en terrain neutre.

À des kilomètres de l'endroit où le corps de Tyler avait été découvert.

– À quoi ça rime ?

– Tu as besoin de te détendre et moi aussi. Et puis ça fait trop longtemps qu'on reporte cette discussion.

– C'est moi qui décide quand j'ai besoin de me détendre, Cooper ! Je ne comprends pas à quoi tu joues. J'ai déjà assez de problèmes sans que tu viennes en rajouter. On était bien, pourtant, la nuit dernière…

– Tu étais trop épuisée pour échanger la moindre idée. Je préfère te voir furieuse plutôt qu'au bord des larmes à l'idée de discuter !

– On a déjà assez discuté comme ça.

Elle s'adossa à son siège, ferma les yeux.

– Enfin, Cooper ! Un homme est mort. Mort ! Et toi tu organises cette mascarade. Pour parler de quoi, d'abord ? Ce qui est fait est fait.

– C'est vrai, un homme est mort et son assassin t'a dans le collimateur. Tu as besoin d'aide, mais tu ne m'accordes pas ta confiance.

D'un geste brusque, elle saisit son chapeau et le mit.

– Ce n'est pas vrai.

Il se gara dans le parking, et, en silence, tous deux firent descendre les chevaux.

– On peut prendre le circuit du bas, proposa-t-il. C'est le plus court.

– Je déteste qu'on me manipule ainsi.

– Je te comprends et je n'en ai rien à cirer.

Elle grimpa en selle, tourna sa monture vers le chemin.

– Peut-être que les femmes avec qui tu es sorti l'ont accepté, mais pas moi. Jamais. Tu auras tes deux heures parce que tu es plus grand et plus fort que moi et que je n'ai pas envie de te faire une scène devant l'équipe, devant mes stagiaires et mes hôtes.

– Je vois que tu reprends des couleurs, que tes yeux s'animent et qu'on commence à laver notre linge sale. Si ensuite tu décides que tout doit s'arrêter là, ça s'arrêtera.

Il lui ouvrit la barrière menant à la prairie, la referma derrière eux.

– Tu peux me raconter tout ce que tu sais sur James Tyler, marmonna-t-elle. Je n'arrive pas à penser à autre chose et je ne comprends même pas comment tu as pu croire le contraire.

– D'accord, on va commencer par régler ça.

Tout en chevauchant vers le bord du canyon, il lui rapporta les dernières nouvelles. Il parlait de mort et de souffrance tandis qu'ils progressaient entre les sapins et les trembles dont les branches mouvantes filtraient la lumière.

– Gull va bien ?

– Pendant un certain temps, il verra le cadavre de Tyler chaque fois qu'il fermera les yeux. Il en perdra le sommeil et, s'il s'endort, il aura des cauchemars. Mais ça finira par passer.

– C'était comme ça pour toi ?

– J'ai longtemps vu Melinda Barrett. Ensuite, la première fois que j'ai vu un cadavre en tant que policier, cela m'a paru horrible. Et puis…

Il haussa les épaules.

– Et puis ça devient la routine ?

– Non, ça devient le boulot, mais jamais la routine.

– Moi aussi, je la revois de temps en temps. (Elle se retourna vers lui.) On a partagé une lourde épreuve alors qu'on était encore très jeunes. On a partagé beaucoup de choses. Tu as tort de dire que je ne te fais pas confiance. Et de croire que tu obtiendras quoi que ce soit de moi en me malmenant.

– C'est toi que je veux. Je n'ai jamais rien tant désiré que toi, dans la vie.

Cette fois, son visage s'empourpra, et elle fit volte-face.

– Va te faire voir !

Elle lança son cheval au trot.

TROISIÈME PARTIE

ESPRIT

Rien au monde n'est solitaire
Toutes choses par loi divine
En un esprit se trouvent et se mêlent.

PERCY BYSSHE SHELLEY

21

Il la laissa s'éloigner. Ainsi pourrait-elle évacuer sa colère. Elle avait besoin de galoper un peu, de respirer l'atmosphère parfumée de genièvre et de sauge. Le meilleur moyen pour elle de se détendre.

Lorsqu'elle ralentit enfin, Cooper la rejoignit, pour constater qu'elle fulminait toujours.

– Comment peux-tu me dire une chose pareille ? s'écria-t-elle. Que tu n'as désiré que moi dans la vie ? Tu m'as laissée tomber, oui ou non ? Tu m'as détruite.

– Nous n'avons pas les mêmes souvenirs parce que je ne me rappelle pas que l'un de nous ait quitté l'autre. Et tu n'avais pas vraiment l'air détruite quand on a conclu que notre relation longue distance ne fonctionnait pas.

– Quand *tu* as conclu ! J'étais venue à mi-chemin de New York pour te voir, pour être avec toi. J'étais prête à effectuer tout le trajet, à passer ma vie avec toi, sur ton territoire. Chez toi. Mais tu n'as pas voulu.

Elle le fixait de ses yeux noirs, le regard étincelant.

– Tu avais sans doute compris, poursuivit-elle, qu'il te serait plus difficile de me larguer si je m'étais installée dans ton appartement, à New York.

– Enfin, Lilly, je ne t'ai jamais larguée ! Ce n'est pas mon genre.

– Et, d'après toi, ça ressemblait à quoi quand tu me disais que tu ne pouvais pas continuer, que tu devais te concentrer sur ta propre vie, te consacrer à ta carrière ?

– J'ai dit que *nous* ne pouvions pas, que *nous* devions *nous* concentrer.

– Oh, ça va ! Ne joue pas sur les mots. Tu n'avais pas le droit de décider à ma place de mes sentiments, pas plus alors qu'aujourd'hui, d'ailleurs.

– À l'époque, ce n'est pas vraiment ce que tu disais.

Son cheval piétinait un peu, aussi incertain que Rocky. Cooper le stabilisa et s'apprêta à faire face à Lilly, mais celle-ci continua d'avancer au petit trot. Serrant les dents, il poussa sa monture derrière elle.

— Tu étais d'accord avec moi, ajouta-t-il.

Lui-même sentit à quel point il paraissait sur la défensive.

— Et que voulais-tu que je fasse ? Me jeter à tes pieds en te suppliant de me garder, de m'aimer ?

— En réalité…

— Je venais de rouler des heures pour rejoindre ce fichu motel dans l'Illinois, heureuse de te retrouver après une trop longue séparation ; je m'inquiétais juste de ne pas être assez bien coiffée, assez bien habillée. Pauvre idiote ! Et moi qui avais tellement hâte de te revoir ! J'en avais mal partout.

— Lilly…

— À l'instant où je t'ai vu, j'ai su que les choses allaient mal se passer. Tu étais arrivé avant moi. Je t'avais vu sortir de la gargote du coin et traverser le parking.

Elle avait changé d'intonation, le chagrin se mêlant maintenant à la colère. Mais, si la colère le blessait, le chagrin le bouleversait.

Cependant, il ne dit rien, la laissa terminer. En même temps, il se rappelait avoir effectivement traversé ce parking avant d'apercevoir la voiture de Lilly, et aussi l'ardeur qui s'était emparée de lui, le désir, le désespoir.

Tout en même temps.

— Tu ne m'avais pas vue, d'abord. Mais j'avais compris. J'ai tenté de me dire que mes nerfs me jouaient des tours, que… que tu avais changé, grandi… Tu avais l'air d'un homme.

— J'avais changé, et toi aussi.

— Pas mes sentiments, au contraire des tiens.

— Attends, s'écria-t-il en tentant de lui prendre sa rêne. Attends une seconde !

— On a fait l'amour dans la minute où on a refermé la porte derrière nous. Pourtant, je savais que tu allais rompre. Tu crois que je ne l'ai pas senti ?

— Et toi, alors ? Combien de fois m'avais-tu fait faux bond ? Pourquoi avions-nous mis si longtemps à nous revoir ? Tu avais toujours un empêchement, un voyage d'étude, un…

— C'est ma faute, maintenant ?

– Ce n'est la faute de personne.

Il ne put en dire davantage, car elle venait de sauter à bas de son cheval et s'éloignait à grandes enjambées.

Rongeant son frein, il descendit à son tour, attacha leurs deux montures.

– Écoute un peu !

– Je t'aimais, je t'aimais ! Il n'y avait que toi. J'aurais fait n'importe quoi pour toi, pour nous !

– C'est ça l'ennui.

– Quoi, je te posais un problème parce que je t'aimais ?

– Non, mais tu dis que tu aurais fait n'importe quoi. Lilly, attends-moi, bon sang !

La voyant près de s'enfuir, il la retint pas les épaules.

– Tu savais ce que tu voulais dans la vie. Tu savais ce que tu voulais et tu étais partie pour réussir. Major de ta promotion, couverte de prix et de distinctions. Tu vivais par toi-même. Tu avais trouvé ta place et tu l'occupais à la perfection. Je ne voulais pas m'en mêler ni t'encombrer.

– D'accord, si tu m'as larguée, c'était pour mon bien ! Tu n'as rien trouvé d'autre comme excuse ?

– C'est la pure vérité.

– Et, moi, je n'ai jamais pu m'en remettre ! Tu m'as massacrée ! Tu m'as pris une partie de moi, et ça m'a tellement perturbée qu'ensuite c'est moi qui ai fait du mal à un homme qui ne le méritait pas, parce que j'étais incapable de l'aimer. J'ai essayé. Jean-Paul était fait pour moi, je n'ai pas été fichue de m'en apercevoir, tout ça parce que ce n'était pas toi. Il le savait, il l'avait toujours su. Et maintenant tu veux me faire croire que tu m'as quittée pour mon bien ?

– Nous n'étions que des enfants, Lilly.

– Cela ne m'empêchait pas de t'aimer. Ni de souffrir. Malgré mes dix-neuf ans.

– Tu avais trouvé ta place dans la vie. Moi pas. Je n'avais rien à t'offrir.

– N'importe quoi !

– Je n'avais rien du tout, j'étais fauché, je ne vivais que de petits boulots, dans un taudis ; j'acceptais même le travail au noir et je venais peu ici parce que je n'avais pas les moyens de me payer le voyage.

– Tu as dit…

– J'ai menti. Si je n'avais pas le temps de venir, c'était juste parce que j'enchaînais les emplois, au moins deux par jour, et les heures supplémentaires, pour pouvoir tenir le coup. J'ai vendu ma moto parce que je ne pouvais plus l'entretenir. J'ai aussi vendu mon sang.

– Arrête ! Si c'était à ce point, tu aurais pu…

– Taper mes grands-parents ? Ce n'est pas parce qu'ils m'avaient aidé au début que j'allais leur demander encore de l'argent.

– Tu aurais pu venir à la ferme. Tu…

– Alors que j'avais tout raté ? Que j'avais à peine de quoi me payer le ticket de car ? Il fallait que je fasse mes preuves, tu devrais pourtant le comprendre. Normalement, il était prévu que je touche de l'argent pour mes vingt et un ans. J'en avais besoin pour m'acheter un appartement décent, m'arrêter de travailler, reprendre mes études. Mais mon père a réussi à bloquer le compte. Il était trop furieux que je ne fasse pas ce qu'il avait décidé pour moi.

– Comment s'y est-il pris ?

– Ça fait partie de son métier. Il connaît beaucoup de gens, il sait comment ça fonctionne. Sans compter qu'à la fac je claquais l'argent comme s'il me tombait du ciel parce que je n'étais qu'un jeune imbécile facile à manipuler. Il croyait me tenir.

– Ton père t'aurait donc coupé les vivres juste parce que tu ne voulais plus devenir avocat ?

– Non, il l'a fait parce que, comme ça, il gardait le contrôle. Il ne pouvait tolérer qu'on ose le défier. L'argent est une arme puissante, tu sais. Il était prêt à débloquer le compte si je… enfin, cela n'a plus d'importance aujourd'hui. Pour résister, il me fallait pour moi-même un avocat, et j'ai mis du temps à pouvoir m'en payer un. Quand j'ai gagné, mes premiers revenus ont servi à payer mes frais de justice. C'est pourquoi j'ai dû ouvrir cette agence de détective, histoire de prouver ce que je valais. Pendant ce temps, tu prenais ton envol. On parlait de toi dans les journaux, tu voyageais. Tu brillais.

– Tu aurais dû me le dire. J'avais le droit de savoir ce qui t'arrivait.

– Et quand bien même ? Tu aurais voulu que je revienne ? Sauf que je serais arrivé les mains vides. J'aurais fini par t'en vouloir et peut-être même par retourner à New York. Si je te l'avais dit, Lilly, si je t'avais demandé de rester avec moi jusqu'à ce que je fasse quelque chose de mes dix doigts, il n'y aurait jamais eu de réserve naturelle Chance. Tu ne serais jamais devenue ce que tu es. Et moi non plus.

– Tu as décidé ça tout seul.

– Je te l'accorde. Mais, à l'époque, tu as accepté.

– Parce qu'il ne me restait que ma fierté.

– Dans ce cas, tu devrais comprendre que c'était également mon cas.

– Tu m'avais, moi aussi.

Il avait envie de la toucher, de lui effleurer le visage du bout des doigts, d'un geste tendre, susceptible de chasser ce chagrin de son regard. Mais cela n'aurait servi à rien.

– Il fallait que je m'accomplisse, moi aussi, que je réussisse quelque chose dont je sois fier. Je venais de passer les vingt premières années de ma vie à tâcher de me faire aimer de mon père, de le rendre fier de moi. Tout comme ma mère, je suppose. Il a le don de susciter cette envie sans jamais y répondre, de façon à vous avoir à sa botte. Tu ne te rends pas compte de l'effet que cela produit.

– Pas vraiment, non.

Tout à coup, c'était le petit garçon qu'elle revoyait en lui, avec son regard de chien battu.

– Je n'ai jamais su ce que c'était d'être choyé, apprécié, jusqu'à ce que je vienne passer ce premier été chez mes grands-parents. Après, l'attitude de mes parents ne m'en a que plus choqué, surtout celle de mon père. Mais ça n'y a rien changé… Enfin, bref, moi, en revanche, j'avais changé. J'ai dû me braquer encore plus et, en même temps, j'ai commencé à faire ce que je voulais, pas ce qu'il voulait. J'ai été un bon flic, et cela comptait beaucoup pour moi, ensuite, j'ai monté cette agence et j'ai été un bon détective.

Elle gardait les yeux fixés sur le canyon aux roches grises qui se détachait sur un ciel bleu.

– Tu ne me croyais pas capable de comprendre ? murmura-t-elle.

– Moi-même je ne comprenais pas et je ne savais pas comment te le dire. Je t'aimais, Lilly. Ça remontait à mes onze ans et ça n'a jamais changé.

Il sortit de sa poche la pièce qu'elle lui avait donnée à la fin de leur premier été.

– Je la garde toujours sur moi. Mais il fut un temps où je ne croyais pas te mériter. Tu peux me le reprocher, néanmoins, il fallait qu'on réussisse, chacun de son côté, et cela n'aurait pas été le cas si nous ne nous étions pas sentis libres.

– Tu n'en sais rien et tu n'avais pas le droit de décider à ma place.

– J'avais décidé pour moi.

– Et maintenant tu crois que tu peux revenir, dix ans plus tard, la bouche enfarinée, parce que monsieur est prêt ? Je n'ai plus qu'à dire amen ?

– Je te croyais heureuse. Et je peux te dire que j'en étais malade lorsque je t'imaginais épanouie, à faire ce que tu voulais, sans moi. Chaque fois que j'entendais parler de toi, c'était en des termes élogieux, parce que tu ouvrais cette réserve ou partais pour l'Afrique ou l'Alaska. Les rares fois où je t'ai vue, tu avais toujours quelque chose à faire, prête à partir ailleurs.

– Parce que je ne pouvais pas supporter de rester auprès de toi. Ça me faisait trop mal !

– Tu étais fiancée.

– Je ne me suis jamais fiancée. Les gens le croyaient parce que je vivais avec Jean-Paul et qu'il nous arrivait de voyager ensemble si nos boulots le permettaient. J'avais envie de vivre, de fonder une famille. Mais cela ne marchait pas. Ni avec lui ni avec personne d'autre.

– Si ça peut te rassurer, chaque fois qu'on mentionnait son nom ou celui d'un autre devant moi, cela me rendait fou. J'ai passé des nuits terribles, des jours et des heures entières à regretter de ne pas avoir fait le bon choix. Je croyais que tu t'étais installée dans la vie et, la plupart du temps, je te maudissais de ne pas m'avoir attendu.

– Que veux-tu que je te dise ?

– Aucune idée. En tout cas, je tiens à préciser que je sais maintenant qui je suis, que j'en suis fier et que je me sens bien dans ma peau. Je vis comme j'en ai toujours eu envie, au fond. Je donne le maximum à mes grands-parents parce que c'est ce qu'ils ont toujours fait pour moi. Et je vais te consacrer le meilleur de mon temps parce que je ne veux plus te laisser partir.

– Je ne t'appartiens pas, Coop.

– Dans ce cas, je vais faire en sorte que ça arrive. Si, en ce moment, ça doit se résumer à ce que je t'aide et te protège et reste avec toi la nuit, je te jure que je ne mettrai plus les pieds ailleurs. Tu finiras bien par me revenir. Tu m'aimes encore.

– Oui, affirma-t-elle en le regardant droit dans les yeux. Mais j'ai assez d'expérience pour savoir que l'amour n'est pas tout dans la vie. Tu m'as fait plus de mal que n'importe qui. Et je ne suis pas certaine que tes explications y changeront grand-chose.

– Je ne cherche pas la facilité. Je suis venu ici parce que mes grands-parents avaient besoin de moi. J'étais persuadé, en arrivant, de te trouver mariée, je m'étais habitué à cette idée. J'avais eu ma chance et, à mon sens, ni toi ni moi n'avions su la saisir. Prends ton temps, si tu veux, je ne suis pas près de repartir.

– Tu m'en diras tant.

Elle tournait les talons pour reprendre son cheval quand Cooper l'attrapa par le bras, la retournant vers lui.

– Je continuerai jusqu'à ce que tu aies compris. Tu sais à quel point l'amour peut rendre heureux ou malheureux, retourner le cœur ou l'estomac, mais aussi éblouir ou aveugler. On se sent devenir fou ou roi. Chaque fois qu'il t'a effleurée, il m'a aussi frappé.

Il l'attira vers lui pour s'emparer de sa bouche, pour lui infliger cette ineffable douleur.

– C'est à force de t'aimer que je suis devenu un homme, ajouta-t-il en la relâchant. Et cet homme est revenu pour toi.

– Tu me rends toujours les jambes flageolantes et j'ai toujours envie de sentir tes mains sur moi. Mais c'est tout ce que je peux dire.

– C'est un début.

– Il faut que j'y retourne.

– Tes joues ont pris des couleurs et tu parais moins fatiguée.

– Chouette ! Ça ne veut pas dire que je sois contente de la façon dont tu m'as amenée ici.

Elle grimpa sur le cheval.

– Je suis furieuse contre toi, reprit-elle, à tous les points de vue.

À son tour, il sauta en selle.

– On ne se disputait jamais ainsi, autrefois. On était trop jeunes, trop excités.

– Non, mais tu étais moins idiot.

– Toi, tu aimais les fleurs. Tu adorais te balader, à pied ou à cheval, dans la prairie en fleurs. Je vais aller t'en cueillir.

– C'est ça, tu as trouvé la solution. Si tu crois pouvoir m'acheter comme une citadine avec un bouquet de roses…

– Tu ne connais rien aux citadines. Ce qui doit d'ailleurs te rester en travers de la gorge.

– Pourquoi ? Tu crois qu'aucun homme ne m'a offert de fleurs ?

– Un point pour toi.

– Ce n'est pas un jeu.

Au moins, elle lui parlait, ce qui constituait déjà une petite victoire en soi.

– Non, reprit-il, mais, au point où j'en suis, je suppose qu'il faut y voir un signe du destin. J'ai beaucoup travaillé dans la vie, et sans toi. Et je me retrouve à mon point de départ.

Elle ne dit plus un mot tandis que les chevaux foulaient l'herbe haute de la prairie ; ils repassèrent la barrière, revinrent sur le chemin et rentrèrent les chevaux dans la remorque.

Ce ne fut qu'une fois au volant qu'il se tourna vers elle, regarda son profil.

– J'ai apporté une partie de mes affaires parce que je vais rester un certain temps au refuge, du moins jusqu'à ce qu'ils tiennent Howe. J'irai en chercher d'autres demain. Il me faudra un tiroir et un peu de place dans le placard.

– Tu l'auras, mais ne crois pas pour autant t'installer, même si je te remercie pour ton aide.

– Même si tu adores faire l'amour avec moi ?

– Même.

– Il faudra également que je puisse travailler. Si tu n'as pas envie que je m'installe dans la cuisine, trouve-moi un coin où poser mon ordinateur portable.

– Tu n'as qu'à le mettre dans le salon.

– D'accord.

– Tu ne me parles pas de la mort de James Tyler parce que tu crois que je ne le supporterai pas ?

– J'avais d'autres choses à te dire avant.

– Je ne suis pas en sucre.

– Non, mais tu es sensible… Il va falloir attendre l'autopsie ; néanmoins, d'après ce qu'en a dit Willy, on lui a coupé la gorge. Il était torse nu, en chaussures et pantalon. D'où je conclus que son meurtrier a récupéré sa chemise et sa veste, ainsi que sa casquette. Et aussi sa montre, son portefeuille. Il a dû détruire le téléphone portable, à moins que Tyler ne l'ait perdu en route. Le meurtrier avait sans doute apporté avec lui la corde à l'aide de laquelle il l'a lesté de pierres. Ça n'a pas dû être facile de l'emmener jusqu'à la rivière et de le faire couler, mais la pluie a gâché ce beau travail en le faisant remonter assez pour que Gull finisse par l'apercevoir.

– Il y a des chances pour qu'il ait fait la même chose avec d'autres corps avant celui-ci.

– Oui, je veux bien le croire.

– Alors, si c'est le même homme qui a tué Molly, il n'était pas mort ou en prison, comme tu le croyais, du moins à l'époque que tu envisageais. Il s'était juste perdu dans la masse ; il a dû abandonner plus d'un cadavre aux animaux, des cadavres qu'on a déjà trouvés ou qu'il reste à découvrir. Sans compter ceux qu'il a dû cacher à dessein.

– C'est ce qu'il me semble.

Elle hocha lentement la tête.

– Et, continua-t-elle, les tueurs en série de ce genre, qui se déplacent, qui savent se cacher le moment venu, se fondre dans une foule, qui tirent les rênes à plaisir ne se laissent pas souvent capturer.

– Je vois que tu as potassé ton sujet.

– C'est ce que je fais quand je manque d'informations. Ces types-là, on les retrouve souvent affublés de surnoms exotiques genre Tueur du Zodiaque, Traqueur de la Nuit. En principe, ils adorent provoquer la police, exciter les médias. Pas celui-ci.

– Il ne recherche ni la gloire ni la reconnaissance. Ce sont ses seuls actes qui lui apportent la satisfaction. Chaque meurtre est une preuve supplémentaire de sa supériorité sur la victime, mais aussi sur son père. Il veut se prouver quelque chose. Je sais ce que c'est.

– Tu es devenu flic pour être un héros, Cooper ?

Il sourit.

– Au début ? Peut-être, oui. À la fac, je ne me sentais pas à ma place ; tout ce que j'en ai tiré, c'était que je ne voulais pas devenir juriste, pourtant, le droit, en soi, m'intéressait beaucoup. D'où j'ai conclu que c'était l'autre côté de la barrière qui m'attirait.

– La lutte contre le crime dans les canyons urbains.

– J'adorais New York, et c'est toujours le cas. Bien sûr que je me voyais en train de pourchasser les malfrats, de protéger la population. Jusqu'au jour où je me suis rendu compte que l'essentiel de mon travail consistait à rester assis derrière un tas de paperasses ou à faire du porte-à-porte. Pour un instant d'action pure, tu passes des heures à te casser les pieds. J'ai appris à me montrer patient, à attendre…

– Tu serais encore là-bas si Sam n'avait pas eu cet accident.

– Je n'avais plus rien à faire là-bas. Je le savais d'autant mieux que j'avais déjà prévu de revenir ici avant l'accident.

– Avant ?

– Oui. Je rêvais de retrouver le calme de la campagne.

– Avec ce qui se passe, on ne peut pas dire que ton rêve se soit réalisé.

Il posa sur elle un regard intense.

– Pas encore.

La nuit était presque tombée lorsqu'il s'engagea sur la route menant au refuge, les ombres s'étiraient, le calme s'étendait sur les collines.

– Je vais donner à manger aux bêtes, dit Lilly. Ensuite, j'ai du travail à terminer.

– Moi aussi.

Lorsqu'il se fut garé, il ne lui laissa pas le temps de sortir, lui saisit la nuque.

– Ne crois pas que je vais m'excuser pour ça. Parce que tu es là. Je pourrais te dire que je ne te brusquerai plus jamais, mais je mentirais. Je te dirai juste que je vais t'aimer jusqu'à la fin de mes jours, ce qui risque de ne pas te suffire, mais, pour le moment, c'est tout ce que je peux te promettre.

– Et moi je te dirai que j'ai besoin de temps pour réfléchir, pour savoir ce que je veux.

– Maintenant, je dois passer en ville. Tu as besoin de quelque chose ?

– Non, ça va.

– Je reviens dans une heure.

Il l'embrassa avidement.

Sans doute le travail offrait-il un soutien qui aidait Lilly à tenir le choc. Aussi participa-t-elle à la corvée de nourriture, regarda-t-elle Boris se jeter sur sa viande, la déchiqueter. Si tout se passait comme prévu, il aurait bientôt de la compagnie.

Encore une source de dépenses pour la réserve, mais quelle satisfaction d'avoir pu, une fois de plus, arracher un animal à ses bourreaux !

– Alors, c'était comment, ton escapade ?

Au sourire de Tansy, Lilly conclut que celle-ci avait été témoin de son humiliante sortie sur l'épaule de Coop. Et ceux qui ne l'avaient pas vue en avait certainement entendu parler.

Cooper allait le lui payer.

– Les hommes sont tellement bêtes !

– C'est vrai, mais c'est pour ça qu'on les aime.

– Il a voulu jouer l'homme des cavernes pour m'expliquer pourquoi il m'avait trahie. Il paraît que j'étais alors trop jeune pour comprendre où se situait la fierté masculine. Mieux valait me casser en mille morceaux que de me le dire en face. Quel débile !

– Eh bé !

– Est-ce qu'il a jamais réfléchi à ce qu'il me faisait ? Au chagrin qu'il m'infligeait ? Moi qui me suis crue pas assez bien pour lui, moi qui pensais qu'il avait trouvé quelqu'un d'autre, moi qui ai passé près de la moitié de ma vie à essayer de l'oublier, voilà qu'il revient en m'expliquant gentiment que *tout ça, ma pauvre Lilly, c'était à cause de toi*. Et alors, qu'est-ce qu'il croit ? Que je vais lui sauter au cou ?

– Je ne saurais te dire. Et même si je le savais, je ne te le dirais pas.

– Il m'a toujours aimée, paraît-il, et il m'aimera toujours. Du coup, il se permet de m'enlever comme un sac de patates, *pour ton bien, je t'assure*, et me jette tout ça à la figure.

– Il t'a dit qu'il t'aimait.

– Là n'est pas la question.

– Ah bon ? Pourtant, tu l'aimes. Tu m'as avoué que vous vous êtes séparés, Jean-Paul et toi, à cause de Coop.

– Il m'a fait du mal. Et il a remis ça de plus belle en m'expliquant pourquoi il avait agi comme ça. Il n'a pas l'air de comprendre.

Tansy lui passa un bras autour des épaules, l'attira contre elle.

– Moi, je comprends, ma chérie.

– Je peux même te dire que je vois pourquoi il m'a raconté tout ça. Dans un sens, cela se justifiait. Seulement je ne suis pas objective en la matière. Comment voudrais-tu que je le sois ? J'étais si lamentablement amoureuse !

– Tu n'as pas à te montrer objective, mais juste à essayer de percevoir ce que tu ressens. Et si tu l'aimes vraiment, tu lui pardonneras, une fois qu'il aura vraiment souffert.

– Ça, je veux le faire souffrir, je n'ai aucune envie de jouer les grandes âmes.

– Je te comprends. Si on rentrait ? Je vais nous préparer des margaritas bien alcoolisées. Je peux rester cette nuit, ce qui me permettra d'échapper moi aussi à mon gros bêta de bonhomme. On va se saouler et organiser la domination des femmes sur le monde.

– Tu me tentes. Mais il va revenir. Tant qu'on ne sera pas en sécurité ici. Il faudra que je m'y fasse.

Elle prit Tansy dans ses bras.

– Quand je pense qu'un homme est mort et que sa femme doit en hurler de chagrin ! Et moi qui me plains de mon sort...

– Ce n'est pas ta faute.

– Dans l'absolu, je suis d'accord. Mais ce n'est pas ce que je ressens. James Tyler est tombé sur le fou furieux qui me poursuit. Certes, je ne suis pas responsable, mais...

– Quand tu raisonnes ainsi, c'est lui qui marque des points. J'appelle cela du terrorisme, une guerre psychologique. Il te malmène. Pour lui, Tyler, c'était la même chose que le couguar ou le loup, un gibier destiné à t'atteindre directement. Ne le laisse pas gagner.

– Je sais que tu as raison... tout à fait raison...

– On est les plus futées !

– Exact. Allez, rentre chez toi avec ton homme, si bêta qu'il soit.

– Si tu le dis...

Lilly alla voir le faon blessé ; soigné, nourri, en sécurité dans le zoo des jeunes animaux. S'il guérissait vite, on pourrait le relâcher dans la nature. Sinon... il trouverait refuge sur place.

Elle passa encore une heure au bureau, entendit les camions aller et venir, les employés partir chez eux, les gardes armés arriver. Bientôt, le système de sécurité serait installé, et elle n'aurait plus besoin de compter sur les amis pour protéger la réserve.

En sortant, elle vit Gull parmi eux.

– Eh ! s'exclama-t-elle. Je n'aurais jamais cru vous voir là, ce soir.

– De toute façon, je n'aurais pas pu dormir. Alors autant m'occuper.

Il avait l'air un peu secoué, mais son regard restait vif.

– Je sais que c'est terrible, reprit Lilly. En même temps, grâce à vous, sa femme sait ce qui lui est arrivé. Si vous ne l'aviez pas retrouvé, ce serait pire pour elle.

– Willy m'a dit que ses enfants étaient là. Elle n'est plus seule, c'est déjà ça.

En rentrant dans son chalet, elle trouva Cooper sur le canapé, son ordinateur portable ouvert sur la table basse. Il changea de page dès qu'elle s'approcha, l'air de rien.

– Je peux préparer un sandwich, proposa-t-elle. Je n'aurai pas le temps pour autre chose parce que je veux assurer tout de suite mon tour de garde.

– J'ai apporté une pizza. Elle est au four.

– D'accord.

– Je termine ce que je faisais et on mange un morceau ensemble. Je prendrai mon tour ensuite.

– Sur quoi travailles-tu ?

– Des trucs.

Contrariée, elle se rendit dans la cuisine. Et là, sur la table, elle trouva un vase rempli de tulipes jaunes. Les yeux humides, elle sortit les assiettes.

– Merci pour les fleurs, dit-elle, alors qu'il venait la rejoindre. Mais cela ne changera rien à ce que je pense.

– Je prends le merci. Tu veux une bière ?

– Non, je reste à l'eau.

– On pourrait sortir, demain, je t'emmènerais au restaurant et peut-être au cinéma, dit-il en disposant les assiettes.

– Je ne tiens pas à m'éloigner d'ici pour le moment.

– Comme tu voudras. Une fois que la sécurité sera installée, tu pourras préparer le dîner, et je louerai des films.

– Tu n'en as rien à fiche, de ma colère ?

– Non. Pas plus que toi de mon amour. J'ai attendu longtemps. Je pourrai attendre encore un peu.

– Tu risques d'attendre longtemps.

– J'ai tout mon temps, rétorqua-t-il en se servant. Comme je te l'ai déjà dit, je ne bouge plus d'ici.

Elle s'assit, prit une part de pizza.

– Je suis toujours folle de rage, mais j'ai faim.

– Alors régale-toi. Elle est bonne.

Et les tulipes étaient bien jolies, aussi.

22

Dans sa grotte, au fond des collines, il examinait son butin et se disait que cette montre, bel objet de valeur, avait dû être un cadeau de Noël ; il se représentait la scène : ce brave Jim en train d'ouvrir son paquet, exprimant sa joie et sa surprise, embrassant sa femme, belle et honnête bourgeoise, à en juger par la photo dans le portefeuille.

D'ici à six mois ou un an, il pourrait la mettre au clou si nécessaire. Pour le moment, grâce à ce brave Jim, il était riche des 122, 86 dollars prélevés dans la poche de son pantalon.

Il avait également mis la main sur un couteau suisse – on n'en avait jamais trop –, une carte magnétique d'hôtel, un paquet de chewing-gums entamé et un appareil photo numérique Canon.

Il passa un certain temps à trouver comment le faire fonctionner puis regarda les photos prises par Jim ce jour-là. Surtout des paysages, mais aussi quelques rues de Deadwood et quelques portraits de la belle Mme Jim.

Il le referma pour ne pas gaspiller la batterie, même si le touriste avait songé à en emporter deux. Le sac à dos était tout neuf, de marque. Il en aurait l'usage, ainsi que des barres de céréales, des bouteilles d'eau et de la trousse de secours. Il imaginait Jim en train de préparer son excursion à l'aide d'un guide, de dresser une liste des objets à emporter : allumettes, pansements, aspirine, petit carnet, sifflet, ainsi que les indispensables carte et guide.

Toutes choses qui n'avaient servi à rien, en l'occurrence, parce que Jim n'était qu'un amateur. Un intrus.

De la viande.

Tout en mangeant quelques fruits secs, il repensait à la course que lui avait imposée cet abruti, qui s'était révélé plus véloce que prévu. Finalement, il s'était bien amusé à le pousser vers la rivière.

De bons moments.

Il avait récupéré une chemise de belle qualité et la veste assortie. Dommage que ce pauvre type ait eu les pieds si petits. Voilà qui gâchait d'excellentes chaussures de marche.

Dans l'ensemble, la chasse avait été plutôt bonne. Il attribuait 6 sur 10 à Jim, avec un butin de premier ordre.

La pluie tombée ensuite n'avait fait qu'ajouter un avantage supplémentaire. Jamais ces foireux de flics et de rangers, pas plus que ces péquenauds de fermiers, ne trouveraient trace du brave Jim, avec ce déluge qui effaçait toutes les empreintes. Lui, il aurait pu, ainsi que ceux qui l'avaient précédé sur ces terres sacrées. Quand dame Nature vous offrait un cadeau, vous le preniez en remerciant.

L'ennui était que, parfois, le cadeau en question pouvait comporter un piège. Sans ces pluies, ces inondations, ce bon vieux Jim serait demeuré indéfiniment à sa place. Lui, il n'avait commis aucune erreur ; dans la nature, la moindre erreur peut vous coûter la vie. C'est pourquoi son vieux le battait jusqu'au sang chaque fois qu'il en commettait une. Il avait lesté le cadavre comme il fallait. Il avait pris son temps. (Peut-être pas assez, ne pouvait-il s'empêcher de se reprocher. Peut-être avait-il voulu aller trop vite parce que la chasse lui avait donné faim. Peut-être...)

Il balaya ces idées. Il ne commettait pas d'erreurs.

Mais voilà, on avait retrouvé le corps.

Il l'avait appris en écoutant la radio des flics, dont il avait volé un poste quelques semaines auparavant. Au début, il s'était bien marré en les entendant se lancer dans leurs recherches, s'y mettre à dix, à vingt, sans succès. Jusqu'au moment où cet ahuri avait tiré le gros lot.

Gull Nodock. Un de ces quatre, il s'occuperait de lui, et Gull ne pourrait alors plus remercier sa chance.

Le mieux serait de s'éloigner un certain temps, de passer dans le Wyoming pour quelques semaines. De laisser les choses retomber. Ces fichus flics s'intéresseraient plus à la mort d'un touriste qu'à celle d'un loup ou d'un couguar.

À ses yeux, loup et couguar représentaient une valeur autrement plus élevée que celle d'un vulgaire entrepreneur de St Paul. S'il avait chassé le loup dans des conditions normales, il ne pouvait s'empêcher de s'en vouloir encore pour le félin, dont l'esprit lui apparaissait parfois dans ses rêves.

À lui, désormais, de se méfier et de s'éloigner un certain temps de son terrain de chasse.

Il reviendrait provoquer Lilly d'ici à un mois, ou peut-être six, tant que la chaleur serait là. Et que les flics et autres rangers essaient donc de lui mettre la main dessus…

Le seul ennui était qu'il ne serait pas là pour assister au spectacle. Dommage.

Tandis que s'il restait il sentirait la chasse se poursuivre contre lui, à moins qu'il ne se mette à les chasser lui aussi. Qu'il n'en abatte un ou deux au passage. Cela vaudrait la peine de tenter le coup. Et qu'était la vie sans le piment du risque ?

Il ne connaissait pas de meilleur moyen de prouver qu'il n'avait peur de rien. Le risque, la chasse, la mise à mort. Voilà ce qui faisait un homme. Il ne voulait pas attendre Lilly six mois de plus. Il avait déjà assez attendu. Donc, il resterait. Sur cette terre qui était désormais sienne, héritée de ses ancêtres. Il ne fuirait plus. S'il n'était pas capable de duper quelques adjoints de shérif, il n'était pas digne de poursuivre cette partie de chasse.

Ici était son destin.

Au refuge, les travaux allaient bon train, même aux yeux de Lilly, lorsque Brad Dromburg arriva. Il n'eut pas besoin de bousculer ses collaborateurs, pourtant, le rythme parut encore s'accélérer dès qu'il fut là.

Un seul obstacle subsistait, pour Lilly : comment s'habituer au fonctionnement de ce système de sécurité ?

– Vous aurez immanquablement de fausses alertes, lui expliqua Brad. Je vous conseille de ne laisser que très peu de personnes accéder à ces installations. Moins de gens connaîtront vos codes, moins vous risquerez d'erreurs.

– Mais on sera opérationnels, à la fin de la journée ?

– Normalement, oui.

– Je reconnais que tout a été très vite, et sans difficulté, grâce à votre présence. Soyez-en remercié.

– Ça fait partie du service. En plus, ça me permet de prendre quelques jours de congés travaillés, de revoir un ami et de goûter les meilleures boulettes de poulet du pays.

– Le chef-d'œuvre de Lucy.

Elle s'arrêta pour caresser l'âne aux yeux tendres qui l'interpellait.

– Je dois dire, ajouta-t-elle, que j'ai été surprise d'apprendre que vous étiez descendu chez Cooper au lieu d'aller à l'hôtel.

– Je passe ma vie dans les hôtels. Mais c'est bien la première fois que je peux profiter d'un ancien dortoir de ranch aménagé en maison.

Ce qui la fit éclater de rire, car il avait l'air d'un gamin ébloui par ces vacances inattendues.

– En plus, ça m'a permis de comprendre pourquoi mon ami et collègue a voulu échanger les canyons de béton contre les Black Hills.

– Ainsi, il vous a raconté qu'il venait ici, adolescent ?

– Oui ; il en regrettait l'atmosphère, les odeurs ; il aimait travailler avec les chevaux ou partir à la pêche avec votre père.

– C'est drôle. J'ai toujours cru qu'il s'estimait new-yorkais avant tout.

– Il m'a beaucoup parlé de vous, de votre enfance, il m'a aussi montré des articles que vous aviez écrits.

– Eh bien ! s'exclama-t-elle, stupéfaite. Ça a dû vous paraître un peu technique.

– Non, j'ai bien aimé ceux sur l'Alaska, sur les Everglades, mais aussi sur les plaines d'Afrique, sur l'Ouest américain, sur le Népal. Vous avez voyagé dans le monde entier. Et vos articles sur cette réserve m'ont beaucoup aidé pour préparer votre système de sécurité.

Ils marchèrent quelque temps en silence, jusqu'à ce que Brad reprenne :

– Je vais peut-être trahir un ami, mais il garde une photo de vous dans son portefeuille.

– C'est lui qui a choisi de s'en aller.

– Là, je n'ai rien à dire. Vous connaissez son père ?

– Non.

– C'est un beau salaud, froid comme un glaçon.

– Je sais combien ça a été difficile pour lui. Et pour moi aussi, qui ai les meilleurs parents du monde, d'essayer de comprendre ce qu'il endurait. Mais, dites-moi, tous les garçons réagissent de la même façon, ils préfèrent s'éloigner de gens qui les aiment pour aller sans cesse se confronter à ceux qui ne les aiment pas ?

– Comment savoir qu'on mérite d'être aimé si on n'a pas fait ses preuves ?

– Donc, c'est bien un truc de garçon.

– Sans doute. Sauf que, là, je suis en train de discuter avec une femme qui vient de passer six mois dans les Andes. C'est vrai que vous placez votre travail avant tout. Mais on ne peut pas dire que vous voyagiez avec un filet de sécurité.

– Il y a de ça.

– Quand sa coéquipière a été tuée et que lui-même a été blessé, il a fait un effort pour se réconcilier avec sa mère.

Là, elle reconnaissait Cooper Sullivan.

– Ça a très bien marché, continua Brad. Il a aussi voulu se rapprocher de son père. Le bide. C'est ensuite, seulement, qu'il a ouvert son agence. Une façon de prouver, à mon avis, qu'il n'avait pas besoin de son argent pour réussir.

– J'imagine que c'est ce que son père lui aurait dit. Qu'il n'était rien sans l'argent de la famille, et je vois assez bien Cooper se buter.

– En fait, c'est là que s'est opéré le vrai tournant, c'est là qu'il a décidé de se passer à jamais de l'approbation de son père. Il ne l'a jamais dit et ne l'admettra sans doute jamais, mais je le connais. Alors qu'il a toujours eu besoin de la vôtre.

– Pourtant, il ne me demande jamais ce que je pense.

– Ah bon ?

– Je ne…

Elle entendit un cri et se retourna pour voir la semi-remorque venir se garer devant le premier chalet.

– C'est notre tigresse.

– C'est vrai ? Celle qui vient du club de strip-tease ? Je peux regarder ?

– Bien sûr, seulement elle ne va pas exécuter une danse du ventre. Nous allons l'installer dans son enclos, à côté de Boris ; il est vieux mais fougueux, elle est jeune mais sans griffes. Et puis elle a passé le plus clair de son temps enchaînée ou dans une cage, souvent droguée. Elle n'a jamais fréquenté d'animaux de son espèce. Nous allons observer comment ils se comportent l'un envers l'autre – je ne veux pas qu'ils se battent.

Elle alla serrer la main du conducteur et fit les présentations.

– Voici notre chef de bureau, Mary Blunt, qui va s'occuper des papiers.

Dans la remorque, elle croisa aussitôt le regard morne de la tigresse. *Anéantie*, se dit-elle. Tout orgueil, toute férocité broyés par des années de mauvais traitements.

– Bonjour, ma belle. Bonjour, DaLillya. Bienvenue dans ta nouvelle demeure.

Elle vint s'asseoir contre les barreaux. Après quoi, elle laissa faire les hommes chargés d'emporter la cage à l'intérieur de l'enclos. DaLillya réagit à peine.

– Personne ne te fera plus jamais de mal, murmura Lilly en l'accompagnant. Tu as une famille, maintenant.

Comme ils l'avaient fait avec Cléo, ils ouvrirent la porte de la cage à l'entrée du gîte, mais, contrairement à la panthère, la tigresse ne tenta pas de sortir.

Non loin de là, Boris rôdait près de la clôture en humant l'air et en se frottant contre le bois, comme il ne l'avait pas fait depuis longtemps. Soudain, gonflant la poitrine, il poussa un feulement.

DaLillya parut tressaillir.

– Tout le monde recule ! ordonna Lilly. Elle est inquiète. Elle a de quoi boire et se nourrir dans son gîte et Boris lui parle. Elle sortira quand elle en aura envie.

Lucius abaissa son appareil photo.

– Elle a l'air complètement abattue.

– On va demander à Tansy de s'occuper d'elle et, s'il le faut, on fera venir un psy.

– Vous avez des psys pour tigres ? s'étonna Brad.

– Un psychologue comportementaliste. Il nous arrive de travailler avec lui dans des situations extrêmes. Disons que c'est l'homme qui parle à l'oreille des fauves. Mais nous allons d'abord essayer de nous occuper nous-mêmes de cette demoiselle. Elle est épuisée et… elle a perdu tout amour-propre. Il va falloir commencer par lui montrer qu'on l'aime, qu'on l'admire et qu'elle est en sécurité parmi nous.

– En tout cas, ce beau gars, là-bas, m'a l'air plutôt émoustillé, dit Brad en désignant Boris.

– Il devait se sentir un peu seul. Les tigres mâles ont toujours besoin de femelles. Ils sont plus sentimentaux que les lions.

Elle s'assit sur un banc.

– Je vais rester ici pour les observer un peu.

– Et moi je vais voir les travaux autour de vos portails. On devrait pouvoir commencer les premiers tests dans deux heures.

Au bout d'une demi-heure, Tansy vint s'asseoir à côté d'elle, armée de deux bouteilles de Pepsi light.

– On la réprimandait à coups de Taser, précisa-t-elle.

– Je sais.

Sans quitter des yeux le félin immobile, Lilly entama son soda.

– Elle s'attend à être punie si elle quitte la cage. Tôt ou tard, elle devra chercher sa nourriture. Si demain elle est encore là, il faudra qu'on la fasse sortir. Ce serait bien qu'elle comprenne qu'elle peut bouger sans rien risquer.

– Boris a déjà l'air tout amoureux, observa Tansy.

– Oui. Il est adorable. Elle pourrait lui répondre. Et puis elle devra aussi faire ses besoins, mais elle n'osera pas, dans sa cage, alors elle se retiendra tant qu'elle pourra.

– Le véto qui l'a examinée après qu'on l'a évacuée a dû la soigner pour une infection urinaire et lui arracher deux dents. Matt est en train de lire tous ses rapports et veut la voir. Mais, comme toi, il estime qu'il faut d'abord la laisser tranquille. Comment ça se passe entre toi et Cooper ?

– On s'accorde un délai. Le système de sécurité passe avant le reste. Et puis, je crois qu'il travaille avec la police. Il a des dossiers qu'il ne veut pas me montrer. Alors je le laisse tranquille pour le moment.

– Vous en êtes au même stade que les deux tigres.

– Si on veut. C'est assez bien vu. J'ai trouvé deux chargeurs de pistolet dans le tiroir de ma commode, au milieu des sous-vêtements. Qu'est-ce qu'il a eu besoin d'aller les fourrer là ?

– C'est un bon moyen de ne pas oublier où il les a mis. Il a choisi le tiroir de tous les jours ou celui de la lingerie ?

– Celui de la lingerie. J'avais justement envie de me débarrasser de tout ça, parce que c'est un souvenir de Jean-Paul. C'est lui qui me les a offerts, pour la plupart. Et il en a bien profité.

– Largue-les. Achètes-en d'autres.

– Je n'ai pas envie d'investir dans ce genre d'article en ce moment.

– Moi, j'ai commandé deux nuisettes hypersexy, l'autre jour. J'adore acheter sur Internet.

– Farley va devenir fou.

– Je passe mon temps à me dire que je ferais mieux de rompre avant que tout ça aille trop loin. Et puis je tombe sur la collection de printemps de Victoria's Secret. Je déraille, Lilly.

– Tu es amoureuse, ma chérie.

– C'est juste physique. Ça fait du bien, même si ça passe vite.

– Je te crois, tiens.

– Arrête de me charrier ! Si ce n'est pas que physique entre nous, je ne sais pas quoi faire. Alors, tes piques, tu te les gardes.

– Si tu y tiens… Oh ! regarde !

Lilly serra le genou de Tansy.

– Regarde, elle bouge !

En effet, DaLillya se relevait imperceptiblement. Boris l'encouragea d'un feulement alors qu'elle effectuait un pas prudent. À mi-chemin sur le seuil de sa cage, elle s'immobilisa de nouveau, et Lilly craignit de la voir reculer. Soudain, la tigresse frémit, se tapit sur elle-même et sauta vers le poulet entier déposé sur le sol de son gîte.

Elle l'agrippa entre ses pattes puis jeta un coup d'œil de chaque côté, croisa le regard de Lilly.

Vas-y, mange, ma belle.

Elle pencha la tête et, sans la quitter des yeux, planta ses crocs dans la viande. Tandis qu'elle dévorait avec vigueur, Lilly prenait la main de Tansy.

– Elle s'attend à recevoir un savon. Si je tenais ceux qui l'ont martyrisée comme ça, je te leur balancerais de ces décharges électriques !

– Là, je te suis à fond. Pauvre gamine ! Elle doit être malade d'angoisse.

DaLillya mangea jusqu'au bout, mais, avant de faire sa toilette, elle fila vers l'abreuvoir, où elle but à larges goulées.

De l'autre côté de la barrière, Boris s'était dressé contre la clôture et l'appelait. Elle finit par s'approcher en rampant pour le renifler. Quand il retomba sur ses pattes, elle fila vers sa cage, la queue basse.

Le seul endroit où elle se croyait encore en sécurité. Il l'appela de nouveau, avec insistance, et elle finit par revenir, totalement aplatie, tremblante, mais se laissa renifler le nez.

Lilly sourit en le voyant la lécher.

– On aurait dû l'appeler Roméo. On va pouvoir ôter cette cage, c'est Boris qui va s'occuper d'elle, maintenant. Ça tombe bien. Il faut que je file en ville.

– Je croyais qu'on avait toutes les provisions qu'il nous fallait !

– Je dois faire quelques courses et j'en profiterai pour rendre visite à mes parents. Je rentrerai avant le coucher du soleil.

Elle n'avait pas l'intention de s'arrêter aux écuries Wilks, mais elle était en avance et elle ne put résister quand elle vit Cooper en train de mener le poney d'une fillette autour du paddock.

La petite semblait aussi ravie que si on venait de lui donner la clef du plus grand magasin de jouets de l'univers. Elle sautait sur sa selle, visiblement incapable de se tenir droite, et son visage sous son chapeau rose brillait comme un soleil.

En sortant de sa fourgonnette, Lilly entendit l'enfant pousser des exclamations de joie devant sa mère qui riait aux éclats et son père qui prenait des photos. Attendrie, Lilly s'appuya à la barrière pour observer le spectacle.

Cooper n'avait pas l'air mécontent non plus et répondait à toutes les questions de la fillette tandis que son poney avançait patiemment.

Quel âge pouvait-elle avoir ? Quatre ans, tout au plus. De longues nattes dorées sautillaient autour de sa nuque et son jean s'ornait de fleurs brodées multicolores.

Son cœur se serra quand elle vit Cooper la soulever de sa selle. Jamais elle ne l'aurait imaginé dans le rôle de père. À une époque, elle avait pensé qu'un jour ils fonderaient une famille, mais c'était resté dans le domaine flou des « un jour ». Depuis le temps, pourtant, ils auraient très bien pu avoir une petite fille, eux aussi. Il laissa l'enfant caresser le poney puis sortit une carotte d'un sac et lui montra comment la présenter à l'animal.

Lilly attendit qu'il ait fini de discuter avec ses parents, et il sourit lorsque sa jeune cliente vint se jeter à son cou pour l'embrasser.

– Elle se souviendra de toi toute sa vie, assura Lilly quand il la rejoignit.

– Surtout du cheval. Personne n'oublie son premier cheval.

– Je ne savais pas que tu proposais des balades à poney.

– Ça s'est présenté comme ça. La petite en mourait d'envie. De toute façon, j'y songeais depuis un certain temps. Ça ne revient pas cher et ça rapporte beaucoup. Le père tenait absolument à me donner un pourboire de 10 dollars. Tiens, tu veux m'aider à les brosser ?

– C'est tentant, mais j'ai un rendez-vous. Tu étais très bien avec la petite fille.

– Ça m'a plu, à moi aussi. Et, oui, j'y ai pensé, moi aussi.

Devant son haussement de sourcils, il se hâta de préciser :

– Aux enfants qu'on aurait pu faire.

Comme elle avait un mouvement de recul, il la retint contre lui.

– Tes yeux. J'ai toujours été dingue de tes yeux. Je me demandais quel genre de père je pourrais être. Maintenant, je sais que je me débrouillerai.

– Je ne passe pas ma vie à rêvasser sur les gosses.

– C'est un endroit idéal pour élever des enfants, et tu le sais très bien.

– Tu sautes les étapes, Coop. Je couche avec toi parce que ça me fait plaisir, mais j'ai autre chose à penser pour le moment.

– Je t'ai dit que j'attendrais et je m'y tiendrai. Cela ne signifie pas que je n'utiliserai pas tous les moyens qui me tomberont sous la main.

– En attendant, je voulais te dire que, selon Brad, le système de sécurité devrait fonctionner avant la nuit.

– Parfait.

– Je vais donc prévenir tout le monde qu'on n'a plus besoin de patrouille. Et cela vaut aussi pour toi.

– Je reste jusqu'à ce que Howe soit sous les verrous.

– À toi de voir. Et je n'irai pas prétendre que je préfère rester seule au refuge la nuit. Tu peux garder ton tiroir et ton coin de placard. Je partagerai mon lit avec toi. Pour le reste, je n'en sais rien.

Elle allait partir lorsqu'elle se ravisa.

– Je veux savoir tout ce que t'a raconté Willy, tous ces dossiers que tu te donnes tant de mal à me cacher. Si tu veux que je reste avec toi, tu as intérêt à comprendre que j'estime avoir droit à ta confiance et à ton respect. À tous les points de vue. En aucun cas je ne me contenterai d'une bonne entente sexuelle et de tulipes jaunes.

Farley faisait les cent pas devant la bijouterie lorsque Lilly arriva.

– Je n'ai pas voulu entrer sans vous.

– Désolée d'être en retard. J'ai été retenue.

– Pas de problème. Ce n'est pas vous qui êtes en retard, c'est moi qui suis en avance.

– Anxieux ?

– Un peu. Je voudrais être certain de choisir le mieux.

– On va voir ça.

De nombreux clients se bousculaient à l'intérieur. Lilly leva la main vers l'employée qu'elle connaissait puis prit Farley par le bras.

– Alors, qu'est-ce qui te plairait ?

– À vous de me le dire.

– Tu as bien une idée.

– Euh… je voudrais quelque chose de spécial, enfin, pas trop tara-biscoté mais…

– Unique.

– Oui, unique. Comme elle.

– Jusque-là, tu ne t'es pas trompé sur ma meilleure amie.

Elle lui montra un plateau d'anneaux à travers une vitrine.

– Or blanc ou jaune ?

– Oh, Lilly !

Il paraissait aussi paniqué que si elle lui avait demandé s'il préfé-rait du cyanure ou de l'arsenic dans son café.

– D'accord, c'était une question piège. D'après les couleurs qu'elle aime et sa personnalité, je pense que tu devrais opter pour de l'or rose.

– Ça existe, ça ?

– Regarde. C'est doux et ça brille sans en jeter plein la vue.

– Mais c'est quand même de l'or ? Ça fait pas moins important, je veux dire…

– C'est de l'or. Si tu n'aimes pas, je te conseillerai plutôt l'or jaune.

– Si, j'aime bien. Ça fait pas pareil. Rose, de l'or rose… comme une rose.

– Regarde cette série.

– Ah… là, il y a un joli diamant dessus.

– En effet, il est très beau, mais regarde, il déborde sur la main. Ce ne serait pas pratique pour une fille comme Tansy, qui est tout de même assez manuelle, avec les animaux et tout. Elle risquerait de l'accrocher.

– C'est vrai. Alors il faut quelque chose de plus plat.

Il souleva son chapeau pour se gratter la tête.

– Il n'y en a pas beaucoup de cette couleur, mais ça fait encore trop pour les regarder tous. Celui-là, il est beau avec son anneau en vrille, seulement je trouve le diamant trop petit. Je ne veux pas que ça fasse camelote.

Comme Lilly se penchait pour mieux voir, ils furent interrompus par la vendeuse.

– Bonjour ! Qu'est-ce que vous avez à me dire ?

– Nous ne pouvons plus garder secret notre grand amour ! lança Lilly devant un Farley tout gêné. Comment ça va, Ella ?

– Très bien. Alors, tu m'amènes Farley pour qu'il te serve de couverture ? Si tu vois quelque chose qui te plaît, je me ferai une joie de l'indiquer à Cooper quand il viendra.

– Pardon ? Non, non, non !

– Tout le monde s'attend que vous annonciez vos fiançailles.

– Il n'y a rien à annoncer. Tout le monde se trompe…

Agacée, Lilly se sentit rougir.

– Je suis ici en tant que conseillère. C'est Farley l'acheteur.

– Ah ! très bien. Qui est l'heureuse élue ?

– Je lui ai pas encore demandé, alors…

– Ce ne serait pas une certaine beauté exotique avec qui je t'ai vu danser une ou deux fois ? Celle qui habite à deux rues d'ici, là où je te vois régulièrement te garer depuis quelques semaines ?

– Euh…

Cette fois, il ne savait plus où regarder.

– Oh, Seigneur, alors, c'est bien ça ! Génial ! Quand je vais annoncer…

– Tu ne raconteras rien du tout, Ella. Puisque je te dis que je n'ai pas fait ma demande !

La jeune femme posa une main sur son cœur.

– Promis, juré, je ne dirai pas un mot. D'ailleurs, c'est notre métier, ici. J'espère juste que tu ne vas pas trop tarder parce que ça va être dur. Allez, on revient à nos moutons. Dis-moi ce qui te ferait plaisir.

– Lilly pense qu'il faudrait de l'or rose.

– Bien vu, ça lui ira très bien.

Ella ouvrit la vitrine et sortit quelques bijoux qu'elle déposa sur un plateau de velours.

Ils discutèrent, débattirent, Lilly jouant les arbitres. Au bout d'un long moment, il jeta un regard peiné dans sa direction.

– Il faut me dire si j'ai tort, mais j'aime bien celle-là, avec l'anneau plus large que les autres et tous ces petits diamants autour du gros. Elle saura que je l'ai choisie spécialement pour elle.

Devant une Ella qui soupirait d'émotion, Lilly embrassa Farley sur la joue.

– J'espérais que tu prendrais celle-là. Elle va l'adorer, c'est exactement ce qu'il lui faut.

– Dieu merci, parce que je commençais à ne plus savoir.

– Elle est magnifique. Pas ordinaire, contemporaine et pourtant très romantique.

Ella rangea les autres bagues.

– Quelle est sa taille ?

Farley écarquilla les yeux.

– Oh, là, là !

– À peu près six, intervint Lilly. Pour moi, c'est cinq, et on échange, parfois. Je porte les siennes sur le majeur. Je crois…

Elle y glissa la bague.

– Là, elle me va très bien.

– Tant mieux. S'il faut la rajuster, qu'elle vienne avec, et on s'en chargera. Elle pourra aussi l'échanger contre quelque chose qui lui plaira davantage, le cas échéant. Je prépare tes certificats, Farley, et je suis à vous.

Avant de s'éloigner, elle lui fit signe.

– Et comme je t'ai laissé un jour m'embrasser derrière un buisson, je t'accorde quinze pour cent de remise. Mais il faudra me promettre de revenir pour les alliances.

– Pas de souci.

Il se tourna vers Lilly, les yeux brillants.

– Quand je pense que j'achète une bague de fiançailles à Tansy ! Non, ne pleurez pas, vous allez me faire pleurer.

Elle posa la tête sur son épaule en se disant que certaines personnes savaient faire le bon choix et saisir l'occasion le moment venu. D'autres, non.

23

Farley la suivit à la ferme, et Lilly put ainsi assister au spectacle de ses parents s'extasiant sur la bague. On se congratula, on versa quelques larmes et on se promit d'accueillir Tansy dans la famille dès qu'elle aurait accepté.

Et puis Farley invita Josiah à venir marcher avec lui, sans doute pour une discussion entre hommes. Dans la cuisine, Lilly s'assit auprès de sa mère.

– Mon Dieu, soupira Jenna, dire qu'il y a cinq minutes c'était encore un petit garçon !

– Tu en as fait un adulte responsable.

– On lui a donné les outils, c'est lui qui a su s'en servir. Tu te rends compte qu'ils vont faire des bébés ! Oui, je sais, je me vois déjà grand-mère. J'ai encore le berceau que ton grand-père avait fabriqué pour moi ; tu y as eu droit, et il est maintenant rangé dans le grenier d'où il voudrait bien sortir. J'espère qu'ils accepteront de se marier ici. Il va falloir songer aux fleurs, aux robes…

Elle s'interrompit.

– Je ne t'ai pas donné cette joie, murmura Lilly.

– Ce n'est pas ce que je voulais dire, ma chérie. Inutile de te rappeler à quel point nous sommes fiers de toi.

– Ce n'est pas la peine. Moi aussi, j'ai tiré des plans sur la comète, mais ça n'a pas marché. Du coup, j'ai changé mon fusil d'épaule, et, là, ça a réussi. Aujourd'hui, je me retrouve dans ce drôle de refuge. Alors, si tu as un conseil à me donner…

– Cooper.

– Ç'a toujours été Cooper. Pourtant, voilà belle lurette que tout est devenu trop compliqué entre nous.

– Il te fait tellement souffrir, ma puce, je sais.

– Maintenant, il veut tout recommencer, mais je ne sais pas si ce sera comme avant.

– Ce ne sera jamais comme avant, c'est impossible. Mais ça ne signifie pas pour autant que tout est impossible entre vous. Tu l'aimes, j'en suis sûre.

– Apparemment, l'amour n'a pas suffi. Il m'a gentiment expliqué pourquoi.

En racontant son histoire, elle dut aller ouvrir la fenêtre pour respirer un peu d'air frais.

– Il paraît que c'était pour mon bien, conclut-elle avec amertume. Parce qu'il était fauché, parce qu'il avait tout raté. Mais qu'est-ce que ça me faisait, à moi ? En plus, j'avais le droit de savoir pourquoi il agissait de cette manière. Dans un couple, ça ne doit pas toujours être la même personne qui prenne seule toutes les décisions !

– Je comprends. Il y a de quoi se mettre en colère.

– Pire que ça. L'une des plus grandes décisions de ma vie a été prise sans moi ! Qui me dit qu'il ne va pas recommencer ? Je n'ai aucune envie de m'y risquer encore.

– Tu ne te laisseras pas faire. Et je vais te dire quelque chose qui va peut-être te décevoir, parce que je sais combien tu as souffert, parce que j'ai souffert avec toi. Pourtant, je lui suis infiniment reconnaissante d'avoir agi ainsi.

Lilly réagit comme si elle venait de recevoir une gifle.

– Comment ?

– Sinon, tu aurais lâché tout ce qui te passionnait dans la vie. Tu étais beaucoup trop amoureuse pour ne pas le faire passer avant tout le reste.

– Et alors ? Je n'aurais pas pu assumer les deux, peut-être ? Qu'est-ce que tu fais des concessions, de la coopération ?

– Tu aurais peut-être réussi, mais les probabilités allaient contre toi. Oh, ma chérie, ne pleure pas ! Tu n'avais pas vingt ans et le monde s'ouvrait devant toi, lui en avait deux de plus et voyait tout s'écrouler autour de lui. Il devait se battre là où toi tu devais réussir.

– On était jeunes, je sais. Papa et toi aussi étiez jeunes quand vous vous êtes mariés.

– Oui, on a eu de la chance. Mais on désirait la même chose, ce qui change tout.

– Alors tu crois que je devrais oublier ces dix dernières années ? « Tout est oublié, Coop, je suis à toi ? »

– Je crois que tu devrais prendre le temps de réfléchir, de voir si tu peux lui pardonner.

Lilly laissa échapper un soupir de soulagement.

– Et je crois, ajouta Jenna, que s'il avait quelque chose à se prouver, cette fois, c'est à toi qu'il le doit. Fais-le-lui comprendre. Et, pendant ce temps, demande-toi si tu veux vivre les dix prochaines années sans lui.

– Il a changé, et ce qu'il est devenu… Si je venais de le rencontrer, si nous n'avions pas de passé ? Je me prendrais les pieds dans le tapis. Et, ça, ça fait peur. Parce que je sais qu'il pourrait à tout moment me casser encore une fois en mille morceaux.

– Tu n'en as pas un peu assez de ne sortir qu'avec des hommes qui ne peuvent rien pour toi ?

– Je ne sais pas, honnêtement, si je l'ai fait exprès ou si c'est vraiment le seul qui me touche. De toute façon, j'ai peur. Bon, il faut que je rentre. Je ne pensais pas m'absenter si longtemps.

– C'est important, ma chérie. Tu trouveras une solution. Il faut me dire si tu es certaine de ne pas avoir besoin de nous cette nuit.

– Le système de sécurité était presque installé quand je suis partie. Si on a le moindre problème, je vous téléphonerai, promis. Je ne sais pas trop où j'en suis avec Cooper, mais, pour la réserve, j'ai les idées claires.

– Bon. Beaucoup de gens pensent que ce malade est parti à cause de cette chasse à l'homme.

– J'espère que beaucoup de gens ont raison. Mais personne ne sera tranquille tant qu'il n'aura pas été arrêté. Alors ne prends aucun risque.

Elle sortit, vit Farley et son père contourner la maison avec les chiens qui couraient autour d'eux.

– Dis à Farley que je suis de son côté.

Lilly se dirigea vers sa fourgonnette, se retourna, regarda sa mère tout en reculant et en se répétant combien elle était jolie, sur le seuil de la vieille ferme.

– Il m'a offert des tulipes jaunes.

Encore plus jolie quand elle souriait.

– Ça a marché ?

– Mieux que je n'ai bien voulu le lui avouer. Encore une réaction typique, maman !

Lilly rentra avant la fermeture et trouva le nouveau portail ouvert mais aperçut la caméra de sécurité et le clavier numérique sur lequel il faudrait bientôt composer le code secret. Voilà qui barrerait le passage à tout véhicule indésirable. De là à sécuriser les collines, c'était une autre histoire.

Elle roula lentement en examinant le terrain, les arbres. Elle connaissait bien les lieux. Si elle le voulait, elle trouverait sans peine un moyen de contourner ce nouveau système. Ce qui ne la mit que davantage sur ses gardes.

Elle se gara devant son chalet, contente de constater que trois groupes continuaient de surveiller le refuge, et aperçut Brad en grande discussion avec l'un de ses installateurs. Mais son attention se reporta sur le nouveau membre de la famille Chance.

Elle en fut toute retournée. DaLillya s'était allongée contre la clôture, et Boris se tenait de l'autre côté. La femelle ne leva même pas la tête à l'approche de Lilly ; en revanche, elle ouvrit les yeux. Toujours inquiète. Sans doute aurait-elle à jamais peur des humains, mais elle venait de se trouver un allié parmi ses semblables.

– On devra bien finir par lever cette barrière, dit doucement Lilly à Boris. Bien joué, mon vieux. Elle a besoin d'un ami, alors je compte sur toi pour lui apprendre comment ça se passe.

– Mademoiselle ?

Elle se retourna vers les quatre personnes qui se trouvaient de l'autre côté du grillage.

– Oui ?

– Il ne faut pas entrer là.

Elle se redressa et s'approcha de l'homme qui venait de parler.

– Je suis Lilly Chance. C'est moi qui ai fondé cette réserve.

– Oh, pardon !

Elle lui tendit la main.

– Non, vous avez eu raison. Je venais admirer notre nouvelle pensionnaire. Nous n'avons pas encore eu le temps d'apposer sa plaque. Voici DaLillya, qui vient de passer sa première journée ici. C'est une tigresse du Bengale.

Elle leur fit faire le tour du refuge et des zoos, ce qui lui arrivait de plus en plus rarement. Quand elle eut fini et confié le groupe à deux stagiaires, Brad vint lui annoncer que tout était prêt.

– Vous êtes branchée, Lilly. Tout va bien. Vous allez pouvoir l'annoncera à votre équipe.

– Je les ai déjà prévenus qu'ils devaient rester plus tard ce soir pour assister à la fermeture.

– Tant mieux, parce que Lucius m'a dit que je pourrai donner un coup de main pour le dîner des animaux, si vous êtes d'accord.

– C'est un gros travail, vous savez.

– J'aimerais pouvoir me vanter, en rentrant à New York, d'avoir donné à manger à un lion. Je le raconterai à tout le monde, vous pouvez me croire.

– Alors, c'est d'accord. Je vous emmènerai et on continuera par la visite du système. En tout cas, en arrivant, tout à l'heure, j'ai pu remarquer que les installations étaient très discrètes.

– Ça compte, l'esthétique. Vous verrez qu'on peut faire efficace et quand même joli.

– Eh bien, allons-y. On va commencer par l'intendance.

Après avoir nourri les bêtes et fermé la réserve, Lilly organisa une petite fête avec l'équipe, autour de bières et de poulet grillé, pendant que Brad leur expliquait la manipulation des systèmes fraîchement installés. Autant joindre l'utile à l'agréable.

– Finalement, c'était facile, dit-elle à Tansy devant une salade de pommes de terre. Enfin une nuit tranquille sans tour de garde !

Son amie roula des yeux en voyant Cooper arriver.

– Façon de parler, railla-t-elle. Tu ferais mieux de sortir la lingerie sexy. Ça va être le moment de la porter.

Lilly lui envoya un coup de coude.

– Silence !

Une lune à son premier quartier éclairait le refuge lorsque l'équipe quitta enfin les bureaux. Lilly espérait qu'ils sauraient tous utiliser leur carte magnétique pour entrer le lendemain matin, mais, pour le moment, elle songeait surtout à terminer le travail qu'elle avait négligé pendant la journée.

– Je repasse demain, la prévint Brad. Je vérifie encore quelques données avec Mary pour m'assurer qu'on n'aura pas de pépins.

– Merci pour tout ce que vous avez fait.

Autour d'eux clignotaient désormais les lueurs rouges des détecteurs placés sur chaque bâtiment.

– C'est un immense soulagement de savoir les animaux en sécurité.

– Vous avez le numéro de mes sous-traitants locaux en cas de panne. Et aussi le mien.

– J'espère que vous reviendrez, même en l'absence de tout souci.

– Vous pouvez compter sur moi.

– À demain.

Elle regagna son chalet et se prépara un thé pour tenir le coup durant l'heure de travail qui l'attendait encore. Dans la cuisine trônaient de magnifiques marguerites multicolores.

– Et zut !

Fallait-il qu'elle soit simplette pour se sentir ainsi fondre d'attendrissement… Mais qu'y avait-il de plus attendrissant qu'un bouquet déposé chez une femme par un homme ?

Elle sortit quelques biscuits, ouvrit son ordinateur portable à côté des fleurs.

Elle commença par les courriels, sourit à la lecture des lignes envoyées par des enfants, ou par les promesses de quelques donateurs demandant de plus amples détails pour envoyer de l'argent.

Elle répondait à chacun au fur et à mesure.

Jusqu'au moment où un message lui coupa le souffle. Elle le relut plus lentement.

hello Lilly. voila longtemps qu'on te voit plu. tu fais beaucoup de choses pour cette reserve et ca me fait bien rire de voir les resultat. je suis sur quon va faire conaissance. ca ma etonne mais on dirait que les gens du coin on compri que jetais la. ca me fait bien marrer de les voir trimbaler leur grosses fesse dans les colines et jaurai beintot un autre cadeau pour eux. desole pour le couguar mais tu aurais jamais du le mettre en cage comme ca alors cest de ta faute si il est mort. tu sais que les animaux sont des esprits libres et nos ancetres le savaient et les respectaient. tu a viole leur eritage sacre et je voulais te tuer pour ca mais jai eu la belle carolyn a la place. elle etait gentille, elle a jouer le jeu et elle est bien morte. cest tout ce qui conte. toi aussi. quand jen aurai fini je libererais tout les animaux que tu a mis en prison. ca me fera du bon gibier que je turais en ton honeur. porte toi bien pour que quand on se verra on soit egaux. ce brave jim ma permi de mentrainer mai tu sera mon clou du pestacle. jespere que tu recevra bien ce message je suis pas bon en ordinateur et jai emprunte celui la pour tenvoyer ce message. bien a toi. ethan felin rapide.

Elle commença par le copier puis s'assura qu'elle avait bien repris son souffle, son calme, avant de sortir chercher Coop.

Elle aperçut les feux arrière de la voiture de location de Brad puis Cooper, qui se dirigeait vers le chalet.

– Il voulait rentrer à la ferme à temps pour partager encore un gâteau avec ma grand-mère. Et…

Il s'interrompit en voyant son visage dans la lumière.

– Qu'est-ce qui se passe ?

– Il m'a envoyé un courriel. Viens voir ça.

Il courut vers elle, l'écartant presque de son chemin pour entrer plus vite, se précipita dans la cuisine et se planta devant le portable resté ouvert.

– Tu en as fait une copie ?

– Oui. Sur le disque dur et sur ma clef.

– Il faudra aussi le tirer sur papier. Tu connais cette adresse ?

– Non.

– Elle ne devrait pas être trop difficile à retracer.

Il alla décrocher le téléphone, et, peu après, elle l'entendit s'entretenir avec Willy, d'un ton détaché, affairé.

– Je vous le transmets tout de suite. Donnez-moi votre adresse.

Il tendit le combiné à Lilly et se précipita sur le clavier de l'ordinateur.

– Willy ? Oui. Je vais bien. Vous pourriez passer voir mes parents ? Et les grands-parents de Cooper aussi. Je me sentirais mieux si… Merci. Oui, entendu. D'accord.

Elle raccrocha, porta les mains à son visage.

– Il a promis de repérer au plus vite l'origine de ce message. Il nous rappelle ou vient nous voir dès qu'il a du nouveau.

– Howe sait qu'il a commis une erreur avec Tyler, marmonna Cooper comme pour lui-même. Il sait qu'on l'a identifié. Comment le sait-il ? Il a un moyen d'accès à certaines informations. Peut-être une radio. À moins qu'il ne se risque à se promener en ville pour écouter les potins.

Il relut encore le message.

– Il aurait pu passer par un cybercafé, mais… c'est un risque démesuré. On trouverait tout de suite la source et certainement un témoin qui l'aurait aperçu ou même lui aurait parlé. Ce serait trop nous donner. Je pencherais plutôt pour une violation de domicile. Il a envoyé ça à 19 h 38. Il a attendu la nuit, repéré une maison. Sans doute avec un gosse ou un ado. Ils ont tendance à laisser leurs ordinateurs allumés.

– À moins qu'il n'ait encore tué quelqu'un. Rien que pour m'envoyer ça.

– Inutile d'aller voir par là tant qu'on n'a pas de preuves. Concentrons-nous plutôt sur ce que nous savons ; or nous savons qu'il a commis une nouvelle erreur. Il est sorti de l'ombre parce qu'il se sentait obligé de prendre contact avec toi. Il a appris que nous l'avions identifié, et, du coup, il n'a pas vu d'inconvénient à communiquer avec toi.

– Sauf que ce n'est pas moi, mais l'image qu'il se fait de moi. En fait, il ne parlait qu'à lui-même.

– Exactement. Continue.

– Il, euh…

Elle se prit la tête dans les mains, finit par la relever.

– Il est à moitié illettré et n'y connaît rien en informatique. Ça a dû lui prendre un certain temps de rédiger tant de lignes. Il voulait que je… sache qu'il nous observe. Il se vante un peu. Nos travaux le font ricaner. Ce système de sécurité. Tout comme la chasse à l'homme. Il est persuadé que personne ne l'empêchera d'atteindre son objectif. Il dit que Carolyn a constitué un bon gibier.

– Et que Tyler lui a permis de s'exercer. Tout prouve qu'il l'a entraîné loin de son trajet initial, vers la rivière. Tyler était un homme en bonne santé, beaucoup plus costaud que Howe. Ce qui laisse supposer qu'il a utilisé une arme. Un couteau n'aurait pas suffi, surtout si Tyler s'est arrangé pour maintenir une certaine distance entre eux. À quoi joue-t-on quand on force un type à marcher sur des kilomètres ?

Elle voyait le tableau, maintenant, les circonvolutions des raisonnements de Howe. Et ça l'aidait à se calmer.

– On sait qu'il a une arme et qu'il connaît les collines. Il suit une piste. Il… il chasse.

– Décidément, tu aurais fait un bon détective. Eh oui, c'est ça le jeu, pour lui… la chasse. Il choisit sa proie, la traque et l'abat.

– Et il m'a choisie parce qu'il croit que j'ai violé les terres sacrées, son héritage sacré en y installant cette réserve. Parce que, dans sa tête, nous partageons le couguar comme guide spirituel. C'est dingue.

– Il t'a aussi choisie parce que tu peux pister un gibier, le chasser mais aussi te cacher. Tu deviens donc une pièce maîtresse.

– Il aurait pu venir me chercher avant, mais Carolyn l'a distrait de son objectif. Elle était jeune et jolie, elle l'attirait. Elle écoutait ses théories, elle a certainement couché avec lui. Et quand elle a commencé à voir assez clair en lui pour qu'il lui fasse peur, elle a voulu rompre et il l'a poursuivie. Elle est devenue sa proie.

Secouée par ces constatations, la jeune femme se laissa tomber sur le banc.

– Ce n'est pas toi, Lilly. Ce n'est pas ta faute.

– Je sais, mais il n'empêche qu'elle est morte. Enfin, c'est à peu près sûr. Et peut-être que quelqu'un d'autre est mort cette nuit pour lui permettre de mettre la main sur un ordinateur et m'envoyer ça. S'il s'en prend à qui que ce soit d'autre, à n'importe lequel de mes collaborateurs, je ne sais pas ce que je ferai. Je ne sais pas.

– Je m'inquiète moins qu'auparavant sur ce point. Il s'est donné la peine de te prévenir. Il n'a plus besoin de te montrer de quoi il est capable ni de te provoquer.

– C'est déjà ça, soupira-t-elle. Dis-moi, Brad est descendu chez tes grands-parents juste parce qu'il aime la cuisine de Lucy ou lui as-tu demandé, par la même occasion, de jeter un œil sur eux ?

– La cuisine, c'est pour l'en remercier.

Il ouvrit une bouteille, lui servit un verre qu'elle but sans se faire prier.

– C'est un véritable ami, observa-t-elle.

– On peut le dire.

– Je crois qu'on peut juger une personne à ses amis.

– Il te faut une idée en ce qui me concerne, Lilly ?

– Il me faut une idée pour ces dix dernières années, oui.

Elle guettait le téléphone, qui s'obstinait à ne plus sonner. Willy n'annonçait toujours pas que ses parents allaient bien.

– Comment peux-tu supporter d'attendre ? questionna-t-elle enfin.

– Parce que c'est ce qu'il nous reste à faire. Ici, tout est bouclé. S'il essaie de venir, il déclenchera un signal d'alarme. Tu es en sécurité. Avec moi. Alors je peux attendre.

Pour tenter de garder son calme, elle se mit à caresser les pétales des marguerites.

– Pourquoi tu m'as apporté d'autres fleurs ?

– Il me semble que je te dois dix ans de fleurs. Pour tes anniversaires, pour nos disputes et tout.

D'un seul coup, elle céda à une impulsion.

– Donne-moi ton portefeuille.

– Pourquoi ?

Elle tendit la main.

– Allez ! Tu veux te faire bien voir ? Donne-le-moi.

Partagé entre la surprise et l'envie de rire, il porta la main à sa poche. Et elle vit le pistolet à sa ceinture.

– Tu es armé.

– J'ai un permis.

Il lui tendit son portefeuille.

– Tu avais mis des recharges dans mon tiroir. Elles n'y sont plus.

– Parce que j'ai mon propre tiroir, maintenant. Au fait, tu as de jolis sous-vêtements. Pourquoi tu ne les portes jamais ?

– C'est un autre homme qui me les a offerts.

Elle ne put s'empêcher de sourire devant la tête qu'il faisait.

– Du moins une partie, rectifia-t-elle. Il ne m'a pas semblé opportun de les utiliser avec toi.

– Je suis là. Pas lui.

– Et, maintenant, si j'enfilais cette petite chose rouge, par exemple, il ne te viendrait pas à l'esprit, en me l'enlevant, qu'un autre a déjà fait la même chose ?

– Jette-moi tout ça.

Sans trop savoir pourquoi, elle ne put s'empêcher d'éclater de rire.

– Si je fais ça, tu sauras que je ne demande qu'à me remettre avec toi. Qu'est-ce que tu jetterais pour moi, Cooper ?

– Ce que tu veux.

Hochant la tête, elle ouvrit le portefeuille et commença par examiner son permis de conduire, puis sa licence de détective.

– Tu es très photogénique, avec tes yeux de Viking un peu fous. New York ne te manque pas trop ?

– Le Yankee Stadium, si. Un jour, je t'y emmènerai assister à un match. Tu verras ce que c'est que le vrai base-ball.

Haussant les épaules, elle continua son investigation et finit par tomber sur la photo qu'elle cherchait. Elle se rappelait quand il l'avait prise, l'été qui les avait vus devenir amants. Qu'ils étaient jeunes, alors ! Si ouvertement heureux, sans arrière-pensée ! Elle était assise devant le torrent, au milieu des fleurs sauvages, les collines verdoyantes derrière elle, les genoux repliés entre ses bras, ses cheveux flottant sur les épaules.

– C'est une de mes préférées, expliqua-t-il. Le souvenir d'une journée parfaite, d'un endroit parfait, d'une fille parfaite. Lilly, je t'aimais, j'avais tout ce dont je pouvais rêver et ça ne me suffisait pas.

– À moi, si.

Et le téléphone sonna.

24

Willy se présenta en personne après son coup de fil. Lilly lui ouvrit le portail depuis le chalet. Elle avait eu le temps de préparer du café, qu'elle versa dans les tasses tandis que Cooper faisait entrer le shérif dans le salon.

– Merci, dit-il en s'installant. J'ai pensé que vous aimeriez entendre toutes ces précisions de ma bouche. Il a utilisé le compte de Mac Goodwin. Vous savez, ceux de la ferme du 34.

– Oui, sa femme Lisa était dans ma classe.

Elle s'appelait alors Lisa Greenwald ; une pom-pom girl que Lilly détestait parce qu'elle « la ramenait ». Rien que de penser au nombre de fois où elle lui avait fait la grimace dans son dos, Lilly en avait mal au cœur.

– J'ai reçu un appel de Mac moins de cinq minutes après le vôtre. Pour signaler un cambriolage.

– Est-ce qu'ils sont… ?

– Ça va, la coupa-t-il pour la rassurer plus vite. Ils étaient sortis dîner et assister à un concert de leur aîné. En rentrant, ils ont découvert que la porte donnant sur le jardin avait été forcée. Ils ont eu raison de ne pas essayer d'entrer mais de nous appeler tout de suite depuis leur portable. De toute façon, ça faisait trop de coïncidences, alors je leur ai demandé s'ils avaient un compte courrier qui correspondait à l'adresse du message que vous aviez reçu. Et c'était bien ça.

Elle s'assit, les genoux tremblants.

– Ils n'étaient pas chez eux. Personne n'a été blessé.

– Ils vont bien. Ils venaient d'adopter un chiot après la mort de leur vieux chien, il y a quelques mois, et ils l'avaient enfermé dans la laverie. Il est sain et sauf lui aussi. Je suis allé leur parler, jeter un coup d'œil. Je leur ai laissé un adjoint pour aider Mac à clouer des planches sur la porte. On dirait que notre homme l'a enfoncée pour trouver l'ordinateur. Mac ne l'avait pas éteint avant de partir, il devait s'occuper des enfants, il a oublié. Ce sont des choses qui arrivent.

– Comme vous dites. Ils se connaissent depuis le lycée. Mac et Lisa, Lisa et Mac. Ils se sont mariés au printemps, après leur diplôme. Ils ont deux garçons et une fille encore bébé.

Étrange, constata Lilly, médusée, combien elle savait de choses sur cette camarade autrefois détestée !

– En tout cas, la famille va bien, assura Willy. À première vue, Howe leur aurait volé de la nourriture : pain, conserves, biscuits, bière et jus de fruits. Il a laissé la cuisine sens dessus dessous. Il a aussi emporté les 200 dollars en espèces que Mac gardait dans son bureau et les économies des gosses dans leurs tirelires, ainsi que les 100 dollars que Lisa avait cachés dans le freezer. (Il regarda ses interlocuteurs avant de poursuivre :) Les gens n'ont pas l'air de comprendre que ce sont les premiers endroits que visite un voleur. Les Goodwin devront procéder à une deuxième investigation plus poussée pour voir si rien d'autre ne leur a été pris.

– Des armes ? demanda Coop.

– Mac a un coffre. Heureusement. Nous allons prélever les empreintes et les comparer avec celles d'Ethan Howe. J'ai l'intention d'appeler le FBI ce matin.

Comme Cooper faisait la grimace, le shérif s'empressa de préciser :

– Je n'adore pas travailler avec les fédéraux, mais nous avons trop d'indices qui laissent penser qu'on a affaire à un tueur en série ; en outre, Lilly a reçu des menaces qui nous mènent tout droit au cybercrime. Et puis ce salopard – pardon, Lilly – agit sur un territoire qui s'étend jusqu'à un parc national. Alors je vais tenter de conserver mon rôle dans cette affaire, mais je dois respecter la hiérarchie.

– Si les empreintes correspondent, dit Coop, il faudra passer la photo de Howe dans tous les médias. Toute personne de passage dans les collines, mais aussi tous les habitants de la région doivent pouvoir l'identifier s'ils le croisent.

– Cela fait partie de ma liste.

– Il se sert du pseudonyme Félin rapide ; on devrait trouver quelque chose dessus.

– Cinquante-six kilomètres/heure, murmura Lilly. C'est le record détenu par un couguar. Il peut courir à cette vitesse sur une distance appréciable. Certains félins sont beaucoup plus rapides, mais… Il n'est pas certain que l'animal qu'il s'attribue soit son guide spirituel. Et je crois qu'il s'est donné ce patronyme parce qu'il pense que nous partageons ce guide. Je ne suis pas sûre qu'il l'ait déjà souvent utilisé.

– On peut vérifier, dit Willy. Lilly, je sais que vous avez installé votre nouveau système d'alarme et que vous bénéficiez de la présence de notre ex-flic de New York, mais si vous voulez une protection supplémentaire…

– Où ? Comment ? Willy, ce type se déplace vite. Il peut nous guetter où il veut et m'attendre si je pars d'ici. Il observe ce refuge, il sait tout ce qui s'y passe. Votre seule chance de l'attraper consiste à lui faire croire que je reste accessible.

– Lilly a des bénévoles et des stagiaires qui vont et viennent, intervint Coop. Vous pourriez toujours y mêler certains de vos hommes sous couverture.

– Pourquoi pas ? acquiesça Willy. On a de jeunes rangers qui se fondraient très bien dans le décor.

– Je veux bien, accepta Lilly. Je ne cherche pas à jouer les bravaches, seulement je refuse de me cacher pour voir tout recommencer dans six mois ou dans un an. Je veux qu'on en finisse.

– Vous aurez deux gardes ici demain matin. Je vais voir ce que je peux faire dès ce soir et on en reparle.

Lilly capta le regard échangé par les deux hommes.

– Je vous raccompagne, décida Coop.

Elle le retint pas le bras.

– Non ! Si vous avez quelque chose à vous dire, j'ai le droit de le savoir. Cela ne sert à rien de me cacher des informations. Ça m'énerve.

– J'ai localisé Howe en Alaska à l'époque où Carolyn Roderick a disparu, expliqua Coop, ce qui ne fait que confirmer nos soupçons. J'ai découvert un magasin d'articles de sport ; le propriétaire se souvenait de lui et l'a identifié grâce à la photo que je lui ai faxée. Il ne l'a pas oublié parce que Howe lui a acheté une arbalète Stryker, avec viseur, carreau en carbone, corde d'étirement et munitions de trente-deux centimètres. Il lui en a coûté près de 2 000 dollars qu'il a réglés en espèces. Il racontait qu'il voulait emmener une fille à la chasse.

– Carolyn ! s'exclama Lilly.

– J'ai poursuivi mes recherches, continua Coop. Quatre mois plus tard, on trouvait un cadavre dans le Montana, un homme d'environ vingt-cinq ans, abandonné aux animaux sauvages, en très mauvais état. L'autopsie a montré qu'il portait une blessure à la jambe, jusqu'à l'os, et le légiste a conclu à une pointe de flèche carrée, un carreau, comme on dit pour l'arbalète. Si Howe a toujours cette arme…

– On pourrait relier ce crime à la disparition de Roderick et au meurtre du Montana, intervint Willy. Il y a des chances pour qu'il l'ait gardée. Ça vaut beaucoup d'argent.

– Il a récupéré 300 dollars lors de son cambriolage de la nuit passée, plus ce qu'il a pris sur Tyler. À ce rythme, il aura vite fait de se constituer une somme rondelette.

– J'ajouterai donc l'arbalète et les carreaux dans mon message à toutes les patrouilles. Bon travail, Coop.

– À force de coups de fil, on finit par obtenir des résultats.

Quand ils se retrouvèrent seuls, Lilly mit quelques bûches dans la cheminée et vit, appuyée contre le mur, la batte de base-ball, celle que Sam avait fabriquée pour Cooper dans une autre vie.

Elle préférait ne pas y songer.

– Une arbalète, ça ne se camoufle pas aussi bien qu'un pistolet, fit-elle remarquer en regardant les flammes. À mon avis, il s'en sert plutôt pour chasser, enfin, la vraie chasse, pour se nourrir… le soir ou avant l'aube.

– Peut-être.

– Il ne l'a pas utilisée contre le couguar. S'il l'avait fait, ça lui aurait donné davantage de temps pour s'enfuir, pour couvrir ses traces.

– Parce que tu n'aurais pas entendu de coup de feu. Ce qui expliquerait pourquoi il a choisi le pistolet.

– Pour que je l'entende et que le félin s'affole.

Elle se retourna, offrant son dos à la chaleur.

– Il y a encore beaucoup de choses que tu ne m'as pas dites ? reprit-elle.

– Rien que des spéculations.

– Je veux voir les dossiers, ceux que tu fermes chaque fois que j'arrive.

– Ça ne servirait à rien.

– Tout peut servir.

– Bon sang, Lilly ! À quoi bon vouloir regarder des photos du cadavre de Tyler après qu'on l'a sorti de la rivière, le visage à moitié dévoré par les poissons ? Ou lire les détails de l'autopsie ? À quoi bon t'emplir la cervelle de ces horreurs ?

– Avec Tyler, il ne faisait que s'entraîner. C'est moi, le clou du spectacle, comme il l'a écrit. Alors ne t'inquiète pas pour ma sensibilité. J'ai déjà vu un cadavre humain. Arrête de me protéger, Coop.

– Je n'arrêterai jamais, mais je vais te montrer ces dossiers, si tu y tiens.

Il ouvrit une serviette, sortit plusieurs chemises.

– Ces photos ne t'aideront pas. Le légiste a situé le décès quelque part entre 15 et 18 heures.

Elle s'assit pour mieux examiner les clichés noir et blanc de James Tyler.

– J'espère que sa femme ne l'a pas vu dans cet état, souffla-t-elle.

– Ils ont dû lui faire une toilette, le présenter du mieux qu'ils ont pu.

– Pourquoi lui avoir coupé la gorge ? C'est une façon très particulière de tuer, non ?

– Cela suppose de se tenir tout près, de se mettre du sang plein les mains. Un couteau, c'est plus intime qu'une balle. Il l'a attrapé par-derrière et l'a égorgé, de gauche à droite. Le corps présentait des hématomes, vraisemblablement dus à des chutes et à des glissades, sur les genoux, les mains et les coudes.

– Tu dis qu'il est mort entre 15 et 18 heures, donc, en plein après-midi ou, à la rigueur, à la tombée de la nuit. Il fallait plusieurs heures pour se rendre depuis l'endroit où Tyler a été vu pour la dernière fois jusqu'au bord de la rivière. Sans doute davantage, si on suppose qu'il a emmené Tyler par les voies les plus ardues, là où ils ne risquaient pas de croiser un autre promeneur. Tyler avait des provisions pour la journée. Quand on prend la fuite, on se débarrasse de tout ce qui peut vous ralentir, non ?

– On n'a pas retrouvé son sac à dos.

– Je parie qu'Ethan, si.

– Sûrement.

– Et, quand il oriente Tyler dans la bonne direction, il ne lui tire pas dessus. Ce n'est pas sportif. Il préfère le meurtre rituel.

Elle feuilleta les rapports pour en arriver à la liste du matériel emporté par Tyler, selon son épouse.

– Belle prise ! s'exclama-t-elle. Un sacré butin ! Il n'aura pas besoin de la montre, il lit l'heure dans le ciel et dans l'atmosphère, mais il peut la garder comme un trophée ou décider de la mettre en gage par la suite, dans un État éloigné, quand il aura besoin d'argent. D'après toi, il a gardé un souvenir de chacune de ses victimes ?

– C'est ce qu'il semblerait. Bijoux, argent, provisions, vêtements. C'est un pillard, mais pas assez idiot pour utiliser leurs cartes de crédit ou leurs papiers. On n'a jamais reçu de rapport indiquant qu'ils aient servi depuis leur disparition.

– Donc, pas de piste de ce côté-là. Sans compter qu'il doit considérer ce moyen de paiement comme une invention de l'homme blanc. Je me demande si ses parents les utilisaient. Sans doute pas.

– Tu as raison, bien vu, Lilly.

– Pourtant, il achète une arbalète, ce qui n'a rien à voir avec l'arc des Indiens. Il prend ce qui lui convient, au fond. C'est n'importe quoi. Il parle de terres sacrées mais il les profane lui-même en y massacrant un inconnu, pour le sport. S'il avait vraiment du sang sioux, il n'aurait pas commis un tel acte. Il n'a aucun honneur.

– Les Sioux considéraient les Black Hills comme le centre sacré de leur monde.

– Paha Sapa, précisa Lilly. Aujourd'hui encore s'y tiennent des cérémonies, au printemps. Ils suivent les bisons à travers les collines selon un itinéraire en forme de tête de bison. Trente millions d'hectares qui leur avaient été promis par traité. Mais, quand on y a trouvé de l'or, l'homme blanc a envahi les lieux sans vergogne.

– Et le litige continue.

– Je vois que tu as potassé notre histoire. Oui, les États-Unis ont repris la terre en 1877, en violation du traité de Fort Laramie, et les Sioux Teton, les Lakota, ne l'ont jamais accepté. Avance rapide, cent ans plus tard : la Cour suprême estime que les Black Hills ont été prises illégalement et ordonne au gouvernement de régler le prix initialement prévu plus les intérêts. Ce qui fait plus de 100 millions, mais les Indiens ont refusé. Ils demandent la restitution de leurs terres.

– Et les intérêts n'ont fait qu'augmenter depuis. Aujourd'hui, on en est à plus de 700 millions. J'ai fait mes recherches.

– Ils ne veulent pas de cet argent. Question d'honneur. Mon arrière-grand-père était sioux, mon arrière-grand-mère, blanche. Je suis le produit de ce mélange, et les générations suivantes ont dû pas mal diluer mon sang indien.

– Ce qui ne t'empêche pas de comprendre le sens du mot « honneur »
et de voir pourquoi on peut refuser 700 millions de dollars.

– L'argent n'est pas la terre, et cette terre a été volée. Si tu crois
qu'Ethan s'est mis en tête d'obtenir une espèce de revanche, je
te dis tout de suite non. C'est une excuse pour se mettre dans la
peau d'un guerrier ou d'un rebelle. Je doute qu'il connaisse leur
véritable histoire. Il doit en avoir entendu des bribes, elles-mêmes
dénaturées.

– Non, il tue parce qu'il aime ça. Mais il t'a choisie, toi, ici, parce
qu'il y voit une façon de prendre sa revanche. Ça pimente la situation. Il a un sens de l'honneur complètement dévié. Cela dit, il ne te
kidnappera pas au beau milieu du refuge, ce ne serait pas drôle, cela
ne correspondrait pas à ses objectifs.

– Tu me rassures.

– Si je n'en étais pas persuadé, tu serais enfermée à mille kilomètres d'ici. Je crois avoir une idée assez précise du personnage, une
sorte de profil. Il voudrait que tu le comprennes, que tu lui tiennes
tête, que tu relèves le gant. Il doit guetter l'occasion, mais il s'impa-
tiente. Son courriel était destiné à précipiter un peu le mouvement.

– Un défi.

– En quelque sorte. Et une déclaration. Je veux ta parole, Lilly,
que tu ne le laisseras pas t'entraîner dans cette voie.

– Tu l'as.

– Pas de rébellion ? Pas d'objection ?

– Non, je déteste la chasse, encore plus quand c'est moi qui sers
de gibier. Je n'ai rien à lui prouver, à ce malade, et je ne vais certainement pas l'affronter en duel.

Elle replongea dans les dossiers.

– Des cartes. Tiens, on peut travailler, avec celle-là.

Elle se leva, ôta tout ce qui traînait sur la table basse.

– Tu t'es donné du mal, observa-t-elle en constatant qu'il avait
étudié les différents itinéraires d'Ethan Howe. Tu veux trianguler les
divers endroits où il pourrait se réfugier ?

– Les secteurs les plus probables ont déjà été fouillés.

– Il est à peu près impossible de couvrir les lieux mètre carré par
mètre carré, surtout quand on a affaire à quelqu'un qui sait se déplacer discrètement, effacer ses traces. Tiens, c'est là qu'on a trouvé
Melinda Barrett. Rien n'indique qu'il l'ait pourchassée ni qu'il l'ait
fait courir. On a plutôt l'impression qu'il l'a suivie puis attaquée.

À moins qu'il ne soit tombé sur elle par hasard. Mais pour quelle raison l'a-t-il tuée ?

– Si ce n'était pas son but initial, c'est peut-être qu'il voulait de l'argent, ou un rapport sexuel. On a trouvé des hématomes sur ses biceps, du genre de ceux qu'on peut provoquer en attrapant par le bras une personne qui se serait débattue. Il la projette contre un arbre avec assez de force pour lui éclater la tête et la faire saigner.

– Il se peut que la vue du sang lui ait suffi, cette odeur sauvage qui excite tellement les fauves. Elle se débat, crie certainement, ou l'insulte, le provoque dans sa virilité. Il la tue avec son couteau, son arme intime. Si c'était la première fois, il pourrait l'avoir trouvée grisante, et il était encore si jeune ! Fièvre et panique, comme avec une drogue puissante. Il emporte le corps, l'abandonne aux bêtes sauvages, peut-être dans l'espoir qu'elles le dévoreront pour qu'on attribue cette mort à un couguar ou à un loup.

– Ensuite, on sait qu'il est venu ici, au refuge. Il a fait ta connaissance et essayé de t'orienter sur cette histoire d'ancêtres et d'héritage.

– Et il a rencontré Carolyn.

– Elle le trouve attirant, intéressant ; elle flatte son ego. En outre, elle pourrait le renseigner davantage sur toi et sur la réserve. Elle répond à un besoin, elle lui offre amour et fierté. Mais il ne s'intègre pas, et elle commence à voir clair en lui. Il la suit en Alaska pour combler un besoin plus fort encore que le sexe, puis il revient vers toi.

– Sauf que je suis au Pérou. Il doit attendre.

– Pendant cette attente, il débarque ici, la nuit, au moins une fois.

– Alors que Matt est seul. Et il débranche la caméra, là-haut. Juste quelques jours avant mon retour.

– Parce qu'il sait que tu vas revenir. Si quelqu'un d'autre était venu la réparer, il aurait recommencé. Jusqu'à ce qu'il te voie en personne.

– Il croyait que j'allais venir seule. J'aime aller camper dans les collines sans personne avec moi. Et, là encore, c'était bien ce que j'avais l'intention de faire. Dans ce cas, il aurait entamé sa partie de chasse et il aurait très bien pu gagner. Je te dois une fière chandelle.

– Il espérait peut-être m'attirer loin de toi, m'éliminer et t'enlever. On se doit mutuellement un bon nombre de nuits de veille ou même la simple possibilité de fermer l'œil. Regarde, il arrive dans le camp, ici, se dirige vers le replat où se trouve la caméra, là, retourne au camp.

Puis on le revoit devant le portail principal de la réserve, où il suspend le loup. Ensuite, une autre visite au refuge pour faire sortir ton tigre.

– Après, il se retrouve sur le chemin de Crow Peak où il intercepte Tyler, qu'il trimballe ensuite jusqu'à la rivière, ici. Et puis il s'en prend à la ferme des Goodwin, à peu près là. Ça fait un sacré parcours, essentiellement autour de la rivière de Spearfish Creek. Il s'y sent chez lui. Mais moi aussi.

Elle jeta un coup d'œil à sa tasse de café vide en regrettant de ne pouvoir la remplir d'un coup de baguette magique.

– C'est plein de grottes, ajouta-t-elle. Il trouve tout le poisson, tout le gibier dont il a besoin pour se nourrir. Il faudrait des semaines pour fouiller toutes les cachettes possibles.

– Si tu comptes remonter là-haut comme appât, pour l'attirer dans un piège, tu oublies.

– J'y ai songé au moins deux minutes. Je crois que je pourrais retrouver sa trace. Mais il commencerait par abattre tous ceux qui m'y accompagneraient. Alors, non, il n'en est pas question.

– Nous pourrions arriver à déterminer les lieux où il voudra se rendre. Il doit suivre une sorte d'itinéraire ; reste à déterminer lequel.

Elle ferma les yeux.

– Il doit exister un moyen de le pousser à sortir, de l'attirer dans un piège, mais je ne vois pas lequel.

– Peut-être parce que tu en as assez fait pour la journée.

Là-dessus, il se leva et se dirigea vers la porte.

– Comme ça ? maugréa-t-elle. Droit vers l'escalier ? J'espérais que tu tenterais de me séduire un peu, d'abord.

– On ne monte pas, rectifia-t-il en éteignant la lumière.

La pièce n'était plus éclairée que par le feu de cheminée. Il alluma le lecteur de CD, et une musique douce se répandit dans la pièce.

– Je ne savais pas que j'avais du Percy Sledge.

– Parce que tu n'en avais pas.

Il revint vers elle, lui tendit la main pour l'aider à se lever et l'entraîna dans un tendre slow tout en commentant les paroles de *When a Man Loves a Woman*.

– On ne fait pas ça souvent, souffla-t-elle. « Quand un homme aime une femme… »

– Il suffisait de s'y mettre.

Du bout des lèvres, il lui effleura les tempes.

306

– C'est comme pour les fleurs, ajouta-t-il. Je te dois plusieurs années de danse.

Elle appuya sa joue contre la sienne.

– Ça ne se rattrape jamais, Coop.

– Non, mais on peut combler quelques vides.

Il lui caressait le dos, lui détendait les muscles avec vigueur et conviction.

– Certaines nuits, murmura-t-il, je me réveillais en imaginant que tu étais là, dans le lit, à côté de moi. C'était tellement réel que j'avais l'impression de t'entendre respirer, de sentir l'odeur de tes cheveux. À présent, il m'arrive de me réveiller pour constater que tu es bien là, que je t'entends respirer, que je sens ton odeur ; et puis il y a ce bref moment d'effroi où je me dis que j'étais encore en train de rêver.

Elle gardait les paupières fermées. Était-ce sa propre douleur qu'elle sentait ou celle de Cooper ?

– Je voudrais que tu croies de nouveau en moi, continua-t-il. En nous. En ceci.

Lui renversant la tête en arrière, il l'embrassa sans cesser de danser à la lueur du feu.

– Dis-moi que tu m'aimes. Rien que ça.

Elle sentit son cœur palpiter.

– C'est vrai, mais…

– Rien que ça, répéta-t-il en l'embrassant de nouveau. Rien que ça, dis-le-moi.

– Je t'aime.

– Je t'aime, Lilly. Même si ce sont des paroles auxquelles on a du mal à croire. Je ne cesserai d'essayer de te le prouver.

De nouveau, il lui caressa le dos, tout en savourant sa bouche. Et le cœur qui tremblait à cause de lui se mit à battre pour lui, lentement, profondément.

Séduction. Un doux baiser, des mains persuasives. De lents mouvements dans la lumière dorée. De tendres paroles murmurées à l'oreille.

Capitulation. Son corps abandonné contre le sien. Ses lèvres qui s'ouvraient au patient assaut. Un long, un profond soupir de plaisir.

Ils s'agenouillèrent sur le sol sans se lâcher.

Balancèrent doucement l'un contre l'autre.

Il lui ôta sa chemise, lui prit les paumes, qu'il colla contre sa bouche pour les embrasser. Il conduisit ensuite ces paumes sur son cœur, ouvrit les yeux.

– Il est à toi. Quand tu seras prête à le prendre, à me prendre tel que je suis, il sera à toi.

De nouveau, il l'embrassa, cette fois avec une ardeur, une impatience qui n'avaient plus rien de mesuré.

Au petit matin, elle sortit du lit au moment où il émergeait de la salle de bains, les cheveux mouillés.

– Je t'aurais bien laissée dormir davantage, dit-il.

– Je ne peux pas. J'ai des tas de choses à faire.

– Oui, moi aussi. Une partie de ton équipe doit arriver dans une demi-heure, c'est ça ?

– À peu près. En supposant qu'ils sauront tous ouvrir le portail.

Il vint lui caresser la joue.

– Je ne suis pas sûr de pouvoir les attendre.

– Je peux encore passer une demi-heure toute seule.

– Non, j'attends.

– Parce que tu t'inquiètes pour moi ou parce que tu espères que je vais en profiter pour préparer le petit déjeuner ?

– Les deux. J'ai apporté du bacon et des œufs, hier.

– Tu ne t'inquiètes jamais pour ton taux de cholestérol ?

– Ce soir, promis, on mangera des steaks.

– Excellent pour les artères, tout ça…

Il la fit taire d'un baiser, et elle descendit l'escalier en se disant qu'ils en étaient à parler de petits déjeuners et de dîners comme n'importe quel couple.

Une fois le café en train de passer, le bacon en train de griller, elle ouvrit la porte de derrière et sortit respirer l'air frais du matin.

À l'est, l'aube commençait à éclairer le ciel, marquant déjà les silhouettes des collines. Au-dessus de sa tête, les étoiles s'éteignaient comme autant de bougies.

Elle sentit l'odeur de la pluie. En fille de la campagne, elle attendait de voir fleurir la prairie sous les gouttes de rosée, s'ouvrir les bourgeons sur des feuilles printanières. Toutes choses normales pour la saison.

Elle regarda se lever le soleil en se demandant combien de temps Howe allait attendre avant de bouger. Combien de temps encore rêverait-il de la mettre à mort ?

25

Voyant que Tansy ne portait pas sa bague, Lilly en éprouva une certaine déception. Elle aurait pourtant accueilli avec joie la bonne nouvelle. Mais son amie venait de la rejoindre en courant vers l'enclos de Bébé, la main nue, les larmes aux yeux.

Elle se jeta dans ses bras.

— J'étais tellement bouleversée que j'ai failli te téléphoner en pleine nuit et puis je me suis dit que tu avais assez de soucis comme ça, que ce n'était pas la peine d'insister.

Lilly l'étreignit avec force.

— Je suis désolée, ma chérie. Je sais que tu suis toujours les mouvements de ton cœur et je suis au moins aussi navrée que toi…

— Il y a de quoi, quand je pense à ce message qui menace ma meilleure amie ! À partir de maintenant, on va protéger les arrivées de courriels.

— Les courriels ?

— Qu'est-ce que tu as bu, ce matin, ma chérie ?

— Pardon ? Oh ! tu parles de ce courriel ? Excuse-moi, en te voyant débouler comme ça, je ne savais pas que tu étais au courant.

— Et alors ? Tu croyais que c'était autre chose ?

Lilly eut un rire gêné.

— Je… Il ne faut pas m'en vouloir, je suis un peu décalée en ce moment. Comment as-tu appris aussi vite, pour le message ?

— Hier soir, on est tombés sur le shérif, qui rentrait d'ici et… enfin, tu connais Willy… il savait que tu t'inquiétais pour tes parents et il a raconté à Farley ce qui se passait. Alors il est tout de suite rentré chez lui.

— Qui ça ? Farley ?

— Évidemment ! Ma pauvre Lilly, tu aurais dû dormir encore un peu, ce matin.

Ainsi, il n'avait pas fait sa demande, se dit Lilly. Et, son amie lui passait une main sur le front pour vérifier si elle n'avait pas de fièvre.

– Je vais bien, rassure-toi. J'ai beaucoup de choses à penser, mais j'essaie quand même de vivre normalement.

– J'aurais dû te dire tout de suite que tout le monde allait bien chez tes parents. Farley m'a appelée ce matin, avant mon départ, pour m'en informer.

– Je les ai eus, mais merci à Farley et à toi.

– Farley et moi… ça fait drôle. C'est sympa, mais c'est drôle.

Elle regarda Lilly lancer la balle bleue par-dessus la barrière. Bébé et ses compagnons poussèrent des jappements de joie en se ruant dessus.

– On va l'attraper, Lilly, on l'arrêtera et ce sera fini.

– J'y compte bien. Tu as vu qu'il mentionnait Carolyn Roderick dans son courriel ?

– Oui, c'est affreux.

– Quand j'y pense, ça me retourne le cœur. Alors je dois me réfugier dans le train-train, les consolations simples.

Elle se tourna vers Bébé et ses amis qui roulaient les uns sur les autres.

– Ce n'est pas le travail qui manque, observa Tansy.

– Tu sais ce qui me ferait plaisir, en ce moment ?

– Une glace chocolat-chantilly ?

– Ça aussi, mais surtout j'aimerais partir le chasser dans les collines.

– Non.

– Je sais, je ne peux pas. Cela mettrait les autres en danger. Mais je ne supporte pas d'être obligée d'attendre ici pendant que d'autres se chargent de traquer celui qui nous met dans cette situation. Allez, je vais voir où en sont Boris et DaLillya.

– Lilly ! s'écria Tansy en se lançant à sa poursuite. Pas de bêtise, hein ?

– Moi ? Au risque de perdre mon statut de petite futée ? Non, non, le train-train.

Il avait une idée. Excellente. Elle lui était venue comme une vision, ce qui achevait de le convaincre que son grand ancêtre le guidait sous la forme d'un couguar. Il avait si souvent proclamé son lien de parenté avec Crazy Horse que cela avait fini par devenir une réalité. Plus il restait dans les collines, plus l'idée lui paraissait brillante. Cette idée exigeait soin et précision, mais il n'était pas un mauvais chasseur. Il connaissait son terrain, il allait le préparer et il récupérerait sa mise. Et, le moment venu, il déclencherait le piège.

Pour commencer, il examina les diverses possibilités qui s'offraient à lui, éliminant plusieurs sites avant de se concentrer sur une grotte étroite et profonde qui correspondait à ses besoins dans un premier temps : parfaitement située, à peu près à mi-chemin de ses deux repaires principaux.

Elle servirait de cage.

Satisfait, il regagna le parc national par des chemins de traverse jusqu'au moment où il rejoignit les pistes habituelles. Il portait une des vestes qu'il avait volées, avec des lunettes d'aviateur et une casquette à l'emblème de la réserve naturelle Chance. La classe. Avec la barbe qu'il venait de se laisser pousser, il ne ferait pas longtemps illusion aux yeux d'un policier chevronné, mais cela lui permettait, pendant quelques jours, de se balader à découvert et même d'utiliser l'appareil photo de ce brave Jim.

Il passait au milieu d'eux, et eux ne le voyaient pas. Il alla jusqu'à bavarder avec quelques randonneurs. Un abruti parmi tant d'autres, en train de se balader sur ces terres sacrées comme s'il en avait le droit. Lorsqu'il en aurait fini, tout le monde saurait qui il était, pourquoi il se battait, ce dont il était capable. Il deviendrait une légende.

Il avait fini par comprendre que c'était là le but de son existence ; jusqu'ici, il n'en avait pas saisi l'importance, pas vraiment. Personne ne connaissait son visage ni son nom. À présent, cela devait changer s'il voulait devenir digne de sa destinée.

Crazy Horse, Sitting Bull, Red Cloud.

Des années auparavant, quand il n'était pas encore en état de comprendre, il avait offert un sacrifice à ces terres. Le sang de la femme avait coulé, de sa main, et c'était ainsi que tout avait commencé. Il n'avait pas commis d'erreur, contrairement à ce qu'il avait d'abord cru. Il comprenait maintenant que sa main avait été dirigée. Et le couguar, son guide spirituel, avait béni cette offrande, l'avait acceptée.

Pourtant, ce sacrifice, elle l'avait profané. Lillyian Chance. Elle était venue sur les lieux du sacrifice, sa terre sacrée à lui, là où il était devenu un homme, un guerrier, en répandant le sang de la femme. Elle avait fait venir les troupes gouvernementales, ces maudits policiers.

Elle l'avait trahi.

À présent, tout devenait clair.

C'était son sang à elle qu'il fallait verser.

Il progressait en compagnie d'un petit groupe de promeneurs, alors qu'un hélicoptère vrombissait au-dessus d'eux. À sa recherche, sans doute ; une onde de fierté le traversa. Au carrefour suivant, il prit un autre chemin et adressa au groupe un petit signe.

L'heure était venue de s'esquiver à nouveau.

S'il accomplissait sa mission, les gens saurait ce qu'on avait volé à la nation indienne. Un jour, peut-être cette même nation lui érigerait-elle une statue sur ces mêmes terres, comme elle l'avait fait pour Crazy Horse.

Pour l'instant, chasse et sang sauraient le récompenser.

Il franchit en hâte pentes et côtes, prairies et torrents. Malgré sa vitesse, il lui fallut presque toute la journée pour tracer cette fausse piste indiquant une fuite vers le Wyoming, y ajoutant le portefeuille de Jim Tyler pour couronner le tout.

Et puis il repartit vers l'est, dans la brise embaumant le pin.

Bientôt, ce serait la pleine lune, et, à la pleine lune, il partirait en chasse.

Lilly planta des pensées dans le massif qui faisait face à l'enclos de Cléo. Elles supporteraient les dernières gelées matinales et les neiges de printemps plus que probables au cours des semaines à venir. Cela faisait du bien de mettre la main à la terre, de voir exploser ces couleurs. Comme le jaguar la regardait avec intérêt, elle traversa le chemin.

– Qu'en penses-tu ?

Cléo ne paraissait pas nourrir un penchant particulier pour les fleurs.

– Si tu espères encore que je vais t'apporter du chocolat, tu vas être déçue.

Le félin se frotta contre la grille, si bien que Lilly s'approcha pour se mettre à sa hauteur, passa la main et lui gratta la tête. Les yeux d'ambre se plissèrent de plaisir.

– Ça te manquait, on dirait ! Pas de chocolats ni de caniche, mais des caresses de temps en temps.

– J'aurai beau vous voir faire, ça ne me donnera jamais envie de vous imiter.

Lilly rendit son sourire à Farley.

– Tu cajoles bien les chevaux.

– Un cheval peut me coller une ruade, il ne me tranchera jamais la gorge.

– Elle a l'habitude des caresses, d'entendre des compliments, de sentir l'odeur des humains. Il n'y a pas que nous qui ayons besoin de contacts.

– C'est comme ça que les dompteurs finissent par se faire bouffer.

– Ça !... Même avec les chats, on court toujours le risque de se faire griffer. Si tu les embêtes, ils finissent par te mordre. Quand on a affaire à un félin, quel qu'il soit, on en garde toujours des cicatrices. Tu cherchais Tansy ?

– Non, je voulais vous voir. Pour vous dire que je préférais ne pas trop m'éloigner de la ferme. Comme ça, vous serez rassurée.

– Ça t'a gâché ton programme d'hier soir.

– J'aimerais organiser un pique-nique. Ça fait romantique, ça, non ?

– Ça m'a l'air parfait.

– Mais je n'ai pas le temps pour les courses. Il y a trop de choses à faire pour le moment.

– Va te servir dans ma cuisine. Prends ce que tu voudras.

Il lui fit des yeux ronds.

– Là ? Maintenant ?

– Je parie que tu gardes cette bague en permanence dans ta poche.

– Pari gagné. Vous croyez que je pourrais lui faire ma demande ici ?

– Elle adore cet endroit autant que moi. Alors, oui, je pense que tu pourrais lui faire ta demande ici. Je vais m'assurer qu'on ne vous dérange pas.

– Faut pas leur dire pourquoi.

– Ne t'inquiète pas.

Finalement, il trouva l'idée excellente. Après tout, c'était là qu'il avait rencontré Tansy pour la première fois, qu'il était tombé amoureux d'elle. Et elle de lui, elle finirait bien par l'admettre.

Lilly n'avait pas beaucoup de provisions, mais il trouva au moins de quoi faire deux sandwichs. Il prit aussi des pommes, un paquet de chips et deux Coca light… puisque c'était tout ce qu'elle avait à boire.

Après quoi, il put entraîner Tansy vers une table de pique-nique.

– Je n'ai pas beaucoup de temps, le prévint-elle.

– Moi non plus, mais je voudrais passer avec toi ce pas beaucoup de temps.

Elle se radoucit.

– Farley, tu me fatigues !

– Je me suis senti un peu seul cette nuit.

Il lui saisit le menton et l'embrassa, puis se hâta d'épousseter le banc avant de lui faire signe de s'asseoir.

– Moi aussi, soupira-t-elle. Je t'assure. Mais je suis contente que tu y sois retourné. On s'efforce de ne pas s'affoler, et, moi, ça m'affole encore plus. Je passe beaucoup de temps dans ce que la plupart des gens considèrent comme une zone dangereuse, et je cours un risque, c'est certain, mais c'est un risque calculé, qui n'est pas pris à la légère, que chacun comprend et respecte. Tandis que cette histoire avec Howe, je ne pige pas. Au fond, je trouve les humains beaucoup plus imprévisibles que les animaux.

– Tu as une cicatrice, là, dit Farley en désignant son bras.

– Ça vient d'un guépard qui croyait que je le menaçais. L'erreur, c'est moi qui l'ai commise, pas lui. Comme, ici, Lilly n'y est strictement pour rien.

– On va veiller à ce qu'il ne lui arrive rien. Et à toi non plus.

– Moi, je ne l'intéresse pas. Mais attends, je ne voudrais pas gâcher ce petit pique-nique. Qu'est-ce que tu nous as apporté ?

Elle attrapa un sandwich, se mit à rire.

– Du beurre de cacahuète et de la gelée ?

– Y avait pas beaucoup de choix chez Lilly.

– Le beurre de cacahuète et la gelée, elle en a toujours, c'est vrai !

Elle mordit dedans.

– Alors ? demanda-t-elle, comment ça se passe, à la ferme ?

– Plein de choses à faire. Va falloir bientôt retourner la terre. Et songer aux bouvillons.

– Bouvillons… ah, les veaux !

Faisant claquer l'index et le majeur, elle imita une paire de ciseaux.

– Clic, clic ?

– Ouais. Ça me fait toujours de la peine.

– Pas autant qu'au veau.

Il sourit.

– Ça fait partie de la vie à la ferme. Comme ici, on ne s'y raconte pas d'histoires. On prend la vie comme elle vient. Je suis sûr que tu aimerais vivre dans une ferme.

– C'est possible. Quand je suis venue travailler avec Lilly, je pensais que ce ne serait que du provisoire, que je l'aiderais à installer sa réserve, à former ses employés, et qu'ensuite je me lancerais de mon côté. Mais on dirait que je m'attache à cet endroit.

– Tu y es chez toi, maintenant.

– On dirait.

Il sortit la bague de sa poche.

– Et si c'était chez nous, Tansy ?

– Farley ! Oh !

Elle leva une main, posa l'autre sur son cœur.

– Je ne peux plus respirer !

Contournant la table, il se précipita pour l'aider à se pencher en avant et lui poser la tête sur les genoux.

– Là, calme-toi !

– C'est dingue ! haleta-t-elle.

– Inspire, expire, allez, plusieurs fois…

– Farley, qu'est-ce que tu as fait ? Qu'est-ce que tu as fait ?

– J'ai acheté une bague pour la femme que je vais épouser. Allez, inspire, expire encore.

– Mais c'est grave, le mariage ! On sort à peine ensemble !

– On se connaît depuis longtemps et on passe presque toutes nos nuits ensemble. Je suis amoureux de toi.

Il lui caressa fermement le dos pour l'aider à se remettre.

– Et si tu n'étais pas amoureuse de moi, ça ne t'aurait pas mise dans un état pareil.

– C'est comme ça que tu vois l'amour, toi ? Je perds le souffle, alors…

– C'est bon signe. Tu vas te rasseoir normalement, à présent, et tu vas regarder cette bague. C'est Lilly qui m'a aidé à la choisir.

– Lilly ?

Elle se redressa d'un coup.

– Elle est au courant ? Et qui encore ?

– Euh… Il a bien fallu que j'en parle à Josiah et à Jenna. C'est comme mes parents. Et puis à Ella, à la bijouterie. Ce serait dur d'acheter une bague sans le dire au bijoutier. Mais c'est tout. Je voulais te faire la surprise.

– Ça, tu as réussi ton coup. Mais…

– Elle te plaît ?

Sans doute certaines femmes auraient-elles résisté à l'envie d'y jeter un coup d'œil, mais Tansy n'en faisait pas partie.

– Elle est très belle. Elle est… oh ! sensationnelle ! C'est vrai, mais…

– Comme toi. Je ne pourrais pas te demander de porter quelque chose qui ne l'est pas. C'est de l'or rose. Ça la rend un peu différente. Tu n'es pas comme les autres, alors je voulais te donner un truc à ton image.

– Farley, je peux te dire que, toi non plus, tu n'es pas comme les autres.

– C'est pour ça qu'on va bien ensemble. Maintenant, écoute-moi une minute. Je n'ai pas peur de travailler. J'arrive à bien gagner ma vie. Toi aussi. On fait tous les deux des choses qui nous conviennent et qu'on aime bien faire. Je trouve ça important. On se sent chez nous, ici. Et ça aussi, c'est important. Mais, le plus important, c'est que je t'aime.

Lui prenant la main, il ne cessait de la dévisager, de son regard clair et, pour une fois, sérieux.

– Personne ne t'aimera jamais autant que moi. Josiah et Jenna ont fait de moi un homme. Chaque fois que je te regarde, je sais pourquoi. La chose qui me fasse le plus envie au monde, c'est de passer ma vie avec toi, de te rendre heureuse. Tous les jours ou presque, sauf quand tu seras en pétard contre moi. Je veux qu'on ait notre maison, des enfants. Je serai sûrement un bon mari. Je peux attendre, si tu ne te sens pas prête. Le temps que tu voudras.

– J'aurais tellement de bonnes raisons à t'opposer, Farley, mais, quand je te regarde, quand tu me regardes, on dirait qu'elles ne valent plus rien. Comme si ce n'étaient que de vagues excuses sans valeur. Tu ne ressembles pas à l'idée que je me faisais de l'homme de ma vie. Je ne sais pas comment ça peut être toi. Mais c'est toi.

– Tu m'aimes, Tansy ?

– Oui, Farley.

– Tu veux bien m'épouser ?

– Oui.

Elle partit d'un rire étouffé avant de répéter :

– Oh oui !

Et de tendre le doigt pour qu'il y glisse la bague.

– Elle me va, murmura-t-elle d'une voix tremblante.

Ébloui, il contempla cette main encore tournée vers lui.

– Ça y est ! On est fiancés !

– Oui.

Riant aux éclats, elle se jeta à son cou.

– Mais oui !

Lilly avait toutes les peines du monde à poursuivre sa tâche tout en les regardant de loin. Avec les allées et venues autour d'elle, il lui fallut se contorsionner de côté pour continuer à y voir quelque chose.

Ce n'était pas comme si elle les espionnait. Elle ne faisait que… veiller au grain. Quand elle vit Tansy se jeter dans les bras de Farley, elle ne put réprimer un cri de triomphe.

– Pardon ? demanda Eric.

– Rien, rien. Vous avez vérifié si tout était en place pour la visite des scolaires, demain ? Vous prendrez deux autres stagiaires avec vous.

– Très bien. Matt va examiner notre nouvelle pensionnaire cet après-midi. J'aurais aimé l'assister.

– Si Matt est d'accord.

– Il paraît que vous voulez abattre la barrière entre leurs deux gîtes pour que la femelle ait accès à l'enclos.

– Oui, dès que Matt aura terminé. Elle est encore dans une sorte de cage, là. Il faut qu'elle fasse connaissance avec l'herbe et les arbres. Elle se sentira plus au large, et j'espère qu'elle apprendra à vivre avec l'un de ses semblables, à jouer, qui sait ?

– Je voulais m'assurer que ce n'était pas qu'une rumeur. Quand je pense à ce qu'on lui a fait… Cléo, c'était autre chose. Elle est arrivée tellement belle, tellement arrogante... Tandis que celle-ci, elle était triste, fatiguée. Ça me fait pitié.

– C'est pour ça que vous faites tellement de progrès. Vous les percevez très bien.

Il leva sur elle un regard brillant.

– Merci.

Avait-elle jamais été assez juvénile pour éprouver un tel plaisir au compliment d'un professeur ou d'un instructeur ? Au point de repartir d'un pas si alerte ? Sans doute.

Mais elle était alors si concentrée, si décidée à continuer sa route que rien d'autre ne comptait. Non seulement pour atteindre son but mais aussi pour compenser ce qu'elle avait perdu, pour oublier Coop.

Elle contempla le refuge en soupirant. L'un dans l'autre, cela avait bien marché, pour elle. À présent, c'était à elle de décider si elle voulait vraiment récupérer ce qu'elle avait perdu.

En entendant des pas sur le gravier, des pas lents, elle fit volte-face, sur la défensive. Matt s'arrêta si brusquement qu'il faillit tomber.

– Bon sang, Lilly !

– Pardon, pardon ! Vous m'avez surprise.

– Et vous venez de me faire vieillir de cinq ans. Je venais pour examiner la tigresse.

– Bien. Eric souhaiterait vous assister.

– Parfait.

Il lui tapota l'épaule en passant, ce qui, de la part de Matt, correspondait à une étreinte pour n'importe qui d'autre.

– Il y a beaucoup de travail de bureau, reprit-il. Vous devriez rester à l'abri.

– De toute façon, il me voit. Et c'est très bien comme ça. Il doit se rendre compte que je vis normalement, que je ne change rien à mes habitudes. Question de résistance. Plus je me cacherai, plus il aura l'impression de me dominer.

Elle vit Tansy et Farley échanger un baiser devant le 4 × 4 de celui-ci et ajouta :

– Et puis flûte ! C'est une si belle journée !

– Vous trouvez ?

– Vous verrez.

Les mains dans les poches, elle s'approcha de Tansy, qui regardait le véhicule s'éloigner. Celle-ci se retourna et courut vers elle.

– Tu savais.

– Montre-la-moi sur toi ! Fabuleux ! Parfait ! J'ai bien joué, quand même ! C'est lui qui a choisi, je te rassure, mais je crois que je l'ai plutôt bien orienté.

– C'est pour ça que tu étais déroutée, ce matin ! Tu croyais que je parlais de Farley et non du courriel !

– Là, je dois dire qu'il y a eu confusion.

– Il vient de me raconter comment il avait tout prévu pour hier soir. Il avait apporté une bouteille de champagne et des bougies qu'il comptait disposer dans mon appartement.

– Au lieu de quoi il a dû aller s'occuper de ma famille.

– Eh oui !

Tansy en avait les larmes aux yeux.

– Tu te rends compte ? C'est une des raisons pour lesquelles cette bague est à mon doigt. Il est plus jeune que moi, mais il a le cœur sur la main. C'est mon homme. Regarde ! Je vais épouser Farley !

Elles éclatèrent de rire toutes les deux et se mirent à danser.

– Qu'est-ce qui se passe ? demanda Matt.

– Je vous avais dit que c'était une belle journée !

– C'est pour ça que vous faites ce raffut, toutes les deux ?

– Oui !

Tansy courut vers lui et faillit le renverser en se jetant dans ses bras.

– Je suis fiancée ! Regardez ma bague !

– Très jolie.

Le sourire aux lèvres, il la repoussa doucement.

– Félicitations !

– Oh ! il faut que je la montre à Mary. Et à Lucius ! Mais surtout à Mary !

La famille avant tout. Lilly tâchait de ne penser à rien en prenant place à la table de ses parents. Sa mère tenait à ce dîner donné en l'honneur de Farley et de Tansy. Elle avait également convié Sam et Lucy, ainsi que Coop, bien sûr.

Cependant, elle ne pouvait s'empêcher de rester mentalement au cœur de la réserve. Pour se rassurer, elle invoquait sans cesse le système de sécurité, se rappelait que Matt et Lucius passaient la nuit sur place avec deux stagiaires.

Tout se passait au mieux. Ils allaient bien, les animaux allaient bien. Pourtant, s'il se produisait quoi que ce soit en son absence…

Au milieu des rires et des conversations, Cooper se pencha pour lui souffler à l'oreille :

– Arrête de t'inquiéter.

– J'essaie.

– Essaie encore.

S'efforçant de sourire, elle leva son verre.

Le mariage était prévu pour la fin de l'été. On était déjà en avril, cela laissait peu de temps pour tout organiser.

Savait-il qu'elle n'était pas là ? se demandait Lilly. Et s'il tentait d'agresser quelqu'un, juste pour prouver qu'il pouvait frapper n'importe qui, n'importe quand ?

Sous la table, Cooper lui attrapa la main, la serra. Pas pour la soutenir, pas pour lui déclarer son amour, juste pour lui signifier *ça suffit !*

Elle se redressa.

— Si on me demande mon avis, je dirais ici, à la ferme, en fin d'après-midi. Ainsi, on pourra faire la fête jusqu'à la nuit. On fermera la réserve pour la journée, mais il y a plus de place, ici, et si jamais il ne faisait pas beau…

— Oiseau de mauvais augure !

— C'est simplement pour expliquer que la ferme est plus accueillante que les chalets.

— Tu veux vraiment fermer pour la journée ? insista Tansy.

— Attends, ce n'est pas tous les jours que ma meilleure amie se marie !

— Oh, là, là ! s'écria Jenna. Quand je pense à tout ce qu'on a à faire… Acheter des fleurs, des robes, préparer le dîner, des gâteaux…

— On ne veut rien de compliqué, précisa Farley.

— Bonne chance, mon vieux ! grommela Josiah.

— Ce n'est pas une question de simplicité, rétorqua Jenna. On veut seulement que tout soit parfait. Tansy, j'espère que ta mère pourra venir vite, qu'on se mette d'accord.

— Elle y compte bien. Elle a déjà téléphoné trois fois et a acheté tous les magazines de mariage existant sur le marché.

— On va bien s'amuser, toutes les deux. On va passer nos journées à faire des courses.

— Eh, minute ! Avant de vous emballer sur le lâcher de colombes et l'attelage à six chevaux…

— Des chevaux ! coupa Jenna en battant des mains. Mais oui ! Il faut prévoir un landau…

— Arrête, Jenna ! Farley est tout pâle.

— Il n'a qu'une chose à faire, être là. On s'occupe du reste.

Josiah la fit taire d'un geste affectueux sur le bras.

— Tansy, Farley, écoutez-moi, vous deux. Nous en avons discuté avec Jenna et nous sommes d'accord ; vous aviez peut-être autre chose en tête, à moins que vous n'y ayez pas encore réfléchi. Mais nous tenons à vous donner un hectare et demi de terre pour que vous puissiez y construire une maison et vous sentir chez vous sans trop vous éloigner de vos lieux de travail respectifs. Du moins si tu comptes continuer à la ferme, Farley, et vous, Tansy, avec Lilly.

– Mais…, balbutia le jeune homme, c'est une terre qui revient à Lilly de plein droit.

– Ne dis pas de sottises ! s'écria celle-ci.

– Il faudra que tu en discutes avec ta future femme, répliqua Josiah. Cette terre est à toi si tu veux la prendre. Et n'hésite pas à dire si tu préfères autre chose.

– La future femme a quelque chose à déclarer, annonça Tansy en se levant.

Elle alla embrasser Josiah et Jenna.

– Merci ! Vous me traitez comme un membre de la famille depuis que Lilly et moi avons fait connaissance à la fac. Maintenant que je vais vraiment en faire partie, je peux dire que je n'aimerais rien tant que vivre près d'ici, près de vous et de Lilly.

Elle tourna un visage rayonnant vers Farley.

– Je suis la femme la plus heureuse du monde.

– C'est donc réglé ! conclut Josiah. À la première occasion, nous irons faire le tour du domaine.

Sam se frotta les mains.

– Maintenant, on a un sujet de conversation intéressant : on va construire une maison !

Trop bouleversé pour répondre, Farley se contenta de hocher la tête. Puis il fonça vers la cuisine.

Jenna échangea un regard avec Tansy et se leva pour le rejoindre.

Il était sorti par la porte de derrière et s'appuyait à la balustrade du perron. La pluie que Lilly avait senti venir dès le matin crépitait sur le sol, inondant les champs avant le labour. Il se redressa lorsque Jenna apparut, se retourna et la serra fort entre ses bras.

– Ma.

Elle laissa échapper un petit soupir de joie et l'étreignit à son tour. Il ne l'appelait que très rarement ainsi et, en général, sur le ton de la plaisanterie. Mais, là, ce simple mot exprimait mille choses.

– Mon petit garçon ! Tu nous as tant donné !

26

De violents orages s'abattirent sur la région jusqu'au matin. Après quoi, la situation s'aggrava.

Sous une grêle battante, Lilly fit couvrir de bâches tous les véhicules qu'on ne pouvait abriter dans les hangars, et ce fut elle-même qui manœuvra sa fourgonnette pour la protéger de grains gros comme des balles de golf.

Les animaux étaient assez avisés pour se mettre à couvert, ce qui n'était pas forcément le cas de certains stagiaires, qui s'amusaient à se jeter des poignées de grésil à la figure sous le tonnerre et les éclairs, comme s'ils étaient à la fête.

Lilly secoua la tête en voyant Eric lancer des billes de glace tel un athlète, sans se rendre compte qu'il risquait de se faire assommer. C'est alors qu'un grêlon de la taille d'un melon enfonça son capot. Jurant entre ses dents, elle recula sous l'auvent en espérant que le toit tiendrait.

Tous les employés avaient fini par se réfugier dans les abris qu'ils avaient pu trouver. Quant à elle, elle resta à l'intérieur de son véhicule en attendant que passe le plus gros de la tempête. Jusqu'au moment où elle vit une stagiaire bousculée en pleine course au milieu de la cour, et qui tombait en avant sous une rafale d'une violence inouïe.

Sous un déluge de boulets, Lilly sortit la chercher, rejointe par deux autres stagiaires qui l'aidèrent à la relever.

– Dans mon chalet, vite !

Ils la tirèrent, courant, la portant et la traînant à moitié. Et tous débouchèrent dans le salon, dégoulinants de boue, amenant une rescapée pâle comme la mort.

– Vous êtes blessée ?

Elle fit non de la tête, mais elle avait du mal à respirer.

Lilly avait beau chercher dans sa mémoire, impossible de se rappeler les noms de ces trois stagiaires, qui travaillaient plutôt avec

Matt et Tansy, alors que le tonnerre rugissait au-dessus des collines comme une armée de lions. Heureusement, elle les entendit s'interpeller. Ah oui ! Lena, Reed…

– Détendez-vous, Lena. Et, vous autres, allez chercher de l'eau à la cuisine. Et puis essuyez-vous les pieds.

Pour ce que cela changerait, maintenant…

– C'est arrivé tellement vite, soupira la jeune fille. D'abord un peu de grêle, je trouvais ça drôle. Et puis c'est devenu énorme et…

– Bienvenue dans le Dakota du Sud ! Je vais demander à Matt de vous examiner. Vous êtes sûre que vous n'avez rien ?

– Non, je suis juste un peu secouée. Merci, Reed.

Elle prit la bouteille et but tout en écoutant la pluie marteler rageusement le sol et les bâtiments.

– Cool !

– Je vous rappellerai ça quand il faudra tout nettoyer, ce qui ne saurait tarder, parce que ce genre d'orage ne dure jamais longtemps. Tenez, il part déjà vers l'ouest.

Lena écarquilla les yeux.

– Vous pouvez prédire ça, vous ?

– Question de vent. En attendant, vous allez monter prendre une douche. Je vous prêterai des vêtements. Quand vous serez prête, on se réunira tous au bureau. On a beaucoup de travail qui nous attend. Courage, Lena !

Se sentant inutiles, les deux garçons s'éclipsèrent sur un signe de Lilly, qui fit ensuite monter la jeune fille. Pendant que celle-ci se déshabillait dans la salle de bains, elle lui sortit jean, sweat-shirt et chaussettes de son tiroir.

– Je suis désolée, lança Lena. Ce n'est pas ainsi que je voulais me faire remarquer. Je vous admire tant, j'avais tellement envie de devenir comme vous, et voilà…

– Ne vous inquiétez pas, je sais que vous travaillez dur et que vous restez souvent après l'heure, le soir, pour tout terminer.

– Vous croyez que je pourrai continuer cette formation ?

– On verra quand vous aurez terminé votre trimestre.

– J'ai le trac, mais je pense que c'est normal.

Lilly allait redescendre lorsqu'elle revint sur ses pas :

– Lena, que disent vos camarades sur les événements actuels ? Comment voyez-vous les choses ? J'ai été stagiaire, moi aussi. Je n'ai pas oublié.

– Ça fait un peu peur, et en même temps on a l'impression que ce n'est pas réel.

– Tâchez de vous serrer les coudes, tous autant que vous êtes.

Cette fille lui rappelait un peu Carolyn, et cela la mit mal à l'aise. Elle descendit les vêtements sales et les mit dans la machine tout en se disant que le tonnerre s'éloignait.

Au ranch, Cooper et son grand-père ressortirent les chevaux pour les mettre au pré. Sam boitait un peu, c'était sans doute définitif, mais il semblait beaucoup plus ferme sur ses jambes. Assez, en tout cas, pour que son petit-fils n'éprouve pas le besoin de lui prêter main-forte.

Ils regardèrent ensemble les poulains gambader tandis que les adultes paissaient tranquillement. Sam ramassa un grêlon de la taille d'une balle.

– Comment va ce bras ? demanda-t-il, amusé.

– Je ne l'ai pas perdu.

– On va voir ça.

Dans une attitude de lanceur de base-ball, Cooper l'envoya au fond du pré.

– Et le tien ? ajouta-t-il alors.

– Je crois que j'ai de beaux restes.

Il balança un autre grêlon sur le tronc d'un pin, sous les applaudissements de son petit-fils, jusqu'à ce que la voix de Lucy les rappelle à l'ordre.

– Vous avez l'intention de jouer longtemps comme des gosses ou vous faites votre travail ?

– Elle est furieuse parce que la grêle a massacré son potager, expliqua Sam. On arrive, Lucy ! Coop, tu sais, j'ai réfléchi à ce que tu as dit. On pourrait effectivement engager un garçon d'écurie.

– Tu as raison.

– Ce n'est pas parce que je ne peux plus travailler.

– Mais non.

– C'est juste que tu pourrais t'occuper davantage des touristes pendant qu'un employé entraînerait et panserait les chevaux ici.

– Bien vu.

– Et j'ai l'impression que tu ne vas pas beaucoup utiliser ce dortoir. Du moins si tu as quelque chose dans le ventre. Va t'installer dans le chalet de Lilly. Le jour où tu voudras fonder une famille, il te faudra de toute façon plus de place que ça.

– Tu me jettes dehors ?

– Les oiseaux doivent bâtir leur nid. Tu as encore un peu de temps devant toi. Ne le gaspille pas.

– Les choses sont un peu compliquées, en ce moment.

– Mon garçon, les choses sont toujours compliquées. Vous ne serez pas trop de deux pour dénouer cette situation.

– C'est bien ce que j'envisage, mais, ces jours-ci, je songe surtout à veiller sur sa sécurité.

– Tu crois que ça va changer ensuite ? Ce sera sans doute moins urgent qu'en ce moment, mais tu veilleras sur elle jusqu'à la fin de tes jours et, si Dieu le veut, tu devras également veiller sur vos enfants.

– Au fait, il faut que je vous parle, à nanny et à toi. Je voudrais investir.

– Investir quoi ?

– De l'argent.

– Écoute, les affaires marchent bien, merci. On n'a pas besoin de… d'injection.

– Ce serait pour nous agrandir. Refaire les écuries, ajouter un paddock pour les balades à poney et une petite boutique.

– Pour vendre des souvenirs ?

– Pas exactement. Je pense plutôt à du matériel pour les randonneurs et à des paniers de pique-nique. Beaucoup de nos clients se fournissent ailleurs. Je suis sûr qu'ils seraient enchantés de trouver ici des barres énergétiques, des bouteilles d'eau, des guides et des appareils photo jetables. Et puis, si on mettait à jour notre matériel informatique, on pourrait aussi faire des photos nous-mêmes, en tirer des cartes postales. Si une maman voit sa fille à cheval sur son premier poney, elle voudra vingt-cinq tirages du même cliché.

– Ça fait beaucoup, tout ça. Il va falloir y réfléchir.

Soudain, Sam fronça les sourcils, porta une main à son front pour se cacher du soleil.

– Voici Willy.

Lucy aussi l'avait vu et elle vint à sa rencontre en ôtant ses gants de jardinage.

– Bonjour, madame, dit le shérif en touchant le bord de son chapeau. La grêle ne vous a pas épargnés, on dirait.

– Ç'aurait pu être pire. Tant que le toit n'est pas touché, on ne se plaint pas.

— C'est sûr. Bonjour, Sam. Coop, c'est à vous que je voulais parler.

— William Johannsen, grommela Lucy, si vous avez quelque chose à dire au sujet de ces meurtres, vous le dites ici, et tout de suite ! On a le droit de savoir, nous aussi.

— Si vous y tenez. Je vais monter voir Lilly pour lui annoncer qu'on a retrouvé le portefeuille de Tyler. À peu près complet, sauf qu'il ne contenait plus d'argent ni les photos mentionnées par l'épouse. Mais toutes les cartes de crédit y étaient.

— Où ? demanda Coop.

— C'est justement ce qui m'amène. Loin d'ici, plein ouest, à quelques kilomètres de la frontière du Wyoming. Comme s'il se dirigeait vers Carson Draw. La pluie a effacé une partie de ses traces mais, une fois que mes hommes les ont repérées, ils les ont suivies sans trop de difficultés.

— Ça fait un sacré bout de chemin ! observa Lucy.

Loin de son terrain de chasse, se dit Coop.

— Il a pris les photos mais il a laissé les papiers ? insista-t-il, songeur.

— C'est ça. Il devait se sentir assez loin pour jeter ce portefeuille. À moins qu'il ne l'ait pas fait exprès.

— S'il voulait s'en débarrasser, il n'avait qu'à le lancer dans la rivière ou l'enterrer.

— Certes.

— C'est une bonne nouvelle, quand même ? s'enquit Lucy en prenant le bras de son petit-fils. Je sais qu'il faut l'arrêter, mais je préférerais que ça se passe loin d'ici. Moi, je considère que c'est une bonne nouvelle.

— Peut-être.

— Je ne considère pas ça comme une mauvaise nouvelle, répéta-t-elle.

— Vous savez, madame, dans de telles circonstances, il faut se montrer prudent.

— Soyez prudent. Moi, je dormirai mieux cette nuit. Venez donc vous asseoir cinq minutes, que je vous offre du thé glacé ou un café bien chaud !

— J'aimerais bien, mais il faut que j'y aille. Tâchez de dormir cette nuit, mais que ça ne vous empêche pas de tout boucler, comme d'habitude. Messieurs-dames…

— J'arrive, dit Cooper en le suivant.

Une fois dehors, il interrogea Willy.

– Combien de temps pour vérifier les empreintes sur le portefeuille ?

– J'espère que ce sera fait demain, mais je mettrais ma main au feu que c'est bien celui de Tyler et que Howe l'a manipulé.

– Vous mettriez également votre main au feu qu'il l'a jeté à dessein ?

– Je préfère ne pas m'avancer là-dessus.

– Moi, si.

– Une seule chose m'intrigue : on a toutes les peines du monde à déceler la moindre trace de cet enfoiré pendant des jours et, tout à coup, il laisse une piste encore visible après la pluie, que même ma grand-mère myope pourrait suivre. Je suis peut-être un peu borné, mais pas aussi idiot qu'il veut bien le croire.

– Il veut gagner du temps pour préparer autre chose. Assurez-vous que Lilly le comprend bien. J'en ferai autant dès que je la verrai, mais je voudrais qu'elle l'entende d'abord de votre bouche.

– Compris !

Willy ouvrit la portière de sa voiture.

– Coop, les fédéraux se concentrent sur le Wyoming. Ils ont peut-être raison.

– Non.

– Les indices se situent là-bas, ils suivent les indices. Moi, j'ai juste l'intime conviction qu'il nous mène en bateau. C'est ce que je dirai à Lilly.

La nuit tombait lorsque Cooper arriva au refuge. Les cris des animaux suffirent à lui indiquer qu'on était en train de leur donner à manger. Il croisa une camionnette remplie de stagiaires qui venaient de terminer leur journée.

Aussitôt garé, il fit le tour des installations, bâtiment par bâtiment, pour s'assurer que tout était bien fermé et que le système d'alarme était bien branché.

Dans le chalet de Lilly, la lumière venait de s'allumer dans la cuisine, et il finit par l'apercevoir, les cheveux tirés en arrière, son pull de coton bleu se détachant sur le mur blanc, ses boucles d'oreilles dansant à chacun de ses mouvements. Elle se versa un verre de vin et en but une gorgée tout en surveillant son repas.

Une onde de tendresse le traversa. Il aurait pourtant dû être habitué, maintenant. Mais non, il savait qu'il ne s'habituerait jamais.

Qu'il ne se lasserait jamais. Sans doute son grand-père avait-il raison. Le temps passait.

Il gravit le perron, ouvrit la porte.

Elle se retourna vivement, un couteau à la main, son visage exprimant à la fois peur et détermination.

– Nous venons en paix, dit-il en levant les deux mains.

Elle reposa lentement son arme improvisée.

– Je ne t'ai pas entendu arriver et je ne m'attendais pas à te voir entrer par la cuisine.

– Dans ce cas, tu devrais t'assurer que ta porte est bien fermée.

– Tu as raison.

Sans doute le temps passait-il, mais Cooper ne se sentait pas le droit d'accélérer le mouvement.

– Willy est passé ? demanda-t-il en se servant un verre.

– Oui.

– Ça sent bon, mais si tu as préparé un dîner pour fêter…

– Depuis quand me considères-tu comme une idiote ?

Elle s'en voulut aussitôt en le voyant hausser les sourcils sans rien dire.

– Il n'est pas plus dans le Wyoming que moi, ajouta-t-elle. Il s'est arrangé pour laisser une piste bien nette, avec un joli panneau indicateur sous forme de portefeuille.

– Je suis d'accord.

– Tu es d'accord sur le fait qu'il nous prend pour des imbéciles ? questionna-t-elle.

– Ce n'est pas pire que de tenter de nous supprimer, quand même !

– Ça ajoute l'insulte à la menace. Je me sens insultée.

Elle avala une gorgée de vin.

– Alors, en quel honneur ce poulet sauté et cette bonne bouteille ?

– Je t'avais dit que je me chargeais du repas, non ? Maintenant, personne ne t'oblige à le manger.

Sur ces paroles, elle alla remuer le contenu de la marmite et fit claquer le couvercle au-dessus. Sans un mot, Cooper vint la saisir par la taille et l'entraîna malgré ses protestations.

– Mais il est par là ! finit-elle par s'écrier. Il nous voit, il se moque de nous ! Pour moi, c'est pire que tout. Et ça me met de mauvais poil.

– Je vois ça. Il nous prend pour des imbéciles, il croit qu'on a gobé sa petite histoire. Tant pis pour lui. Il te sous-estime, et c'est une erreur. Parce que l'élaboration de cette piste a dû lui prendre beaucoup de temps, beaucoup d'efforts complètement inutiles en ce qui te concerne.

Elle se détendit un peu.

– Évidemment, quand on voit les choses comme ça…

Il l'embrassa doucement.

– Salut !

– Salut.

Tout en caressant sa natte et en regrettant de ne pouvoir la supplier de monter immédiatement dans la chambre, il demanda simplement :

– La grêle a causé des dégâts par ici ?

– Rien de grave. Et chez tes grands-parents ?

– Pour le plus grand plaisir de mon grand-père, ce sont les choux qui ont tout pris.

– Tiens, moi j'aime bien ça, le chou.

– Pourquoi ?

Elle rit.

– Comme ça. Il y a un match ce soir à la télé. Toronto contre Houston. Tu veux le voir ?

– Oui.

– Bon. Alors mets le couvert.

Ce qu'il fit, tout en humant les odeurs de plus en plus appétissantes. En même temps, il ne put se retenir de poser la question qui lui brûlait les lèvres.

– Cette lingerie sexy, tu la gardes toujours dans ton tiroir ?

– Oui.

– Bon. Il va falloir que tu sélectionnes une date cet été. Je te donnerai le programme des Yankees et tu pourras choisir le match qui te plaira. Je demanderai à Brad d'envoyer l'avion. On pourrait prendre deux jours, descendre au Palace ou au Waldorf.

Elle vérifia les pommes de terre qu'elle avait mises à sauter avec du romarin.

– Un avion privé, des hôtels de luxe ?

– J'ai toujours ma loge à l'année.

– Tu es donc si riche que ça, Cooper ?

– Oui.

– Je devrais peut-être te bousculer un peu pour obtenir un autre don.

– Je te donnerai 5 000 dollars si tu portes ce soir la petite chose rouge que j'ai vue dans le tiroir.

– Un pot-de-vin ? Je vais y réfléchir.

– Le premier pot-de-vin, c'était New York et les Yankees.

– Que dois-je faire pour les obtenir tous ?

– Dis-moi ton prix.

– Oh, là, là ! Ça risque de faire beaucoup. Je veux construire un dortoir pour les stagiaires.

– En voilà, une bonne idée ! Les garder sur place. Ainsi, ils passeront moins de temps à venir. Ils seront là plus tôt, et je ne te raconte pas les relations entre eux… Mais au moins tu auras du monde avec toi la nuit.

– Je n'avais pas pensé à ce dernier point. L'intérêt est surtout de leur faire gagner du temps. Je voudrais une résidence de six chambres avec cuisine et salle de loisirs. Cela nous permettrait de loger une douzaine de stagiaires. Fais-moi une offre, et je te dirai.

– C'est bien un pot-de-vin. Je vais y réfléchir.

Elle sourit.

– Quel effet ça fait d'avoir des sous ?

– C'est plus agréable que d'être fauché. Mais il y a toujours eu de l'argent dans ma famille, j'ai été élevé comme ça. C'est même ce qui m'a le plus nui à la fac. Je n'ai jamais eu à me refuser une paire de chaussures ni à me soucier de mon dîner. Je claquais mon argent de poche sans vergogne.

– Tu n'étais qu'un gamin.

– Et toi, tu étais une gaminc, pourtant, tu savais tenir un budget. Je m'en souviens.

– Oui, mais nous n'étions pas riches. Et, toi, tu m'offrais des tas de choses, je ne t'en empêchais pas.

– En tout cas, je ne te dis pas l'effet que ça m'a fait de me retrouver dans le ruisseau. Pourtant, j'ai relevé le défi.

– Tu devais avoir peur.

– Cela m'est arrivé, oui. J'ai pris des petits boulots, j'ai emprunté pour me payer un avocat contre mon père, et c'est Brad qui m'a prêté la somme.

– Je savais bien qu'il me plaisait, ce garçon.

– J'ai mis près d'un an à le rembourser. Mais j'étais débarrassé de l'emprise de mon père.

– Tant pis pour lui. Il a perdu son fils.

– Et moi je t'ai perdue.

Elle secoua la tête et se retourna vers la gazinière.

– Il fallait que je fasse mes preuves avant de revenir vers toi, continua-t-il.

– Voilà qui est fait.

– Il me reste à te prouver combien je tiens à toi.

– Ce n'est pas ce qu'on te demande, marmonna-t-elle d'un ton agacé.

– Si, justement. En travaillant avec les chevaux, j'ai eu le temps de réfléchir. Tu me mets à l'épreuve, et je reconnais que ça m'énerve. Tu veux être certaine que je ne vais pas de nouveau te quitter et t'assurer également que tu as envie de vivre avec moi. Pendant ce temps, j'ai au moins le droit de coucher avec toi et de partager certains de tes repas. Je peux même t'observer par la fenêtre de la cuisine de temps en temps.

– Du sexe, des repas, du voyeurisme, que demander de plus ?

– Je lis parfois dans tes yeux que tu m'aimes. Tu ne pourras pas le nier toute ta vie.

– Je ne nie rien. Je…

– Il faut que tu sois sûre de toi, la coupa-t-il en la prenant dans ses bras.

La voyant se dégager d'un air excédé, il préféra ne pas envenimer les choses.

– Il sent bon, ton poulet.

– Alors assieds-toi, je vais servir.

Ils dégustèrent le plat en s'efforçant de parler de choses et d'autres, du temps, des chevaux, de la santé de la nouvelle tigresse. Ils firent la vaisselle ensemble. Une fois qu'il eut vérifié les serrures, seul signe d'inquiétude, ils s'installèrent devant la télévision pour regarder le match. Ils firent l'amour à la lumière de la lune.

Cette nuit-là, elle eut un cauchemar. Elle rêvait qu'elle courait à travers une forêt monstrueuse, la poitrine oppressée de terreur, le cœur pantelant, le dos trempé de sueur. Les buissons lui déchiraient la peau, et elle sentait l'odeur de son propre sang.

C'était donc cela.

Une chasse dont elle devenait le gibier.

Les hautes herbes lui fouettaient les jambes lorsqu'elle atteignit le replat. Elle entendait son poursuivant, toujours aussi proche, quoi qu'elle fasse, quelque direction qu'elle prenne. Tel un projecteur, la lune l'éclairait sans cesse. Son seul salut était dans la fuite.

Cependant l'ombre du chasseur s'étendait sur elle, l'écrasait de son poids. Lorsqu'elle se retourna, le couguar jaillit, tous crocs dehors.

27

Une journée s'écoula, puis une autre. Certains témoignages rapportaient la présence d'Ethan un peu partout dans le Wyoming, mais aucun ne s'avéra décisif. Finalement, les fermiers vaquèrent de nouveau à leurs occupations. À leurs labourages de printemps, à leurs brebis qui mettaient bas, au couguar repéré dans un pommier à la sortie de Deadwood. On pensait que l'assassin du malheureux entrepreneur de St Paul avait pris la fuite. Sa piste était désormais froide.

Mais Lilly n'avait pas oublié son cauchemar et savait qu'ils se trompaient. Alors que son entourage baissait la garde, elle ne faisait que renforcer la sienne. Elle prit l'habitude de glisser un couteau, le matin, dans sa botte. Cette présence glaciale la rassurait un peu.

Le beau temps ramena les touristes, qui apportaient de généreuses contributions au budget de la réserve. Mary se montrait confiante. Bonne nouvelle pour Lilly, qui ne parvenait cependant pas à montrer le moindre enthousiasme. Plus les jours passaient, tranquilles, ordinaires, plus ses nerfs se contractaient. Qu'attendait-il donc ?

Elle se posait cette question en transportant ses paniers de nourriture pour les animaux, en arrosant les enclos, en rangeant les provisions. Chaque jour elle nettoyait les gîtes, tous muscles tendus, prête à l'attaque. Non qu'elle en eût envie mais elle aurait préféré voir Ethan surgir des buissons une bonne fois pour toutes, armé jusqu'aux dents, plutôt que de redouter ainsi que le piège se referme un jour sur elle.

Le doute la rongeait, même quand elle regardait Boris et DaLillya, blottis l'un contre l'autre, ou se suivant, le mâle en tête, la femelle s'efforçant de poser les pattes dans l'herbe. Malgré l'immense satisfaction qu'elle éprouvait alors, le plaisir de Lilly était aussitôt gâché par l'angoisse qui lui tenaillait les entrailles.

Quand elle aurait dû aider Mary et Lucius à préparer la journée portes ouvertes, ou Tansy à organiser son mariage, elle ne parvenait qu'à se demander : *Quand ? Quand allait-il revenir ? Quand serait-il arrêté ?*

— Cette attente va me rendre folle.

Avec Coop, ils avaient pris l'habitude d'inspecter chaque soir les enclos après le départ du personnel.

Sous une vieille veste, elle portait un sweat à capuche de la réserve naturelle Chance dont elle ne cessait de tripoter les lacets.

— Ce n'est pas comme si je devais passer la nuit dans une Jeep à guetter une horde de lions qui devrait venir s'abreuver à un point d'eau, ou même assise devant un ordi à surveiller la transmission d'informations expédiées par un couguar bagué. Là, au moins, on a l'impression de faire quelque chose. Je me sens comme enfermée, ici, je tourne en rond. Il faut que je bouge, que je fasse quelque chose. Je veux monter là-haut.

— Non, répliqua-t-il.

— Je ne te demande pas la permission. Si je décide d'y aller, tu ne pourras pas m'en empêcher.

— Si. Et je ne me gênerai pas.

— Je n'ai pas envie de discuter. Je sais que tu y es allé, toi-même, il y a deux jours. Ce type serait pourtant capable de s'en prendre à toi, rien que pour m'atteindre.

— C'était un risque calculé. Et dis-toi que, s'il m'enlevait, ce seraient immédiatement toutes les forces de police qui se lanceraient sur mes traces. Il s'est donné la peine de détourner les fédéraux de la région, pourquoi les ramènerait-il maintenant ? En outre, s'il était assez bête pour tenter le coup, je porte une radio et je montre chaque fois aux touristes comment l'utiliser en cas d'accident. Ce qui fait qu'il entraînerait avec moi tout le groupe qui m'accompagnerait. C'était un risque calculé.

— Coop, je sais que tu vas vouloir rechercher de nouveaux indices, une nouvelle piste. Alors, je t'arrête tout de suite : tu possèdes certaines dispositions pour ça, mais plutôt restreintes. Tu manques d'entraînement. Tandis que moi, j'ai passé ma vie à pister les animaux sauvages. Emmène-moi dans tes randonnées.

— C'est ça, et s'il nous repère il m'abat tout de suite, et toi il t'enlève. Le temps que l'alerte radio soit donnée, tu auras disparu. Tandis que, si on l'attend, c'est à lui de se découvrir.

Elle allait et venait devant l'enclos de Bébé, qui semblait accompagner ses mouvements à grandes foulées inquiètes. Ce qui parut amuser Cooper.

– Ce couguar est esclave de son amour pour toi.

– Pas de ballon aujourd'hui ! annonça-t-elle au couguar avec une esquisse de sourire. On jouera demain.

Il laissa échapper un son que Cooper aurait qualifié de gémissement, pour autant qu'un félin en soit capable. Lilly passa la main à travers la grille pour pouvoir le caresser, le laissa lui donner des coups de tête, lui lécher la paume.

– Il se fâchera si je m'approche ? s'enquit Coop.

– Non. Il t'a souvent vu avec moi. Il a senti ton odeur sur moi et la mienne sur toi. L'odorat des couguars n'a rien d'exceptionnel, mais Bébé nous connaît. Viens.

Lorsque Cooper l'eut rejointe, elle lui prit la main et la passa sur la fourrure de l'animal.

– Il t'associe à moi, ajouta-t-elle. Il sait que je n'ai pas peur de toi. Et puis il aime tellement les câlins !

– Il renifle tes cheveux, observa Coop. Comme moi. Ils ont l'odeur des collines, propres, un peu sauvages.

– Appuie maintenant le front sur la grille. C'est un geste d'affection. Allez, confiance !

– Tu en as de bonnes…

Il préférait ne pas imaginer ce que le fauve pourrait lui infliger d'un coup de dents.

– Tu es sûre qu'il n'est pas jaloux ?

– Il ne fera jamais de mal à ceux auxquels je tiens.

Cooper appuya donc le front sur la grille. Bébé commença par le dévisager un instant. Puis se dressa sur les pattes arrière et lui donna un coup de tête.

– On vient de se serrer la main ou de s'embrasser, là ?

– Quelque chose entre les deux. Trois fois j'ai essayé de le relâcher dans la nature, trois fois il est revenu.

– Il suivait ton odeur.

– Il l'a suivie sur des kilomètres. Normalement, il n'aurait pas dû. Mais il l'a bien voulu. Bonne nuit, Bébé !

Elle regagna le chemin.

– L'autre nuit, confia-t-elle à Coop, j'ai rêvé que j'étais le gibier d'une chasse à l'homme. J'avais beau courir, il se rapprochait. Quand j'ai compris que j'étais fichue, que j'allais devoir me battre, c'est un couguar qui m'a sauté dessus.

Comme il la prenait sans ses bras, elle appuya la tête contre son épaule.

– Jamais je n'avais rêvé que j'étais attaquée par un félin. Jamais. Il faut vraiment que je ne sois pas dans mon assiette. Ça suffit, maintenant, même ici je me sens traquée, en prison.

– Il existe d'autres moyens de t'évader.

– Lesquels ? Aller faire des courses en ville ?

– Par exemple.

– On dirait ma mère. Ça me fera du bien, ça me changera les idées, me dit-elle. Et je ne te parle pas de Tansy, qui voudrait me faire choisir ma robe de demoiselle d'honneur en même temps que sa robe de mariée.

– Tu vas donc y aller.

– Il faudra bien ! Sa mère est arrivée hier. On est bonnes pour y passer la journée demain. Et je m'en veux de m'énerver à cause de ça.

– Tu pourrais t'acheter des sous-vêtements sexy.

Elle lui jeta un regard de travers.

– Tu ne penses qu'à ça, toi !

– Je suis un homme normal.

– Et moi, j'ai besoin de ces collines. Elles me manquent ! Je ne vais pas laisser cet individu m'en priver !

– Écoute, si tu veux, on ira à cheval jusqu'à Custer. On passera la journée dans les collines.

Lilly avait envie de répondre que ce n'étaient pas ses collines à elle, mais ç'aurait été mesquin.

Elle contempla leurs silhouettes projetées par la lune, noires sur la tache blanche et ronde. Vite, maintenant. Il fallait que ça se passe vite.

Lilly se rappela soudain combien elle aimait faire des courses. Même si son métier et les circonstances voulaient qu'elle achète à peu près tout par Internet. Aussi, quand elle avait une chance de tâter les tissus, de comparer les couleurs, de humer les odeurs en trois dimensions, elle se précipitait avec enthousiasme. Et puis elle appréciait la compagnie des femmes, particulièrement ces femmes-là. Charmante, bourrée d'humour, Sueanne Spurge savait communiquer son enthousiasme à Jenna et à Lucy.

Habituellement, Lilly se plaisait en ville ; elle profitait de chaque instant, des vitrines, de la foule. Depuis sa plus tendre enfance, elle considérait toute sortie à Rapid City comme une récompense, une journée de plaisir.

Cette fois, cependant, elle avait le cœur trop lourd pour en profiter. Ce bruit lui cassait les oreilles, ces gens l'encombraient, et elle ne rêvait que de regagner au plus vite la réserve, même si, depuis la veille, elle voyait en elle une prison.

Assise dans le salon d'essayage d'une boutique de mariage, en train de déguster une eau pétillante agrémentée d'une rondelle de citron, elle ne pensait qu'aux pistes qu'elle emprunterait si elle avait l'occasion de pourchasser Ethan.

Elle commencerait par le replat, où il avait débranché la caméra. Les recherches officielles avaient couvert cette zone mais cela n'y changeait rien. Ils pouvaient avoir laissé passer un détail. L'homme avait tué à cet endroit au moins deux fois. Un humain et un couguar. On était sur son terrain de chasse.

Partie de là, elle se rendrait directement vers la piste de Crow Peak, où il avait vraisemblablement intercepté James Tyler. Ensuite, direction la rivière, où l'on avait retrouvé le corps. Après quoi...

– Lilly !

Elle fit volte-face et faillit renverser son verre.

– Quoi ?

– La robe.

Tansy ouvrit les bras pour mieux montrer le bustier de soie et dentelle ivoire.

– Tu es magnifique.

– Toutes les mariées sont magnifiques, s'impatienta la jeune femme. On veut savoir ce que tu penses de ce modèle.

– Euh...

– Moi, je l'adore ! s'exclama Sueanne en battant des mains. On dirait une princesse !

– La couleur te va particulièrement bien, observa Jenna. Ce blanc est si doux !

– Et la ligne, souligna Lucy. C'est tellement romantique !

– C'est une robe fantastique, estima enfin Lilly.

– Bon, mais, comme il s'agit d'un mariage à la campagne, vous ne trouvez pas qu'il faudrait quelque chose de plus simple ?

– C'est quand même toi qui comptes, insista Sueanne.

– Je l'adore, mais je ne sais pas… Lilly !

– Euh… pardon, excusez-moi.

Reposant son verre, elle se leva pour la suivre dans la cabine d'essayage.

– Pardon ! Je suis nulle comme demoiselle d'honneur. Tout ce que je te demande, c'est de ne pas me faire porter une robe cramoisie à manches bouffantes !

– Tu vas voir ce qui t'attend, marmonna Tansy. Je sais que tu n'avais pas trop envie de venir, mais quand même !

– Ce n'est pas ça. Mais je n'arrive pas à me concentrer. Enfin, là, ça y est, promis, juré !

– Alors aide-moi à essayer tous les modèles que j'ai sélectionnés. Maman me rêve en robe de princesse et moi-même je serais prête à opter pour une traîne de six mètres et six millions de paillettes. Mais j'ai aussi vu celle-ci, là-bas, et j'ai l'impression que c'est juste ce qu'il me faut. Aide-moi à l'enfiler.

Le vêtement était de couleur miel, avec un décolleté en cœur brodé de petites perles. Le bustier plongeait en pointe jusqu'à la taille, ensuite, la jupe s'évasait dans un bouillonnement de soie et de rubans.

– Oh, Tansy, tu es… à croquer. S'il n'y avait pas Farley, c'est moi qui t'épouserais.

– Voilà exactement ce que je voulais ! J'ai l'impression d'irradier, comme je me sens irradier de l'intérieur.

– C'est tout à fait ça. Elle n'est pas fantastique, elle est prodigieuse et elle te ressemble tellement !

– La voilà, ma robe de mariée ! Tu vas devoir m'aider à convaincre ma mère. Je ne veux pas la décevoir, mais, là, j'ai trouvé ma robe.

– Je crois…

Incapable d'attendre davantage, Tansy était ressortie, et Lilly n'entendit d'abord qu'un silence. Puis elle aperçut à son tour Sueanne, une main sur la bouche, les yeux pleins de larmes.

– Oh, ma chérie ! Ma toute petite fille !

– Pas besoin de convaincre qui que ce soit, souffla Lilly.

Finalement, elle se laissa emporter par l'allégresse générale et prit plaisir à acheter elle aussi robe, sac et chaussures.

Un déjeuner au restaurant acheva de la plonger dans cette atmosphère de fête, d'autant que Tansy avait tenu à commander une bouteille de champagne. Après quoi elles reprirent leurs courses, écumant magasins de fleurs et pâtisseries pour trouver des idées.

Triomphantes, elles se serrèrent, encombrées de sacs et de paquets, dans la voiture de Jenna. Lorsqu'elles déposèrent Tansy et sa mère à Deadwood, les réverbères étaient allumés.

– On a dû faire au moins trente kilomètres à pied, marmonna Lucy en étirant les jambes. Je vais m'offrir un bon bain chaud.

– Moi, je meurs de faim, clama Jenna. Les courses, ça me donne les crocs. Quand je pense que je me suis acheté trois paires de chaussures ! C'est ta faute, aussi, avec tes conseils…

– Elles étaient en solde.

– Juste une paire.

– Tu as économisé de l'argent dessus…

À l'arrière, le sourire aux lèvres, Lilly écoutait les deux amies discuter. Elle s'avisa qu'elle n'avait pas assez profité de leur présence.

– Si on s'organisait une journée spa, toutes les cinq ?

Jenna jeta un coup d'œil dans le rétroviseur.

– Une quoi ?

– Une journée esthétique, massage, manucure et tout. Ça fait un temps fou que je ne me suis pas offert ce genre de plaisir. Il faudrait juste un jour qui nous convienne à toutes. Je peux demander à Mary de réserver nos rendez-vous.

– Pourquoi pas ? dit Jenna. Ça te plairait, Lucy ?

– Je vais m'arranger, ça pourrait être sympathique.

Peu après, elles déposèrent Lucy au ranch, et Lilly sortit ouvrir le coffre.

– Laissez-moi vous aider à porter vos paquets.

– Je les ai achetés, je les porte.

Lucy embrassa la mère et la fille en assurant qu'elle n'avait pas passé une aussi agréable journée depuis longtemps.

– Maintenant, je vais avoir droit aux objections de Sam qui va me demander comment je pouvais avoir besoin d'une nouvelle paire de chaussures alors que je n'ai que deux pieds.

– On se téléphone demain ! lança Jenna en reprenant le volant.

Elle attendit que son amie soit entrée dans la maison avant de faire demi-tour.

– Et toi ? demanda-t-elle à sa fille venue s'asseoir à l'avant, tu commences par la douche ou par le dîner ?

– Par me mettre pieds nus. Et puis ce sera un gros sandwich bien bourratif.

– Tu feras une très jolie demoiselle d'honneur.

– Ma robe est superbe, soupira Lilly. Voilà des années que je n'avais pas consacré une journée entière à faire des courses.

– Je sais que ce n'était pas facile pour toi de te libérer. Et maintenant tu nous organises une journée spa.

– Oui. Et je n'avais vraiment pas besoin de nouvelles chaussures.

– C'est plus drôle quand on n'en a pas besoin.

– J'ai l'impression que, en attendant, papa et Farley ont dû se lancer dans une nouvelle partie d'échecs.

– C'est sûr. En fait, ils ne seront pas forcément contents de me voir rentrer.

Devant le portail de la réserve, elles s'arrêtèrent pour que Lilly puisse sortir sa carte magnétique et composer son code.

– Tu ne peux pas savoir combien je suis soulagée que tu aies installé ce système de sécurité, lui dit sa mère. Cela me rassure presque autant que de savoir que tu ne vas pas passer la nuit dans une maison vide.

– Quand même, ça me fait bizarre d'avoir Cooper ici. Dans un sens, je suis contente, en même temps, je n'arrive pas à m'y habituer.

– Il faudrait savoir ce que tu veux.

– D'une part, j'ai envie de le punir pour ce qu'il m'a fait, ou pas fait, pour ce qu'il a dit ou pas dit quand j'avais vingt ans. Et, d'autre part, j'hésite. Je me demande si on n'est pas réunis uniquement à cause de la situation, parce que j'ai des ennuis et qu'il éprouve le besoin de m'aider.

– Tu ne crois pas qu'il t'aime ?

– Si, si, bien sûr.

– Mais alors ?

– Alors, si je n'arrive pas à le retenir, s'il part à nouveau, je ne suis pas sûre de pouvoir le supporter.

– Laisse-moi seulement te rappeler que rien, ici-bas, n'est garanti à personne. En amitié comme en amour, il faut savoir se contenter de promesses. Le jour où ça te suffira, tu vivras mieux.

– J'ai du mal à garder les idées claires, avec cette menace qui plane en permanence au-dessus de ma tête. J'ai du mal à prendre une décision ou à franchir un cap quand tout est sens dessus dessous autour de moi.

– Je comprends.

Comme sa mère serrait le frein à main devant le chalet, Lilly se pencha pour la regarder dans les yeux.

– Tu comprends mais tu n'approuves pas.

– Je n'ai pas dit ça.

– Si, tu l'as pensé trop fort, en tout cas.

– Lilly, tu es ma fille, mon soleil, et je n'ai qu'un désir, c'est de te voir heureuse. Je ne rêve que de vous voir tous les deux réunis. J'aime assez Cooper pour le considérer comme un membre de la famille. Mais c'est à toi de prendre ta décision. En attendant, je vois que c'est allumé chez toi, qu'un pick-up est arrêté devant et… qu'il vient t'accueillir.

Jenna sortit de sa voiture.

– Bonsoir, Cooper !

– Mesdames. Ça s'est bien passé ?

– Tu peux en juger au nombre de paquets qu'on a rapportés, dit-elle en ouvrant le coffre.

– Vous en avez laissé un peu pour le reste de la ville ?

– On a fait ce qu'on a pu. Là. Les autres sacs sont à moi.

Elle se retourna, serra Lilly dans ses bras.

– On ne fait pas ça assez souvent, dit-elle.

– Il va falloir que je m'augmente pour pouvoir recommencer.

– Téléphone-moi demain.

– Promis.

– Je te confie ma fille, Cooper.

– C'est ma priorité.

Lilly lui adressa un signe, la regarda s'éloigner.

– Tout se passe bien, ici ? demanda-t-elle à Coop.

– Très bien.

– Je vais vérifier si on ne m'a pas envoyé de messages.

– Matt et Lucius étaient encore là quand je suis rentré. Ils m'ont prié de te dire qu'ils se débrouillaient très bien sans toi. Même si ça ne te fait pas plaisir de l'entendre.

– Détrompe-toi, ça me fait plaisir.

– Alors pourquoi fais-tu cette tête ? Donne, j'emporte tout ça à l'intérieur.

– Je n'ai pas l'habitude de partir toute la journée.

Maintenant qu'elle était rentrée, elle se demandait ce qui lui avait pris de proposer cette sortie au spa.

– Tu as passé six mois au Pérou.

– Ce n'est pas la même chose, et je me fiche que ça paraisse illogique. Il faut que je fasse le tour des gîtes.

– Je m'en suis chargé.

Il déposa les sacs au pied de l'escalier.

– Bébé m'a fait un câlin.

– Oh, parfait ! Je suppose qu'Ethan ne s'est pas manifesté ?

– Je te l'aurais dit, assura-t-il en l'embrassant. Détends-toi. Je croyais que les emplettes mettaient les femmes de bonne humeur.

– C'est très sexiste comme remarque ! J'ai faim.

– J'ai mangé tous les restes.

– J'ai envie d'un sandwich. Un énorme sandwich.

– Tu as de la chance que j'aie fait des courses, moi aussi, dit-il en l'entraînant dans la cuisine. Parce que tu n'avais plus ni pain ni rien du tout, à part du beurre de cacahuète.

– Oh, merci !

Elle ouvrit le réfrigérateur, écarquilla les yeux.

– Eh bien ! Ça en fait, de la nourriture !

– Pas pour deux personnes normalement constituées qui vont prendre deux repas par jour.

– Moi, j'ai bu du champagne au déjeuner.

– On ne se refuse rien !

Tout en préparant son sandwich, elle lui raconta sa journée en détail, décrivit la robe de mariée, son plaisir en voyant sa mère essayer dix tenues pour le grand jour.

– À la fin, nos cartes de crédit criaient pitié. Et je ne te dis pas comme j'ai mal aux pieds !

Elle ne put s'empêcher de tendre la jambe pour montrer sa nouvelle paire de chaussures. Il en profita pour lui caresser les chevilles, puis les talons en remontant jusqu'aux orteils.

– Seigneur ! s'exclama-t-elle. Ce doit être un avant-goût du paradis. Un gros sandwich, un verre de lait frais et un massage plantaire.

– Tu es une fille facile !

Elle sourit, mordit dans son pain.

– Je parie que tu n'as pas écouté la moitié de ce que je t'ai raconté.

– Je suis peut-être resté bloqué au rayon chaussures.

– Je m'en doutais. Tu as de la chance que j'aie apprécié ton accueil.

Plus tard, en rangeant sa nouvelle robe dans le placard, elle se dit qu'elle venait de vivre une journée exceptionnelle, sans stress, en compagnie de personnes délicieuses.

Les Collines de la chance

Et puis sa mère avait raison, pensa-t-elle en entendant Cooper allumer la radio pour écouter les résultats de base-ball, cela faisait du bien d'avoir quelqu'un pour vous accueillir au seuil de la maison.

28

Avant l'aube, Lilly le sentit lui effleurer l'épaule puis le bras comme s'il cherchait à s'assurer de sa présence avant de sortir du lit. Complètement réveillée, elle resta allongée dans la tiédeur des draps pour écouter couler la douche.

L'heure était venue de se lever, de préparer le café, d'entamer cette nouvelle journée. Mais il y avait quelque chose de si réconfortant, de si naturel à vouloir rester encore un peu…

Dans un fracas de tuyauterie, elle entendit le juron étouffé de Cooper derrière le mur et sourit. Il avait tendance à prendre de longues douches, s'attirant ainsi les protestations du petit chauffe-eau.

Maintenant, il allait se raser, ou non, selon son humeur, se laver les dents, la serviette nouée autour de la ceinture, les cheveux encore dégoulinants. Ensuite seulement il se sécherait la tête avec des gestes brefs, les coifferait du bout des doigts.

Quelle chance de pouvoir se contenter de trois gestes pour être prêt ! Il avait pris tellement de responsabilités, ces derniers temps ! Pour aider ses grands-parents, pour l'aider, elle. Il ne devait plus compter ses heures de travail.

Et il lui apportait des fleurs.

Il entra dans la chambre d'un pas mesuré, parce que c'était inné chez lui, mais aussi parce qu'il s'efforçait toujours de ne pas la réveiller ; il allait s'habiller dans la semi-obscurité et emporter ses chaussures à la main pour les enfiler en bas de l'escalier. Autour de lui flottait une bonne odeur de savon tandis qu'il ouvrait doucement les tiroirs de la commode et les portes du placard.

Tout à l'heure, Lilly descendrait, attirée par l'arôme du café, par le plaisir de retrouver quelqu'un qui pensait à elle. Il allumerait sans doute un feu dans la cheminée pour attiédir la maison même s'il la quittait. Si Lilly avait besoin de lui, à n'importe quel moment de la journée, elle pourrait l'appeler. Il trouverait le moyen de l'aider.

En attendant, il se pencha au-dessus du lit pour lui déposer un baiser sur la joue. Elle s'apprêtait à parler mais pensa que cela gâcherait la magie du moment. Aussi le laissa-t-elle sortir sans réagir.

Comme l'aube teintait le ciel derrière les carreaux, elle l'entendit partir. La porte d'en bas se ferma doucement et, peu après, le moteur du pick-up démarra.

Elle se leva, fila vers la commode, dont elle ouvrit le dernier tiroir, et sortit, de sous une pile de lainages, le couguar en bois qu'il lui avait sculpté autrefois.

Assise en tailleur à même le sol, elle passa les doigts dessus, ainsi qu'elle avait dû le faire mille fois depuis son enfance. Jamais cet objet ne la quittait, elle l'emportait même dans ses voyages. C'était son porte-bonheur, un souvenir tangible de Cooper dont elle n'avait jamais pu se débarrasser.

À travers ce symbole, il l'avait accompagnée au Pérou, en Alaska, en Afrique, en Floride, en Inde. Voilà près de vingt ans qu'il l'avait taillé dans un morceau de noyer, en souvenir d'une image qu'il savait précieuse à ses yeux.

Jamais elle ne pourrait s'en séparer.

Elle se releva, le déposa sur la commode puis ouvrit un autre tiroir.

Son cœur se serra à l'évocation de Jean-Paul. Elle espérait qu'il allait bien, qu'il était heureux. Elle lui souhaitait tout l'amour qu'il méritait. Mais elle vida le tiroir.

Elle descendit toute cette lingerie. Un feu crépitait dans la cheminée et l'odeur du café lui titilla les narines. Elle rangea la nuisette et le reste dans un sac et, un sourire aux lèvres, alla déposer le tout sur la machine à laver.

Ça attendrait bien le retour de Coop, puisqu'il habitait là, maintenant, qu'il y faisait du feu et y préparait le petit déjeuner. Chez eux. C'était bien chez soi qu'on gardait ses objets les plus précieux, un couguar sculpté, une batte de base-ball. Elle se versa une tasse de café et remonta s'habiller. La journée s'annonçait belle.

Cooper passa le début de la matinée à nettoyer les stalles des chevaux. Trois groupes étaient prévus, dont deux avec guide. Il devrait également faire venir le vétérinaire et le maréchal-ferrant, tant aux écuries qu'au ranch. Sans compter la mise à jour de son site Internet et les demandes de location auxquelles il fallait répondre. En outre, il prévoyait une bonne heure pour étudier les dossiers, ses notes, la carte, afin de chercher un nouvel angle d'attaque contre Ethan Howe.

Cooper sentait que cet angle existait mais n'arrivait pas à mettre le doigt dessus. Ce n'étaient pas une poignée d'hommes qui parviendraient à ratisser centimètre par centimètre les centaines d'hectares de collines, de forêts, de grottes et de replats. Les chiens ne pouvaient suivre une odeur là où il ne restait rien à renifler. Il fallait trouver une ruse. Quelque chose qui attire Ethan, le fasse sortir assez loin pour que l'on puisse le prendre au piège. Mais, tant que l'unique appât susceptible de le faire réagir demeurerait Lilly, il n'en était pas question.

Après avoir jeté une nouvelle pelletée de foin souillé dans la brouette, il s'appuya, songeur, sur sa fourche, lorsque son grand-père apparut. Celui-ci ne boitait presque plus, du moins en début de journée, car, à mesure qu'il sollicitait sa jambe, elle se raidissait davantage jusqu'au soir.

En l'occurrence, songea Coop, l'angle d'attaque consistait ici à pousser Sam à se reposer de temps en temps, sans qu'il en prenne conscience.

– Tu tombes bien ! lança-t-il.

Il alla se planter devant la brouette pour l'empêcher de s'en emparer.

– Tu veux bien me rendre un service ? Il faudrait faire venir le vétérinaire et le maréchal-ferrant ici et aux écuries. Si tu pouvais t'en charger, ça me ferait gagner un temps précieux.

– Bien sûr, mais avant je vais jeter ce foin.

– Je n'ai pas fini, j'ai oublié une stalle…

– Tu n'as rien oublié du tout. Passe-moi cette faux.

– Oui, papy.

– Au cas où tu te creuserais la cervelle pour trouver d'autres moyens de me garder dans mon fauteuil à me la couler douce, je te mets tout de suite à l'aise, ça ne marchera pas.

Avec des mouvements sûrs acquis par une longue pratique, Sam attaqua la dernière stalle.

– Josiah et Farley vont venir m'aider aujourd'hui à vérifier les clôtures, ajouta-t-il. Je vais engager le jeune Hossenger pour remplir certaines tâches courantes avant et après l'école. S'il s'en tire bien, je le garderai cet été. Il rêve de travailler avec les chevaux. On va lui donner sa chance.

– D'accord.

– Il est costaud et pas idiot. J'en parlais encore hier avec Bob Brown ; il a une petite-fille qui cherche du travail. Elle monte bien à cheval et elle voudrait te demander si tu ne cherches pas un autre guide.

– Pourquoi pas, avec la saison qui commence ? Elle connaît les pistes ?

– D'après Bob, oui, et elle a la tête sur les épaules. Vois ça avec elle, ensuite, tu prendras ta décision.

– Entendu.

– Il y a aussi Jessie Chimps, l'institutrice, qui souhaiterait un boulot d'été. Tu pourrais la voir, elle a toujours vécu entourée de chevaux et elle sait s'y prendre avec les gosses. Elle pourrait nous aider dans ces balades à poney qu'on essaie de mettre en place.

Cooper sourit. Ainsi, ses grands-parents avaient enregistré les idées de transformation qu'il leur avait soumises.

– Je la recevrai, promit-il.

– Pour les nouveaux ordinateurs et tout le bataclan, je te laisse décider de ça avec Lucy. Moins je m'approche de ces machines, mieux je me porte.

– On s'en occupera à la première occasion.

– Quant à tes idées de boutique, j'en ai discuté avec Mary Blunt ; elle m'a dit que chez Lilly ça marchait bien, surtout la vente des cartes postales et de petits trucs de ce genre.

– Je vois que tu n'as pas chômé.

– J'ai eu ma visite chez le médecin, hier. Il me trouve en pleine forme. Ma jambe est guérie. À mon âge, je dois ralentir un peu le mouvement, mais je peux marcher, monter à cheval et labourer. Donc, je compte bien emmener encore quelques groupes de touristes. Il n'y a pas de raison pour que tu te tues au travail. Ta grand-mère n'y tient pas plus que moi.

– Je suis loin de me tuer au travail.

– Écoute, mon garçon, moi non plus je n'aime pas trop le changement, mais il a bien fallu que je m'y fasse. Depuis qu'on loue ces chevaux, les affaires marchent bien. Mieux qu'on n'aurait cru. Il faut qu'on engage des gens ici mais aussi pour les travaux agricoles.

– Je n'ai rien contre un coup de main, mais je continuerai à effectuer le travail pour lequel je suis venu, et tant mieux s'il faut engager du monde pour en faire davantage.

– Tu es venu pour aider ton grand-père estropié. J'ai encore l'air estropié, peut-être ?

Sam mima un mouvement de karaté qui fit rire son petit-fils.

– Pas vraiment, mais tu ne ressembles pas non plus à Fred Astaire.

– Toi, tu es revenu pour exploiter les champs que tu m'as aidé à semer quand tu étais petit et pour t'occuper des chevaux.

– C'est bien ce que je dis. Je fais ce pour quoi je suis venu.

– Pas exactement, marmonna Sam en tendant vers lui un index accusateur. Est-ce que tu as épousé cette fille ? Tu n'aurais pas oublié de m'inviter à la cérémonie, par hasard ?

– Je ne suis pas venu ici pour Lilly. Je croyais qu'elle allait se marier avec un autre.

– Si ç'avait été le cas, dès que tu l'aurais aperçue tu aurais tout tenté pour la reconquérir.

– Peut-être.

– Et ce serait fait, à l'heure qu'il est.

– En tout cas, je promets de t'aider tant que je le pourrai, papy.

– Aide-toi toi-même, ça m'ira très bien. Je finis avec ces stalles et toi tu vas discuter avec ta grand-mère, qui t'attend devant un petit déjeuner. Elle se lance dans ses grands nettoyages de printemps, lavage de cerveau compris. Alors, non, merci ! Je te donnerai les noms et les numéros de téléphone des gens dont je viens de te parler.

– Je vais commencer par emporter cette brouette.

– Tu crois que je ne peux pas le faire ?

– Tu peux trimballer tout ce qui te chante, mais je te rappelle que c'est sur mon chemin.

Sur ces mots, Cooper saisit la brouette et se dirigea vers le dépôt.

Chez les Chance, on était en plein petit déjeuner. Farley dévorait son bol de céréales avant d'attaquer ses saucisses et ses pommes de terre. Repas de roi pour un milieu de semaine.

– On se gave parce que tu as vidé mon portefeuille hier, dit Josiah à Jenna.

Celle-ci lui lança un coup de coude mais lui remplit sa tasse de café.

– C'est *notre* portefeuille, d'abord.

– Ça n'empêche pas qu'il est vide.

Elle se mit à rire et reprit sa liste de courses pour les provisions de la ferme.

– C'est jour de marché, alors je vais encore piocher dans la boîte d'économies que tu as enterrée sous le rosier.

– Je savais bien que vous aviez planqué des trucs, observa Farley entre deux bouchées.

– Je te conseille d'en faire autant, grommela Josiah. Un homme marié doit toujours mettre de l'argent de côté.

– Et moi, intervint Jenna, je sais où je vais t'enterrer si tu ne tiens pas ta langue.

– Une femme capable de te menacer de mort au petit déjeuner, assura Josiah, il n'y a rien de mieux comme épouse.

– J'en ai trouvé une comme ça. J'ai de la chance.

– Vous avez tous les deux de la chance, décréta Jenna. Maintenant, dépêchez-vous de finir votre boulot, je vous rappelle qu'il faut aussi aller aider Sam. Vous déjeunerez sur place. Ça me laissera le temps d'aller en ville puis de passer chez Lucy. Elle a commencé son nettoyage de printemps, alors, je vais lui acheter ce dont elle a besoin au marché.

– Tu pourrais aller à la quincaillerie ?

– Mets-moi ça sur la liste.

Josiah commença de noter en sirotant son café.

– On peut rentrer les chiens, si tu veux les avoir avec toi.

– Je préférerais qu'ils courent avec vous. Tu rentreras dîner, Farley ?

– Euh… la maman de Tansy repart aujourd'hui, alors je me disais…

– Je sais ce que tu te disais. On se verra donc demain matin.

Elle jeta un œil sur sa liste pendant qu'il débarrassait.

– Je vais charger les outils, dit-il. Merci pour le petit déjeuner, Jenna.

Demeuré seul avec sa femme, Josiah lui adressa un clin d'œil.

– On aura la maison pour nous seuls, ce soir, alors je me disais…

– Je sais ce que tu te disais, rétorqua-t-elle en riant. Allez, va-t'en vite, ça te fera revenir plus tôt. Et ne te fatigue pas trop parce que tu risques d'avoir encore besoin de forces !

– J'ai toujours des forces pour certaines choses.

Lilly participa au nettoyage et à l'arrosage des enclos avant de se rendre au bureau. C'était jour d'hygiène dentaire au refuge, aussi Matt et plusieurs stagiaires n'auraient-ils pas trop de la journée pour endormir les fauves avant de leur brosser les dents. De plus, on attendait une cargaison de poulets, ce qui occuperait d'autres stagiaires. La porte de la lionne avait un peu trop grincé le matin, si bien que Lilly tentait d'occuper Sheba pendant qu'on la réparait.

Un jour, peut-être pourrait-elle s'offrir des fermetures hydrauliques, mais ce n'était pas prévu dans son budget du moment.

– Vous êtes rayonnante, aujourd'hui, observa Mary.

– Ah oui ?

– Tout à fait. Bonnes nouvelles ?

– Pas de nouvelles, bonnes nouvelles. On va dépasser les vingt degrés, aujourd'hui, une véritable vague de chaleur. La météo annonce que ça va durer jusqu'à demain après-midi avant de retomber à quinze. Au fait, on aurait besoin d'un peu plus de nourriture pour le petit zoo.

– J'ai passé ma commande hier.

– J'ai du nouveau, annonça Lucius. Je viens de vérifier sur le site. On en est à 5 000 dollars de dons grâce à DaLillya. Les gens sont enchantés de son histoire avec Boris. C'est le roman d'amour de l'année !

– Si c'est ça, on va provoquer une idylle pour chaque pensionnaire.

– Les internautes donnent leur avis par Webcam. On devrait communiquer régulièrement des nouvelles des autres animaux, parce qu'ils ont chacun leur préféré. On pourrait aussi remplacer quelques photos, refaire quelques vidéos.

– Bonne idée. Et si vous commenciez par Matt en train de leur brosser les dents ? Ce n'est pas très glamour, mais ça montre qu'on s'occupe d'eux.

– Et puis ça ferait de la pub pour les dentistes.

La tête pleine d'images de Boris et DaLillya, Lilly alla s'installer devant son écran en songeant qu'il y avait de l'amour dans l'air.

Il était prêt. Cela lui avait pris des heures de travail, mais il sentait que maintenant tout était en place. Seule inconnue, bien choisir son moment, mais cela valait la peine d'essayer. Au fond, l'enjeu serait plus amusant, plus important, grâce à cette incertitude. Au risque de mal tomber, de devoir tuer, ici et maintenant, s'il le fallait.

Alors qu'il contemplait chaque mouvement depuis sa cachette, il abaissa son arbalète. Sans doute n'aurait-il pas besoin de supprimer quiconque pour s'emparer de son appât. Autant faire les choses proprement. Économiser son temps et son énergie.

La vraie partie de chasse n'en serait que plus passionnante.

Ils ne se doutaient même pas qu'ils étaient observés.

Il pouvait tous les descendre si facilement ! Plus facile encore que d'abattre un buffle au bord d'un étang ! Mais ne résisterait-elle pas davantage, ne courrait-elle pas plus vite, ne se débattrait-elle pas plus férocement s'il leur laissait cette vie qu'ils ne méritaient pas ? Trop de sang versé, et elle y perdrait toute ardeur.

Ce n'était pas ce qu'il désirait. Il avait tant attendu, tant travaillé…

Alors, il les regardait charger la barrière sur le camion. Ces fermiers s'étendaient chaque fois davantage sur son territoire pour y enfermer leur bétail, qui ne valait même pas qu'on le chasse.

Allez, pressons ! s'impatientait-il alors que les conversations et les rires montaient jusqu'à lui. *Allez, tout ça aura changé quand vous reviendrez.* Oui, mieux valait les laisser vivre, souffrir quand ils se rendraient compte de ce qu'il avait pu faire sous leur nez. Leurs larmes lui seraient plus douces que leur sang.

Il sourit en voyant les chiens courir et japper de joie. S'il l'avait fallu, il les aurait tués aussi, quoique à regret. Au moins avait-il maintenant la certitude qu'ils seraient épargnés.

Le véhicule démarra, suivi d'une meute joyeuse, et la petite ferme dans la vallée retrouva son calme. Cependant, il attendit encore. Il voulait s'assurer que les autres s'éloignaient, qu'ils disparaissaient du paysage et ne pourraient rien entendre.

En maintes occasions, il avait déjà pu espionner les deux femmes, observer leur mode de vie, comme pour n'importe quelle proie. Elle était forte, et il savait qu'ils gardaient des armes à la maison. Quand il s'emparerait d'elle, il devrait agir vite.

Pour commencer, il contourna la grange à grandes enjambées rapides et silencieuses. Dans sa tête, il était revêtu de daim, portait des mocassins et son visage arborait des peintures de guerre.

Les oiseaux chantaient, une vache beugla ; il entendit aussi la volaille caqueter quand il passa devant le poulailler et, plus loin, une femme chanter dans la maison.

Il n'avait jamais entendu sa mère chanter. Elle gardait la tête basse, n'ouvrait pas la bouche. Elle obéissait, de peur de se faire renvoyer. À la fin, son père n'avait eu d'autre choix que de la tuer. Il avait expliqué qu'elle le volait, gardait ses pourboires, mettait de l'argent de côté pour elle, mentait. Une leçon importante que son fils n'avait jamais oubliée.

Il se dirigea vers la fenêtre latérale, se remémorant la configuration de la cuisine telle qu'il avait eu l'occasion de l'étudier auparavant. Des tintements et des claquements lui parvinrent. D'un coup d'œil à l'intérieur, il put constater avec satisfaction que la femme lui tournait le dos en remplissant le lave-vaisselle. Tout en rangeant les casseroles, elle accompagnait sa chanson de petits mouvements des hanches.

Il écarta très vite la tentation du viol. Ce n'était pas digne de lui. Elle n'était pas digne de lui. Il n'allait pas se souiller dans un tel contact avec elle. Ce n'était qu'un appât.

L'eau coulait dans l'évier, les plats s'entrechoquaient. Couvert par ces bruits, il se glissa vers la porte qui donnait sur la cour, tourna la poignée.

Il fut presque déçu qu'elle ne lui résiste pas. Il s'était plutôt vu l'ouvrir d'un grand coup de pied afin de savourer l'expression d'effroi sur le visage de sa proie. Mais non, il lui suffit de la pousser doucement pour se glisser à l'intérieur de la pièce.

La femme fit volte-face, un poêlon à la main. La voyant prête à le frapper, il se contenta de lever son arbalète.

– À ta place, je ferais pas ça, mais vas-y, si tu tiens à prendre une flèche dans le ventre.

Elle avait tant blêmi que ses yeux n'en paraissaient que plus noirs. Il se souvint alors qu'elle avait quelques gouttes du même sang que lui. Mais elle l'avait laissé blanchir. Avait tourné le dos à son héritage.

Lentement, elle baissa les bras.

– Bonjour, Jenna ! lança-t-il.

Il vit sa gorge se contracter avant qu'elle puisse articuler un mot, et sa peur le réjouit.

– Salut, Ethan.

– Dehors !

Il arracha le téléphone portable de son chargeur, le glissa dans sa poche. Comme elle ne bougeait pas, il reprit :

– Je peux t'en mettre une aussi dans la jambe et te traîner dehors. Ou alors tu marches toute seule. À toi de voir.

Tout en faisant un large écart, elle finit par passer devant lui, sur le perron. Il referma la porte derrière eux.

– Avance. Tu fais exactement ce que je te dis quand je te le dis. Si tu essaies de courir, tu t'apercevras qu'une flèche est plus rapide que toi.

– Où allons-nous ?

– Tu le sauras quand on y sera.

Il la poussa pour la faire aller plus vite.

– Ethan, on te recherche. Tôt ou tard, on te retrouvera.

– Cette bande d'abrutis ? Personne ne me trouve tant que je ne l'ai pas décidé.

Il l'obligea à traverser la cour et l'entraîna vers les arbres.

La voyant remuer la tête à droite et à gauche, il comprit qu'elle cherchait comment fuir. Il eut presque envie qu'elle prenne le risque. Comme Carolyn. Ç'avait été intéressant.

– Quel est ton but ? lui demanda-t-elle.

– L'important, c'est ce que je suis.

– Un tueur ?

– Un chasseur. Qui tue seulement en fin de partie. Mets-toi contre cet arbre, la tête dessus.

Comme il la poussait, elle eut juste le temps de jeter les mains en avant pour ne pas s'écorcher le visage sur l'écorce.

– Tu bouges, je te frappe.

– Ethan, on ne t'a rien fait.

Jenna s'efforçait de réfléchir, de trouver un moyen de lui échapper mais ne parvenait pas à surmonter sa peur.

– On ne t'a rien fait.

– Cette terre est sacrée. Elle est à moi.

Il lui passa une corde autour des reins, serra si violemment qu'elle en perdit le souffle.

– Et toi, tu es pire que le reste. Tu as du sang sioux.

– J'aime cette terre. Je… ma famille l'a toujours honorée et respectée.

– Menteuse !

Il lui colla la joue sur l'écorce, l'égratignant à l'en faire saigner. Pour qu'elle se taise, il lui tira les cheveux.

– Mets ça et attache-le jusqu'au cou.

Il lui jeta un anorak bleu marine dans les mains.

– Et remonte la capuche. On va faire un tour, Jenna. Alors écoute-moi bien. Si on croise quelqu'un, tu la boucles, tu baisses la tête et tu fais ce que je te dis. Un geste de travers, une parole pour demander de l'aide, et c'est l'autre qui prend. Tu as sa vie entre les mains. Compris ?

– Oui. Mais tu n'as qu'à me tuer tout de suite…

– On a d'abord des gens à voir, la coupa-t-il avec un large sourire.

– Si tu crois te servir de moi pour atteindre Lilly, je ne permettrai pas…

Il l'attrapa de nouveau par les cheveux, la secoua au point de lui faire perdre l'équilibre.

– Morte ou vive je me servirai de toi. C'est plus marrant si tu es vivante, mais ça le fera quand même si tu es morte.

Il tapota le couteau accroché à sa ceinture.

– Tu crois qu'elle reconnaîtra ta main si je la coupe pour lui envoyer ? On pourrait essayer. Qu'est-ce que tu en penses ?

– Non ! souffla t-elle, au bord des larmes. Pitié !

– Alors obéis et mets ça.

Il lui tendit un vieux sac à dos.

– On est un couple de randonneurs, ajouta-t-il en secouant la corde. Et l'un de nous tient l'autre en laisse. Avance, maintenant. Bouge, ou tu vas le payer.

Marchant d'un bon pas sur un sol accidenté, il évitait la piste autant que possible. Si Jenna trébuchait, il tirait sur la corde, et, comme cela semblait l'amuser, elle cessa vite d'essayer de le retarder.

Alors qu'ils approchaient des limites du domaine de sa fille, elle sentit redoubler les battements de son cœur.

– Pourquoi veux-tu faire du mal à Lilly ? Regarde ce qu'elle a accompli. Elle préserve cette terre, elle offre un refuge et des soins aux animaux en détresse. Tu es sioux. Tu respectes les animaux.

– Elle les met en cage pour les montrer à la foule. Pour de l'argent.

– Non, elle consacre sa vie à les sauver, à informer la foule.

– En les nourrissant comme des animaux domestiques.

Il la frappa dans le dos pour la faire avancer.

– Elle enferme des êtres faits pour vivre libres. Et c'est ce qu'on veut faire de moi, m'enfermer pour m'empêcher de vivre ma vie.

– Elle est la première à respecter la vie sauvage et la terre.

– C'est pas sa terre ! C'est pas ses animaux. Quand je serai débarrassé d'elle, je les libérerai tous et ils chasseront comme je chasse. Je brûlerai son refuge. Et puis ta ferme et tout le reste. La grande purification !

– Alors pourquoi avoir tué les autres ? James Tyler ?

– La chasse. Quand je chasse pour manger, c'est avec respect. Le reste, c'est du sport. Avec Lilly, c'est les deux. Elle a tout mon respect. On est liés, elle et moi. Par le sang, par la destinée. Elle a découvert mon premier cadavre. Je savais qu'un jour ou l'autre on finirait par s'affronter.

– Ethan, tu n'étais alors qu'un jeune garçon. On pourrait…

– J'étais un homme. Au début, j'ai cru que j'avais provoqué un accident. Je l'aimais bien, cette fille qui passait par là. Je voulais juste lui parler, la toucher. Mais elle m'a repoussé, injurié, frappé. Elle avait pas le droit.

Il tira si brusquement sur la corde que Jenna trébucha contre lui.

– Pas le droit.

– Non, murmura-t-elle, bouleversée. Pas le droit.

– Alors son sang est venu sur mes mains et j'ai eu peur, je le reconnais. Mais j'étais un homme, je savais ce qu'il fallait faire. Je l'ai abandonnée en offrande à la nature et le couguar l'a prise. Mon guide spirituel. C'était beau. J'ai rendu à la terre ce qu'on lui avait volé et c'est là que je suis devenu libre.

– Ethan, il faut que je me repose un peu. Tu dois me laisser m'arrêter.

– C'est moi qui décide quand tu te reposes.

– Je ne suis pas aussi forte que toi. J'ai l'âge d'être ta mère. Je n'en peux plus.

Repérant une lueur d'hésitation dans son regard, elle déglutit avant de reprendre :

– Qu'est-il arrivé à ta mère, Ethan ?

– Elle a eu ce qu'elle méritait.

– Elle te manque ? Est-ce que… ?

– La ferme ! Tu ne parles plus d'elle, maintenant ! Je n'ai jamais eu besoin d'elle. Je suis un homme.

– Ethan, tout homme commence par être un petit garçon et puis…

En la bâillonnant d'une main pour la faire taire, il regarda les arbres autour d'eux.

– On vient. Baisse la tête ! Boucle-la.

29

Le bras d'Ethan se ferma comme un étau sur sa taille, sans doute pour cacher la corde qui dépassait de l'anorak. Jenna pria silencieusement pour qu'il n'arrive rien à ceux qui allaient croiser leur chemin ; en même temps, elle se prenait à souhaiter qu'ils perçoivent une anomalie. Certes, elle n'oserait pas leur adresser le moindre signe, mais ils allaient sûrement sentir sa peur, la folie de l'homme qui la maintenait serrée contre lui. C'était dans ses yeux. Comment ne pas distinguer le meurtre et la folie dans ses yeux ?

Ils pourraient aller chercher des secours. Lui venir en aide. Alors, Ethan ne parviendrait jamais jusqu'à Lilly.

– Bonjour !

Elle entendit l'aimable interpellation et prit le risque de lever un peu les yeux. Ses pulsations s'accélérèrent lorsqu'elle distingua les bottes, le pantalon d'uniforme. Ce n'était pas un simple randonneur mais un ranger.

Donc armé.

– Bonjour, répondit Ethan. Fait beau, aujourd'hui !

– Un temps idéal pour la balade. Mais vous avez quitté l'itinéraire touristique.

– Oui, on explore. On a vu un daim et on avait envie de le suivre un peu.

– Ne vous éloignez pas trop, on a vite fait de se perdre, par ici. Vous avez prévu de marcher toute la journée ?

– Eh oui !

Tu n'entends pas cette voix de fou ? Tu ne le trouves pas trop mielleux à chaque parole ?

– Tenez, si vous n'avez pas peur de grimper, je vous conseille de continuer par ce sentier ; la vue de là-haut en vaut la peine.

– C'est pour ça qu'on est là.

– Et si vous redescendez par les chemins balisés, vous aurez long-temps cette vue.

– On suivra votre conseil. Merci.

– Profitez bien de cette journée. Faites juste attention…

Soudain, le ranger marqua une hésitation.

– Jenna ? Jenna Chance ?

Retenant son souffle, elle fit non de la tête.

– Mais qu'est-ce que vous fabriquez ici… ?

Elle le sentit, cet instant où il saisissait la situation. Instinctive-ment, elle leva la tête et se planta devant Ethan, le bousculant au passage. Mais il braquait déjà l'arbalète qu'il avait gardée cachée derrière son dos.

Elle cria, tenta de plonger et put constater qu'il avait raison. La flèche fila infiniment plus vite qu'elle pour aller se loger dans la poi-trine du ranger, qui tomba à la renverse.

– Non !

– Ta faute !

De l'autre main, Ethan l'envoya rouler à terre.

– Regarde ce que tu as fait, connasse ! Va falloir nettoyer ce gâchis, maintenant. Je t'avais pourtant dit de la boucler.

Là-dessus, il lui expédia son pied dans les reins, si férocement qu'elle se pelotonna dans l'attente d'autres coups.

– Je n'ai rien dit ! Je n'ai rien dit ! Oh, mon Dieu ! Il avait une femme et des enfants.

– Il n'avait qu'à s'occuper de ses affaires.

Jenna eut un haut-le-cœur en le voyant récupérer la flèche à pointe carrée.

– Regarde, au moins. Tires-en une leçon.

Puis il s'empara de l'arme du ranger, récupéra son étui, qu'il attacha autour de sa propre poitrine.

– Prise de guerre !

Ensuite, il fouilla dans les poches, saisit le portefeuille et le glissa dans son sac à dos.

– Lève-toi, tu vas m'aider à le traîner.

– Non.

Il ressortit le pistolet de son étui, en colla le canon contre la tempe de Jenna.

– Tu te lèves ou tu le rejoins. Vous ferez d'excellentes proies pour les loups. Tu vis ou tu meurs, Jenna, à toi de voir.

Elle voulait vivre. Alors, surmontant son effroi, le souffle encore coupé par les coups qu'elle avait reçus, elle se leva. Le malheureux ranger n'était peut-être pas mort, peut-être que quelqu'un le trouverait à temps, l'aiderait. Il s'appelait Derrick Morganston, et sa femme, Cathy. Il avait deux enfants, Brent et Lorna.

Tout en lui soulevant les pieds, ainsi qu'Ethan le lui ordonnait, elle ne cessa d'articuler ces quatre noms. Petit à petit, elle parvint à éloigner le corps de la piste balisée.

Puis elle se laissa attacher à un arbre le temps qu'il saisisse la radio de Derrick Morganston et lui fasse les poches.

Elle ne prononça pas un mot lorsqu'ils reprirent leur marche. Elle n'avait plus rien à lui dire. Elle avait beau chercher, elle ne voyait pas par quel point sensible elle pourrait l'attendrir. Sans doute n'en possédait-il aucun.

Il ne cherchait pas à effacer leurs traces, et elle se demandait pourquoi. Elle se demandait même si elle vivrait jusqu'à la fin du jour, un si beau jour de printemps. Si elle reverrait son mari, sa maison. Si elle pourrait encore étreindre son enfant. Si elle reparlerait à ses amies, si elle étrennerait ses nouvelles chaussures.

Elle était en train de laver un poêlon lorsque sa vie avait changé. Était-ce la dernière fois qu'elle faisait frire du bacon ?

Sa gorge la brûlait, ses jambes lui faisaient mal, le sang séchait sur ses paumes et son visage égratignés. Mais ces bobos ne signifiaient-ils pas qu'elle était vivante ? Toujours vivante ?

Si elle trouvait un moyen de le tuer et de s'échapper, le ferait-elle ? Oui. Oui, elle était prête à le tuer pour sauver sa propre vie. Elle se baignerait dans son sang si cela pouvait l'aider à protéger Lilly.

Si elle parvenait à s'emparer de son couteau, ou du pistolet, ou d'un gros caillou… S'il le fallait, elle utiliserait ses mains nues.

Toute son attention se concentrait désormais sur cet objectif, sur l'angle du soleil, sur ses points de repère. *Tiens, regarde ces belles anémones en fleur, si délicates, si fraîches.* Tout comme elle, délicate, optimiste. Et vivante.

Un pied après l'autre, la tête basse, mine de rien, mais prête à bondir à la première occasion.

– On est arrivés, annonça-t-il.

Étonnée, elle cligna des yeux, aperçut à peine l'entrée de la grotte, si basse, si étroite, fendue comme un œil plissé. Comme la mort.

Elle se retourna d'un seul coup, se jeta sur lui, ressentit douleur et satisfaction quand son coude lui heurta le visage. Sans même se rendre compte qu'elle hurlait, elle le griffa, le mordit comme un fauve. Et lorsqu'elle sentit son sang couler elle explosa d'une joie féroce.

À ce moment, le poing brutal lui enfonça le ventre, et tout s'arrêta subitement, sa respiration, ses cris ; ce fut son propre sang qui jaillit quand la paume s'abattit sur sa mâchoire.

– Salope ! Espèce de pute !

Dans une brume rougeâtre, elle aperçut les traits grimaçants de son adversaire. Elle lui avait fait mal. Au moins ça.

D'un coup de corde, il l'attira sur le sol caillouteux dans l'obscurité.

De nouveau, elle se débattit quand il lui lia les mains et les pieds, l'insulta, lui cracha au visage et la bâillonna. Puis il alluma une petite lanterne et, de sa main libre, la traîna plus profondément dans la grotte.

– Je pourrais te tuer maintenant. Te découper en morceaux et les lui envoyer parmi ses poulets. Qu'est-ce que tu en penses ?

Elle ne voyait qu'une chose : elle l'avait marqué. De profondes griffures sanguinolentes lui barraient les joues et les mains. Soudain, il lui sourit, d'un large et cruel sourire, et elle se rappela sa peur.

– Les collines ne sont qu'un dédale de grottes et de souterrains. J'en ai plusieurs qui me servent régulièrement. Celle-ci est pour toi.

Après avoir déposé la lanterne sur le sol, il sortit son couteau et s'accroupit. Il fit tourner la lame jusqu'à ce qu'elle accroche la faible lumière.

– J'ai besoin de deux ou trois choses.

Josiah, songea-t-elle. *Lilly, ma petite fille…*

Et elle ferma les yeux.

Cela lui avait pris plus longtemps que prévu, mais il était encore dans les temps. Cette course, cette exécution inattendue, cette bagarre avec la matrone n'avaient fait qu'ajouter à son impatience. Maintenant, il se régalait de pouvoir encore se faufiler dans le refuge comme n'importe quel touriste qui avait payé. Finalement, c'était encore là qu'il courait le plus de risques et, donc, que c'était le plus amusant.

Cependant, il ne doutait pas que Lilly allait lui procurer davantage encore de plaisir.

Derrière sa barbe qu'il avait laissée pousser durant l'hiver, il sourit à la jolie stagiaire. Cette pilosité cachait la plupart des griffures laissées par la matrone, et il portait de vieux gants de cavalier pour cacher celles de sa main.

– Qu'est-ce qui se passe avec la lionne ?

– Rien. Elle se fait nettoyer les dents. Les félins ont besoin de soins dentaires pour ne pas perdre leurs crocs.

– Parce qu'ils sont en cage ?

– Non, au contraire, on les garde plus longtemps dans la réserve que dans la nature car leur bouche est un foyer de bactéries. Nous leur donnons des os une fois par semaine, c'est également important pour l'hygiène. Là, notre vétérinaire et son assistant s'assurent que Sheba conserve une bonne haleine.

Cela le mit hors de lui. Nettoyer les dents d'un animal sauvage, comme le faire pour un gosse qui aurait mangé trop de sucreries ! Il avait envie de jeter cette fille à terre, de lui planter son couteau dans le ventre.

– Ça va ? s'enquit-elle.

– Très bien. Mais je croyais que c'était une réserve naturelle. Où est la nature, là-dedans ?

– Nous sommes responsables du bien-être de ces animaux. Presque tous ceux que vous voyez dans ce refuge ont été recueillis à la suite de mauvais traitements, de maladies ou de blessures.

– Ils sont en cage comme des criminels.

– Ce ne sont quand même pas des cages, plutôt des enclos. Nous faisons de notre mieux pour que chaque enclos présente une certaine surface et leur offre un habitat proche de celui qu'ils auraient dans la nature. La plupart d'entre eux n'auraient sans doute pas survécu si on les avait remis en liberté.

Lisant une certaine méfiance dans son regard, il se dit qu'il était allé trop loin. Ce n'était pas pour ça qu'il était là.

– Sans doute. Vous savez mieux que moi.

– Je me ferai un plaisir de répondre à toutes vos questions sur le refuge ou sur n'importe lequel de nos animaux. Vous pouvez également vous procurer des brochures et des vidéos sur l'œuvre du Pr Chance.

– Pourquoi pas ?

Il préféra s'éloigner, de peur d'ajouter quoi que ce soit de compromettant pour la suite de son programme. D'autant que le sang appelait le sang et qu'il n'avait pas encore étanché sa soif pour cette journée. Afin de tenter de s'apaiser, il se dirigea vers les couguars pour regarder dans les yeux son guide spirituel et y lire l'approbation dont il avait tant besoin. Mais le félin gronda, montra les crocs.

– Tu es enfermé depuis trop longtemps, mon frère. Un de ces jours, je reviendrai pour toi, c'est promis.

À ces mots, le couguar poussa un feulement d'avertissement et se jeta contre le grillage. Ethan préféra s'éloigner en vitesse pour ne pas attirer l'attention des employés.

Elle l'avait corrompu, pensa-t-il, rageur, transformé en animal de compagnie. Une espèce de chien de garde. Le félin lui appartenait, à lui, et pourtant il le traitait comme un ennemi.

Encore une faute qu'elle allait devoir payer, et vite.

Eric traversa en hâte le refuge pour aller voir ce qui arrivait à Bébé. Le couguar, habituellement si joueur, allait et venait avec fureur. Il sauta dans son arbre, sur le toit de son gîte, redescendit pour venir accueillir le stagiaire.

– Eh, Bébé, on se calme ! Qu'est-ce qui t'a mis dans un état pareil ? Non, je ne peux pas te laisser sortir, il faut te faire nettoyer les dents avant.

– C'est ce type, intervint Lena, qui arrivait en courant. Je suis sûre que c'est ce type.

– Quel type ?

– Celui qui remonte vers l'accueil. Tu le vois, avec sa casquette de base-ball, ses cheveux longs et sa barbe ? Il a le visage tout griffé, de loin, on ne s'en rend pas compte, mais je te jure que ce n'est pas joli, joli. Et puis il a un regard fou, injecté de sang, ça fait peur.

– Je vais voir ce qu'il veut.

– On devrait peut-être en parler à Lilly.

– Qu'est-ce que tu veux lui raconter ? Qu'il y a un type au regard fou qui fait le tour de la réserve ? Je vais plutôt le surveiller de loin.

– Sois prudent.

Ethan ne se dirigea pas vers l'accueil mais passa derrière le chalet de Lilly pour déposer sur le perron le souvenir qu'il lui destinait.

Le temps qu'Eric arrive sur les lieux, il avait disparu dans le bosquet voisin. De là, il s'éloigna en vitesse. La deuxième phase de la partie avait commencé.

Une fois qu'il eut rejoint son poste d'observation, il s'installa et sortit ses jumelles. Il avala quelques fruits secs, une bouteille d'eau, et se mit à jouer avec le téléphone de Jenna.

Il n'en avait jamais possédé mais avait souvent eu l'occasion de s'entraîner avec ceux qu'il avait volés. Il eut tôt fait de trouver la liste des contacts et sourit quand il tomba sur le numéro de Lilly.

Avant longtemps, celle-ci allait recevoir un appel qu'elle n'était pas près d'oublier.

Dans son bureau, Lilly répondait au dernier courriel de sa liste. Elle comptait aller vérifier à l'intendance que la viande avait été correctement entreposée, après quoi, elle irait rejoindre Matt. En regardant la pendule, elle fut surprise de constater qu'il était presque 15 heures.

Elle avait demandé à Matt de garder Bébé et les couguars pour la fin, de façon qu'elle puisse assister à l'opération.

Alors qu'elle se levait, Lena apparut sur le seuil.

– Excusez-moi de vous déranger. C'est juste que… Bébé nous fait sa comédie.

– Il a dû sentir qu'il allait avoir droit à son nettoyage de dents. Il a horreur de ça.

– Peut-être. Pourtant… il y avait justement là un type que je trouvais bizarre. Eric est allé vérifier à l'accueil, mais j'ai préféré vous dire que j'avais un mauvais pressentiment.

– Comment ça, bizarre ?

– Bizarre qui fait peur, à mon goût. Il disait des trucs sur les animaux qu'on enferme comme des prisonniers.

– Il arrive qu'on nous adresse ce genre de critique. À quoi ressemble-t-il ?

– Cheveux longs, barbe, casquette de base-ball, veste en jean. Il avait des égratignures sur les joues. Il n'arrêtait pas de sourire, mais il me donnait la chair de poule.

– Bon, je vais aller voir à l'accueil, on ne sait jamais. Vous voulez bien avertir Matt que je passerai dès que je pourrai ?

– D'accord. Ce n'était sûrement rien, mais il m'a fichu la trouille.

Elles se séparèrent dans la cour, et Lilly prenait la direction de l'accueil lorsque son téléphone sonna. Elle le sortit de sa poche, y lut le numéro de sa mère et appuya sur la touche verte en souriant.

– Salut, maman, je peux te rappeler ? Il faut que je…

– Elle peut pas répondre pour le moment.

Un frisson glacial lui parcourut le dos. Ses doigts tremblants se resserrèrent sur l'appareil.

– Salut, Ethan.

– C'est drôle, elle m'a dit la même chose. Telle mère, telle fille.

Une peur panique s'empara d'elle. Pourtant, elle parvint à conserver un ton calme.

– Je veux lui parler.

– Arrête-toi là où tu es. Si tu fais un pas de plus vers l'accueil, je lui coupe un doigt.

Elle s'arrêta net.

– C'est bien. N'oublie pas que je te vois. Tu portes une chemise rouge et tu sors du bureau. Si tu fais pas ce que je veux, elle perd un doigt. Compris ?

– Oui.

– Maintenant, tu vas te rendre à ton chalet, en passant par l'arrière. Si on t'appelle, réponds que tu es pressée.

– C'est bon. Mais qui me dit que tu n'as pas fait que voler le téléphone de ma mère ? Il va falloir me donner davantage de preuves que ça. Je veux lui parler.

– J'ai dit qu'elle pouvait pas parler maintenant. Vas-y, continue, je t'ai déposé quelque chose devant ton entrée. Là, c'est ça. Cours.

Elle fila en direction de la cuisine, gravit les trois marches d'un bond et s'arrêta. Un court instant, elle ne sentit plus rien, ni son cœur, ni son souffle. Et puis elle s'obligea à ramasser le petit sac de plastique.

À l'intérieur se trouvaient une mèche des cheveux de sa mère et son alliance maculée de sang.

– Tu reconnais certainement. Comme ça, tu sais que je te raconte pas de craques.

Les jambes flageolantes, elle s'accrocha à la balustrade.

– Laisse-moi lui parler !

– Non.

– Comment puis-je savoir si elle est encore vivante ?

– Tu ne le sais pas, mais je peux te garantir qu'elle ne le sera plus dans deux heures si tu ne la trouves pas d'ici là. Tu fonces plein ouest. Je t'ai dessiné un parcours. Si tu le suis, tu la trouveras. Si tu le dis à quelqu'un, si tu demandes de l'aide, elle mourra. Jette le téléphone dans la cour. Allez !

Il la voyait ; cependant, elle était à demi camouflée par l'avant-toit et les piliers. Forcément. Il aurait dû se trouver dans la cour, en face d'elle, pour la voir en entier. Sinon, il ne pouvait qu'avoir grimpé dans les hauteurs et donc être gêné, d'une façon ou d'une autre, par la structure du chalet. Elle s'accroupit contre la porte.

— Je t'en prie, ne lui fais pas de mal. Par pitié ! Je ferai tout ce que tu voudras, mais...

Là-dessus, elle coupa la communication.

— Mon Dieu ! murmura-t-elle à haute voix en appuyant sur le raccourci de Coop. Réponds, mais réponds donc !

Elle tomba sur le répondeur et éclata en sanglots.

— Il tient ma mère. Je pars vers l'ouest depuis l'arrière de mon chalet. Il me voit, je n'ai que quelques secondes. Il m'a donné deux heures pour la retrouver. Je te laisserai une piste. Suis-moi. Je t'en supplie !

Elle raccrocha, se redressa, tourna le visage vers l'ouest en espérant qu'Ethan apercevait ses larmes, lisait son désarroi. Puis elle jeta le téléphone et partit au pas de course.

Elle repéra aussitôt la piste dont il avait parlé : buissons piétinés, rameaux cassés, empreintes sur le sol meuble. Il ne voulait pas qu'elle s'égare. Il pouvait aussi bien l'orienter à des kilomètres de l'endroit où il retenait sa mère, mais elle n'avait pas le choix.

Son alliance maculée de sang. Cette mèche coupée dans ses beaux cheveux.

De temps à autre, Lilly s'obligeait à ralentir, à reprendre son souffle. À vouloir aller trop vite, elle risquait de manquer un indice. En outre, il se pouvait qu'Ethan continue de la surveiller, aussi devait-elle prendre garde à ne pas laisser de signes trop flagrants à Coop.

Elle avait deux heures. Ethan avait-il enlevé sa mère à la ferme ? Cela semblait l'explication la plus logique. Il avait dû la guetter, attendre qu'elle soit prête avant de s'emparer d'elle. À pied ou à cheval ?

À pied, vraisemblablement. Un otage était plus facile à contrôler à pied. À moins qu'il ne l'ait obligée à entrer dans la voiture et... Non, non, ne pas s'engager dans ce genre de réflexion... rester dans le concret.

À deux heures du chalet… Il entendait l'y faire parvenir à pied, l'endroit ne se trouvait donc pas trop loin. Elle se représenta une carte de la région : un coin isolé mais accessible, tant depuis la ferme que depuis le chalet. Si sa mère était vivante… elle était vivante, forcément. Il avait dû la cacher. Dans une grotte, à coup sûr. S'il…

Lilly s'arrêta, regarda les fleurs sauvages écrasées. Il était passé là deux fois. Elle prit une longue inspiration pour tenter de se calmer et fit comme lui pour vérifier quelle était la fausse piste.

La jeune femme effaça les empreintes qu'elle jugeait inutiles, marqua d'un coup de canif l'écorce d'un arbre afin que Cooper ne commette pas d'erreur, puis elle reprit son chemin. Elle se doutait de l'endroit où il voulait la mener et calculait qu'elle disposait juste du temps qu'il lui allouait.

Jenna rampait et roulait sur elle-même. Elle avait perdu tout sens de l'orientation et ne pouvait plus qu'espérer bien suivre la direction de la sortie. Il lui avait bandé les yeux avant de quitter la grotte. De temps à autre, elle s'immobilisait pour tenter de percevoir le moindre courant d'air, mais, jusque-là, elle ne sentait rien que des odeurs de poussière et de sang… de son propre sang.

En l'entendant arriver, elle hurla dans son bâillon et se débattit pour tenter de se libérer de ses liens.

– De quoi tu as l'air, Jenna ! Tu es lamentable. On a du monde qui va venir.

Quand il lui ôta son bandeau, la lueur de la lanterne l'éblouit.

– Elle devrait être bientôt là, ne t'inquiète pas. Je vais nettoyer un peu.

Il s'accroupit près d'elle et, à l'aide d'un rasoir de voyage, devant un fragment de miroir, entreprit de se raser.

À la réserve, Lena adressa un signe à Eric.

– Tu as du nouveau sur ce type ?

– Je ne l'ai pas vu. Il a dû filer directement ou changer d'avis.

– Ah ! Et Lilly, qu'est-ce qu'elle a dit ?

– Je ne l'ai pas vue non plus.

– Mais… elle devait te rejoindre du côté de l'accueil. Je ne vois pas comment tu aurais pu la manquer.

– Elle a dû rencontrer quelqu'un. Tu sais bien, elle voulait aider Matt avec les couguars. Bon, j'ai des trucs à faire, là…

Lena l'attrapa par la manche de son tee-shirt.

– Je rentre de chez Matt. Lilly n'y était pas, et il l'attend.

– Elle est dans les parages. Bon, si tu y tiens, on va faire un tour pour la chercher. Je vérifie à l'accueil, et toi tu vas chez elle.

– Lilly sait que Matt l'attend, insista Lena.

Elle se précipita vers le chalet, frappa puis ouvrit en appelant :

– Lilly ? Lilly ?

Déconcertée, elle visita le rez-de-chaussée et la cuisine. Décida d'aller voir au bureau.

En descendant les marches, elle entendit la sonnerie du portable de Lilly. Soulagée, elle se retourna, s'attendant à la voir arriver. Mais personne ne se manifesta. Du regard, elle fouilla les recoins d'où venait la mélodie. Apercevant l'appareil par terre, elle se précipita, le ramassa, l'ouvrit.

– Ça va, Lilly ? Je viens de raccompagner ma mère et…

– Tansy, Tansy, c'est Lena. Il se passe quelque chose de bizarre, là. Je vais appeler la police.

Sur la route qui séparait le ranch des écuries, Cooper serrait le dernier écrou de la roue de secours d'un monospace. À l'intérieur, les deux gamins le regardaient avec des yeux ronds tout en léchant leurs sorbets.

– Merci beaucoup. J'aurais pu le faire moi-même, mais…

– Vous avez déjà assez à faire comme ça. Ce n'est rien.

Le sourire de la jeune mère s'élargit encore.

– Vous m'avez épargné bien des tracas, d'autant que ça m'aurait pris le double de temps qu'à vous. Et puis j'aurais dû gérer les disputes des petits pendant ce temps-là. On vient de passer la journée à faire des courses et ils ont manqué leur sieste.

Ses yeux brillèrent quand elle ajouta :

– Moi aussi, d'ailleurs !

Après avoir décoché un clin d'œil aux enfants, Cooper roula le pneu crevé à l'arrière du véhicule et refusa le billet de 10 dollars qu'elle lui tendit.

– Non, merci !

– Une banane, peut-être ? proposa-t-elle en ouvrant un grand sac.

– Ah, d'accord ! s'esclaffa-t-il.

Il prit le fruit, le brandit devant les enfants, qui éclatèrent de rire, ferma le coffre.

– Vous pouvez repartir.

– Merci encore !

Il regagna son pick-up, attendit qu'elle ait démarré puis fit demi-tour pour reprendre son chemin. Cinq cents mètres plus loin, son téléphone signala qu'il avait un message vocal.

– J'ai tes paquets, nanny, grommela-t-il à haute voix, ainsi que ta bouteille de détergent.

Néanmoins, il appuya sur le bouton pour écouter ce qu'elle avait à lui dire.

Il tient ma mère.

Cooper écrasa le frein et se gara sur le bas-côté.

Passé ce premier coup de chaleur, il sentit son sang se glacer et appela le shérif.

– Il n'est pas là pour le moment, répondit une voix d'homme, je peux vous mettre en relation avec quelqu'un d'autre ?

– Ici Cooper Sullivan. Passez-le-moi de toute urgence !

– Salut, Coop, c'est Cy. Désolé, mais je n'ai pas le droit…

– Écoutez, Ethan Howe a enlevé Jenna Chance.

– Quoi ? Quoi ?

– Il pourrait bien avoir également Lilly. Dites à Willy de rappliquer à la réserve immédiatement.

– C'est bon, Coop, je m'en occupe.

– Qu'il vienne avec autant d'hommes que possible mais qu'il ne lance surtout aucun hélico, ce serait le meilleur moyen de provoquer la mort des otages. Dites-lui que Lilly a laissé une piste et que je me lance à sa poursuite.

Il raccrocha et mit les gaz en direction du refuge.

Lilly le découvrit, assis en tailleur à l'entrée de la grotte, l'arbalète sur ses genoux. Il avait le visage glabre mais marqué de vilaines égratignures, encore visibles malgré les peintures de guerre avec lesquelles il avait cru les cacher. Elle songea tout de suite au barbu qui avait intrigué Lena.

Il portait sur le front une bande de cuir dans laquelle il avait fiché une plume de faucon, autour du cou un collier de dents d'ours et aux pieds des bottes de daim qui lui montaient jusqu'aux genoux.

En d'autres circonstances, elle l'aurait trouvé ridicule dans cet accoutrement qui se voulait indien. Il leva la main pour l'accueillir puis rentra dans la grotte. Lilly acheva de grimper les quelques mètres qui la séparaient de la plate-forme puis s'arrêta pour reprendre son souffle.

Passé quelques mètres, la grotte s'élargissait, mais l'endroit restait encore assez bas pour obliger un humain à se courber en deux. Cependant, la caverne paraissait très profonde, à en juger par la lointaine lueur d'une lanterne.

D'après cette même lueur, Lilly put bientôt constater qu'il s'était rassis et pointait un couteau sur la gorge de sa mère.

— Je suis là, Ethan, tu n'as pas besoin de lui faire de mal. Si tu la touches, tu n'obtiendras rien de moi.

— Assieds-toi, Lilly, que je t'explique la suite.

Ce qu'elle fit, tout en s'interdisant de trembler. Entailles et bleus marquaient le visage et les mains de sa mère, et ses liens autour des poignets et des chevilles étaient tachés de sang.

— C'est elle-même qui s'est fait presque tout ça, pas vrai, Jenna ?

Les yeux de celle-ci semblaient ne dire qu'une chose : *Fuis, va-t'en, je t'aime.*

— Ethan, je t'ai demandé d'éloigner ce couteau de son cou. Cela ne sert à rien. Je suis ici, seule. C'est bien ce que tu voulais ?

— C'est un début, acquiesça-t-il en écartant un peu la lame. Maintenant, on va passer aux choses sérieuses. Toi et moi.

— Toi et moi, c'est ça. Alors tu la laisses partir.

— Arrête tes conneries ! On n'a pas de temps à perdre. Je vais te donner dix minutes. C'est une bonne avance pour quelqu'un qui connaît les collines. Ensuite, je te prendrai en chasse.

— Dix minutes. J'aurai une arme ?

— C'est toi la proie.

— Un couguar ou un loup ont des crocs, des griffes.

Il sourit.

— Tu as des dents, à toi de t'approcher assez pour les utiliser.

Elle désigna l'arbalète.

— Tu triches, là, c'est trop facile.

— C'est moi qui dicte les règles du jeu.

Elle tenta une autre approche.

— Ah bon ? C'est comme ça qu'un guerrier sioux montre sa valeur, son courage ? En chassant des femmes ?

– Tu es plus qu'une femme.

Il tira Jenna par les cheveux ; serrant les poings, Lilly se tenait prête à bondir.

– Quant à celle-là, ajouta-t-il, c'est juste une demi-squaw, mais elle m'appartient, maintenant. Je l'ai capturée, comme nos ancêtres s'emparaient des épouses des hommes blancs pour en faire leurs esclaves. Je la garderai peut-être un certain temps. Ou…

Au fond, conclut Lilly, il ne savait pour ainsi dire rien de ceux dont il prétendait descendre.

– Les Sioux chassaient le bison, le cerf et l'ours pour se nourrir et se vêtir. Quel honneur y a-t-il à tuer une femme ligotée et sans défense ?

– Tu veux qu'elle vive ? On fait la chasse.

– Et si je gagne ?

– Impossible. Tu as discrédité ton sang, ton esprit. Tu mérites la mort. Pourtant, je te fais l'honneur de t'offrir une chasse. Tu mourras sur un sol sacré. Si tu joues bien, je laisserai peut-être la vie à ta mère.

– Non. Je ne jouerai à rien du tout tant que tu ne l'auras pas libérée. Tu as déjà tué, tu dis que tu vas tuer encore, alors je ne te crois pas ! Je sais que tu la tueras même si je joue le jeu. Donc, tu dois d'abord la libérer.

De nouveau, il pointa le couteau sur la gorge de Jenna.

– Je la tue tout de suite.

– Dans ce cas, il faudra me tuer en même temps. Parce que je ne jouerai pas tant que tu ne l'auras pas libérée. Et tu auras fait tout ça pour rien.

Malgré son désir de se tourner vers sa mère, de la lui arracher, elle gardait les yeux fixés sur Ethan.

– Et alors tu ne seras plus qu'un boucher. Pas un guerrier. Tu auras dénaturé l'esprit de Crazy Horse.

– Les femmes ne valent rien. Même pas des chiens.

– Un vrai guerrier honore sa mère pour la vie qu'elle lui a transmise. Laisse la mienne partir. Tu ne t'en tireras pas ainsi, Ethan. Ta quête ne s'achèvera pas tant qu'on ne se sera pas mesurés. N'est-ce pas ? Tu n'as pas besoin d'elle. Tandis que moi, je ne m'y prêterai que pour elle. Jamais tu n'auras connu plus belle chasse. Je te le jure.

Enfin, elle vit ses prunelles briller.

– Elle ne vaut rien quand même.

– Alors, tu vois bien que tu dois la relâcher ! C'est entre toi et moi que ça se passe, maintenant. Comme tu l'as toujours voulu. Je te fais une offre digne d'un guerrier, digne du sang d'un grand chef.

Il coupa la corde qui enserrait les poignets de Jenna. Dans un gémissement, celle-ci porta ses mains douloureuses vers son bâillon.

– Lilly ! Non, Lilly ! Je ne te laisserai pas seule ici.

– Pourriture ! cracha-t-il en coupant les liens de ses chevilles. Tu ne pourras même plus marcher, salope.

– Maman, montre que tu peux marcher.

– Je ne veux pas te laisser ici, ma petite…

– Ça ira, je t'assure.

Lilly se pencha doucement sur elle, tout en ordonnant à Ethan :

– Lâche-la. Recule. Elle a peur de toi. Recule, que je puisse la rassurer et lui dire adieu. Nous ne sommes que des femmes. Désarmées. Tu n'as pas peur de nous.

– Trente secondes.

Il recula de trois pas.

– Lilly, non ! Je reste avec toi !

– Les secours arrivent, lui souffla-t-elle à l'oreille.

Puis, plus fort :

– Il faut que tu y ailles, maintenant. Je veux être certaine que tu es en sécurité, sinon, je perdrai une partie de mes moyens. Je sais ce que j'ai à faire. Alors pars vite, ou il nous tuera toutes les deux.

Se tournant vers Ethan, elle aboya :

– Donne-lui de l'eau ! Quel honneur y a-t-il à battre une femme, à lui refuser à boire ?

– Elle a qu'à boire sa salive.

– De l'eau pour ma mère, et tu pourras retenir cinq minutes sur mon avance.

Il fit rouler une bouteille dans leur direction.

– Pas besoin de tes cinq minutes pour te battre.

Lilly la décapsula.

– Ne bois pas trop vite, maman. Tu crois que tu sauras retrouver la maison ?

– Je… Lilly.

– Tu pourras ?

– Oui. Oui, je crois.

– Ça ne servira à rien. Le temps qu'elle y arrive, si elle y arrive, et qu'ils partent à ta recherche, tu seras morte. Et moi, je me serai envolé en fumée.

– Prends cette eau et va-t'en vite.

– Lilly…

– Sinon, il nous tuera toutes les deux. Il faut que tu t'en ailles pour me laisser une chance de m'en tirer. Crois-moi. Il faut m'accorder cette chance.

Elle se retourna vers Ethan pour l'avertir, d'un ton posé :

– À présent, je vais la faire sortir de cette grotte. Tu n'as qu'à me tenir en joue avec ton arbalète si tu veux. Je ne fuirai pas.

Maudissant intérieurement celui qui l'avait mise dans un tel état, elle aida sa mère à se lever, et, ensemble, elles gagnèrent la sortie, pliées en deux pour ne pas heurter le plafond de plus en plus bas.

– Les secours arrivent, lui murmura-t-elle à nouveau. Je peux le tenir en échec un certain temps. Rentre à la ferme le plus vite possible. Promets-le-moi.

– Lilly ! Oh, mon Dieu, Lilly !

À la lumière ocre du soleil qui s'inclinait vers les collines, elles s'étreignirent.

– Je vais l'entraîner vers la prairie du côté de la rivière, souffla encore Lilly dans les cheveux de sa mère. Là où j'ai vu le couguar. N'oublie pas. Dirige les secours là-bas.

– Fermez vos gueules ! Elle part tout de suite, ou elle crève et toi ensuite.

– Va vite, maman !

Les bras tuméfiés de Jenna s'éloignèrent des siens.

– Va vite ou il me tuera.

– Ma chérie, je t'aime. Lilly !

– Moi aussi, maman.

Elle la regarda descendre d'un pas hésitant, lut une dernière fois sa peur et son émotion sur son visage en larmes. Ne serait-ce que pour cette dernière image, se promit Lilly, il allait payer le prix fort.

– À toi de courir, ordonna Ethan.

– Non. La chasse ne commencera pas tant que je ne la saurai pas en sécurité. Tant qu'elle risquera de prendre une flèche dans le dos. Tu n'es pas si pressé, que je sache ? Ça fait si longtemps que tu attends, alors, un peu plus, un peu moins…

30

La réserve était sens dessus dessous. Une dizaine de personnes jaillirent de toutes les directions lorsque Cooper sauta de son pick-up, et tous se mirent à parler en même temps.

– Arrêtez ! s'écria-t-il. Silence !

Puis il tendit l'index vers Matt.

– Vous, racontez-moi. Vite.

– Lilly a disparu. Lena a ramassé son téléphone dans la cour derrière son chalet. Et quand je m'y suis rendu, j'ai trouvé ceci.

Le vétérinaire lui tendit un sachet de plastique contenant une mèche de cheveux et une alliance.

– Or Lena venait de repérer un visiteur qui lui avait fait mauvaise impression. D'ailleurs, Bébé ne l'a pas aimé non plus. Ce type reste introuvable. On a tous peur qu'il n'ait entraîné Lilly avec lui. Mary est dans son bureau, en train d'appeler la police.

– C'est déjà fait.

– Je crois que c'est l'alliance de Jenna, dit Tansy, les joues baignées de larmes.

– Oui, confirma Coop, elle appartient à Jenna. Il l'a enlevée, et Lilly est partie à sa recherche. Taisez-vous, tous ! Écoutez-moi. J'emmène tous ceux qui savent tenir une arme. Lilly a une bonne heure d'avance, mais elle nous a laissé une piste. Nous n'avons plus qu'à la suivre.

– Moi ! s'écria Lena. Moi, je sais tenir une arme. J'ai été championne de ball-trap trois années d'affilée.

– Dans le chalet de Lilly, il y a un fusil dans le placard et des munitions sur la dernière étagère.

Matt s'avança.

– Je n'ai jamais tenu de fusil de ma vie, mais…

– Restez ici, trancha Coop. Attendez la police, ensuite, vous fermerez le refuge. Tansy, allez à la ferme des Chance. Si Josiah n'est pas au courant, il faut l'avertir. Vraisemblablement, c'est chez eux qu'Ethan a enlevé Jenna. Qu'il organise une battue avec Farley et les autres, en partant directement de la ferme. On va avoir besoin de radios.

Mary sortit du bureau au moment où deux stagiaires se précipitaient pour y chercher les radiotéléphones.

— La police sera là dans un quart d'heure.

— Vous les enverrez à notre suite. On ne les attend pas. Vous, là-haut, la chambre, premier tiroir de la commode. Trois chargeurs de pistolet. Apportez-les. Attendez. Il me faut aussi quelque chose appartenant à Lilly. Un vêtement qu'elle a porté.

— Son pull, au bureau, dit Mary. Je vais le chercher.

— Ce félin qui l'aime tant. Il retrouvera sa trace ?

— Oui, bien sûr ! s'exclama Tansy, une main sur la bouche. Il l'a suivie les trois fois où elle a voulu le remettre en liberté.

— On va le lâcher.

— Il n'est pas sorti de son enclos depuis l'âge de six mois, objecta Matt, sceptique. Même s'il quitte le refuge, rien ne peut prédire ce qu'il fera ensuite.

— Il l'aime tellement…

Cooper prit le pull que Mary venait de lui apporter.

— On va devoir le séparer des autres, dit Tansy en se précipitant vers l'habitat des couguars.

— Vous savez quoi faire. Dépêchez-vous.

Il tendit le pull contre la grille. Bébé vint le renifler puis se mit à gronder avant de donner un coup de tête en ronronnant.

— Oui, mon grand, c'est ça. Tu la connais. Tu vas la trouver.

Tandis qu'Eric soulevait la porte, les stagiaires dispersaient de la viande de poulet pour attirer les félins vers le fond de l'enclos. Bébé leva la tête, regarda autour de lui pendant que ses compagnons se précipitaient sur la nourriture. Il se retourna, appuya la tête sur le pull.

— C'est dingue, dit Matt, la carabine tranquillisante à portée de la main. Ne vous approchez pas, Tansy !

Elle ouvrit la grille, se réfugia derrière.

— Cherche Lilly, Bébé. Va chercher Lilly.

Il sortit lentement, attiré par l'odeur de son être humain préféré. Comme il venait dans sa direction, Cooper leva une main vers Matt.

— Il me connaît. Il sait que je suis avec Lilly.

De nouveau, le couguar se frotta contre le pull. Puis se mit à renifler autour de lui.

— L'ennui, fit remarquer Cooper, c'est qu'elle est partout.

Bébé s'installa devant la porte du chalet et se mit à l'appeler longuement avant de se relever puis de tourner en rond.

Mary tendit une trousse à Cooper.

– Je vous ai préparé de quoi tenir un certain temps. Et mettez ce pull dans ce sac en plastique, sinon, Bébé ne saura plus où aller. Ramenez-la-nous, Cooper.

– Promis.

Il regardait le félin errer dans la cour, jusqu'au moment où celui-ci se précipita en direction des arbres.

– C'est parti.

Assise sur un rocher au soleil couchant auprès de l'homme qui voulait la tuer, Lilly calculait son temps tout en se construisant mentalement des itinéraires. À chaque minute qui s'écoulait, ses nerfs s'apaisaient. Chaque minute éloignait davantage sa mère et rapprochait Coop. Plus elle resterait là, auprès d'Ethan, plus elle aurait de chances de s'en sortir.

– C'est ton père qui t'a appris à tuer ? demanda-t-elle sur le ton de la conversation.

– À chasser, oui.

– Appelle ça comme tu veux, Ethan. Tu as étripé Melinda Barrett et tu l'as abandonnée aux bêtes sauvages.

– Et c'est un couguar qui est venu. Un signe.

– Les couguars ne chassent pas pour le plaisir.

Il haussa les épaules.

– Je suis un homme.

– Où as-tu laissé Carolyn ?

Il sourit.

– Quel festin pour les grizzlis ! Elle m'a d'abord offert une belle partie de chasse, mais j'ai l'impression que tu feras encore mieux. Tu pourrais me durer presque toute la nuit.

– Ensuite, où iras-tu ?

– Je suivrai le vent. Et puis je reviendrai. Je tuerai tes parents et je brûlerai leur ferme. Je ferai la même chose avec ton zoo. Je vivrai libre dans ces collines et je chasserai, comme mon peuple aurait dû.

– Je me demande ce qu'il y a de vrai dans ton point de vue sur les Sioux et ce qui provient de l'abâtardissement de la vérité selon ton père.

Le visage d'Ethan s'empourpra.

– Mon père était pas un bâtard !

– Je ne disais pas ça. Tu crois que les Lakota approuveraient tes actes ? La façon dont tu chasses et massacres des innocents ?

– Ces gens sont pas innocents.

– Ah non ? Et James Tyler, qu'avait-il fait pour mériter la mort ?

– Il est venu ici. Son peuple a tué mon peuple, il lui a tout volé.

– Il était agent immobilier à St Paul. Ici, ça se passe entre nous deux, alors pas besoin de me raconter des histoires. Tu aimes tuer. Tu aimes terroriser, traquer tes proies. Tu aimes la sensation du sang tiède sur tes mains. C'est pour ça que tu utilises un couteau. Parce que, si tu as égorgé Tyler à cause de traités rompus, de mensonges, d'indignités commises par des gens morts depuis plus de cent ans, c'est que tu es fou. Or tu n'es pas fou, Ethan…

Une lueur sournoise traversa les prunelles noires de celui-ci. Un large sourire dévoila ses dents.

– Ils sont venus. Ils ont tué. Ils ont massacré. À présent, leur sang nourrit la terre comme le nôtre autrefois. Debout !

Une onde de peur la traversa, une secousse glacée. Dix minutes, se rappela-t-elle, s'il s'en tenait à ses propres règles. Elle pouvait couvrir un large terrain en dix minutes. Elle se leva.

– Vas-y. Cours !

Elle sentit ses jambes flageoler.

– Pour que tu voies quelle direction je prends ? C'est ainsi que tu suis une piste ? Je te croyais meilleur que ça.

– Dix minutes, marmonna-t-il en s'éloignant vers le fond de la grotte.

Elle ne perdit pas de temps. Vitesse et distance avant tout. La ruse attendrait. La ferme était plus proche, mais il lui fallait d'abord l'entraîner loin de sa mère. Cooper viendrait de l'est. Lilly dévala la pente tout en se rappelant qu'il ne fallait pas non plus sacrifier sa sécurité à la vitesse, au risque de se briser une cheville. La peur l'aurait plutôt incitée à prendre le chemin le plus court vers le refuge, mais elle pensait à l'arbalète. Il la retrouverait trop facilement si elle cédait à cette impulsion, et une flèche suffirait à la mettre hors de combat.

Quant aux traces qu'elle pourrait vouloir laisser pour Coop, Ethan les repérerait immédiatement.

Elle fila vers le nord, s'enfonça dans l'obscurité.

À la ferme Chance, Josiah s'emplissait les poches de munitions.

– La nuit va tomber. Il nous faudra des torches jusqu'au lever de la lune.

– J'aimerais venir avec toi, Josiah ! dit Sam en lui posant une main sur l'épaule. Mais je ne ferais que te retarder.

– On va rester près de la radio, dit Lucy en lui tendant plusieurs lampes. On attendra de vos nouvelles. Ramenez-les-nous à la maison.

Josiah ouvrit la porte et sortit, suivi de Farley.

– Sois prudent, lui répéta Tansy en l'embrassant une dernière fois. Je t'attends.

– T'inquiète pas.

Ils rejoignirent les hommes qui les attendaient dehors et les chiens qui aboyaient.

– S'il la touche, dit Josiah, s'il touche à l'une ou à l'autre, je le tue.

– On le tuera.

À des kilomètres de là, Cooper examinait la piste que lui avait préparée Lilly. Il n'avait pas revu le couguar depuis que celui-ci avait filé dans la forêt, et la nuit tombait vite.

Il regrettait à présent de ne pas être venu seul. Cela aurait économisé les quelques minutes qu'il lui avait fallu pour expliquer à ses compagnons de quoi il retournait et pour libérer le couguar.

Les autres devaient se trouver maintenant à dix minutes et plus de lui. Certains allaient plutôt vers le nord, d'autres vers le sud. Grâce aux informations glanées par la radio, il savait que Josiah conduisait un autre groupe venu de l'est.

Pourtant, le terrain à explorer demeurait gigantesque.

– Vous deux, attendez les autres ici.

– Vous avez peur qu'on se fasse prendre ou blesser ? dit Lena. Ne vous inquiétez pas.

– Le premier qui se fait distancer retourne vers les autres et donne sa position par radio.

Lilly avait laissé des traces évidentes, qu'il s'efforçait de suivre sans courir, de peur d'en manquer une.

Elle suivait le cours d'une rivière. Le soleil couché, l'air redevenait aussitôt hivernal. Malgré sa transpiration et sa peur, elle avait froid. Le temps d'ôter ses bottes et ses chaussettes, elle repensa au pull bien chaud qu'elle avait laissé dans son bureau un peu plus tôt.

Tout en effaçant ses traces, elle traversa le cours d'eau glacé en serrant les dents. La fausse piste le tromperait ou non – cela valait la peine d'essayer. Elle suivit le lit sur une dizaine de mètres, puis encore dix mètres avant de se diriger vers la rive, les pieds gelés.

Elle sortit vers la berge, remit chaussettes et bottes puis sauta de rocher en rocher jusqu'à ce qu'ils la mènent sur la terre ferme, courut vers les buissons, les contourna avant de plonger dedans. Ses bottes claquèrent sur les cailloux tandis qu'elle dévalait une nouvelle pente. Parvenue à un bosquet, elle s'arrêta un peu pour reprendre son souffle et tendre l'oreille.

La lune se levait, qui allait bientôt éclairer les collines comme un phare. Cela l'aiderait à éviter les racines et autres obstacles sur sa route.

Sa mère devait maintenant être à mi-chemin de la ferme. Elle pourrait bientôt compter sur de l'aide provenant également de cette direction.

Tout en se frottant les bras pour avoir moins froid, Lilly tâchait d'ignorer les égratignures. Si sa manœuvre près de la rivière pouvait lui permettre de gagner un peu de temps, c'était bon. Il lui fallait juste trouver encore des forces.

Elle devait se relever et repartir. C'est alors qu'elle entendit un léger éclaboussement.

Il se rapprochait.

Cooper s'arrêta de nouveau. Il vit l'encoche toute fraîche dans l'écorce du pin. Cependant, s'il se fiait à la trace du couguar, il ne savait plus bien s'il fallait suivre la première, qui indiquait la direction ouest, ou l'autre, le nord.

Rien ne prouvait qu'il pistait bien Bébé. Or elle était visiblement partie vers l'ouest, à la suite d'Ethan, pour retrouver sa mère.

La tête de Cooper lui disait de partir vers l'ouest, mais son cœur…

– Continuez vers l'ouest. Suivez les encoches sur les arbres. Dites aux autres par radio qu'à partir d'ici je prends la direction du nord.

– Mais pourquoi ? demanda Lena. Où allez-vous ?

– Je suis le couguar.

N'aurait-elle pas tenté d'éloigner Ethan de sa mère ? Il sentait son cœur battre un peu plus fort chaque fois qu'il avait l'impression de s'être écarté de sa piste. Sur quoi se fondait-il pour décider de suivre un couguar ?

Lilly ne disait plus rien, maintenant. Plus d'entailles ni de tas de cailloux. Elle ne pouvait laisser de traces puisqu'un chasseur la poursuivait.

Suis-moi, lui avait-elle demandé. Pourvu qu'il ne se soit pas trompé. Deux fois, il se crut égaré et fut pris d'une onde de panique avant de retrouver un signe du passage du félin.

Et puis il vit des empreintes de bottes. Celles de Lilly. En s'accroupissant, il les toucha et eut l'impression qu'elle venait de passer par là. Cette fois, s'il frémit, ce fut d'espoir. Elle était encore vivante. Elle courait. Bientôt, il repéra aussi d'autres pas, ceux d'Ethan. Celui-ci la suivait, mais elle avait encore de l'avance. Et le félin les suivait tous les deux.

Quand il perçut la rumeur de l'eau sur les rochers, Cooper pressa encore le pas. Au bord de la rivière, il demeura un instant sans comprendre : si Lilly était entrée dans l'eau, les pas d'Ethan indiquaient qu'il avait continué sur le rivage puis qu'il était revenu en arrière.

Cooper ferma les yeux pour essayer de comprendre ce qui s'était passé. Qu'avait fait Lilly ?

Brouiller les pistes. Cette fois, il n'était pas apte à déceler la vraie de la fausse. Si elle était entrée dans l'eau, elle avait pu en sortir à tout moment. Le félin y avait sauté aussi, cela se voyait clairement. Peut-être juste pour traverser, ou bien pour la suivre. Dans quelle direction ?

Les poings serrés, Cooper se concentra pour tâcher de distinguer ce qu'il ne voyait pas, de se mettre dans la peau de Lilly. Si elle remontait à contre-courant, elle prenait la direction du ranch de ses grands-parents ou d'autres maisons. Cela supposait un long détour mais restait faisable. En aval, c'était la ferme de ses parents. Beaucoup plus proche.

Elle devait savoir que les secours viendraient de cette direction.

Il la suivit donc. Puis s'arrêta.

En aval, plein est, il y avait la prairie. La caméra. Le replat qu'elle aimait tant.

Il revint sur ses pas et se mit à courir. Plus besoin de chercher une piste, il savait exactement où se rendait la jeune femme qu'il aimait depuis l'enfance.

Josiah fixait des yeux le sang qui souillait le sol, noir au clair de lune. Pris d'un vertige, il dut s'agenouiller pour ne pas perdre l'équilibre, posa la main dans la flaque en songeant à Jenna.

– Par ici ! cria un shérif adjoint. C'est Derrick Morganston. Bon Dieu ! Derrick est mort.

Pas elle. Pas sa Jenna. Plus tard, sans doute, il s'en voudrait de ne pas avoir songé à ce pauvre homme ni à la famille qu'il laissait. Mais, pour le moment, seules la fureur et la peur le remirent sur pied.

Il repartit, à la recherche de nouvelles traces.

Et ce fut le miracle. Jenna lui apparut dans l'ombre laiteuse ; elle trébucha, tomba tandis qu'il courait vers elle.

De nouveau, il s'agenouilla pour la soulever dans ses bras et pleura contre son épaule avant de dégager son visage plein de sang et d'hématomes.

– Jenna !

– La prairie ! hoqueta-t-elle.

– Tiens, voilà de l'eau. Prends de l'eau.

Il approcha de ses lèvres la bouteille que leur tendait Farley.

Elle but un peu, se dégagea.

– La prairie ! répéta-t-elle.

– Quoi ? Bois encore, tu es blessée. Il t'a fait du mal ?

– Non. Lilly. La prairie. Elle l'entraîne là-bas. Dans son coin. Trouve-la, Josiah ! Trouve notre fille.

Maintenant, il devait se douter de l'endroit où elle le conduisait, mais elle n'y pouvait rien. Il lui fallait arriver dans le champ des caméras, en espérant que quelqu'un l'y verrait. Ensuite, se cacher. Dans les hautes herbes, ce serait facile.

Lilly gardait toujours ce couteau dans sa botte, ce qu'il ignorait. Elle n'était pas sans défense. Elle ramassa une grosse pierre qu'elle serra dans sa paume.

Pour l'instant, elle avait surtout besoin de repos. Et elle aurait vendu son âme pour une gorgée d'eau. Si seulement la lune pouvait se cacher derrière les nuages, ne serait-ce qu'un instant… Elle trouverait désormais son chemin même dans l'obscurité, une obscurité qui la cacherait un peu.

Les muscles de ses jambes criaient grâce alors qu'elle escaladait une nouvelle côte. Les doigts qui serraient la pierre devaient être bleus de froid, son souffle dessinait de petits nuages blanchâtres devant elle tandis qu'elle se découvrait de nouveaux seuils d'endurance. À plusieurs reprises, elle faillit tomber, s'en voulut de sa faiblesse, s'accrocha à un arbre le temps de retrouver son équilibre.

La flèche se ficha dans le tronc, à quelques centimètres de ses doigts. Lilly tomba, roula loin de l'arbre.

– J'aurais pu te piquer comme un papillon !

La voix d'Ethan résonnait avec une étonnante netteté dans la nuit claire. Était-il donc si près ? Impossible de le dire. La jeune femme se releva et repartit en s'efforçant de filer de tronc d'arbre en tronc d'arbre ; et le sol mou, sous ses pieds, qui ne cessait de grimper… Elle imaginait la douleur que pouvait provoquer une de ces pointes carrées, si vicieuses, dans le dos, écarta cette pensée en jurant. Elle n'était pas arrivée si loin pour renoncer maintenant. Ses poumons la brûlaient, rejetant l'air dans d'horribles sifflements tandis qu'elle se frayait un chemin à travers la broussaille qui déchirait un peu plus sa peau glacée.

Il sentait sûrement l'odeur de son sang.

Elle passa en coup de vent devant la caméra en priant le ciel que quelqu'un la voie. Puis elle plongea dans l'herbe, sortit le couteau de sa botte et, le cœur battant à se rompre, attendit.

Le silence. Rien ne bougeait. Petit à petit, elle perçut les murmures de la nuit, froissements, crissements, l'appel paresseux d'un hibou. Et puis ce pas qui faisait craquer les buissons.

De plus en plus proche.

La flèche alla se planter sur sa gauche, à quelques mètres d'elle. Elle retint de justesse un cri d'effroi, demeura immobile.

– Tu t'en tires bien ! Je savais que tu y arriverais. Tu es ma meilleure proie. Désolé que ça s'arrête là. J'ai presque envie de te donner encore une chance. Tu veux encore une chance, Lilly ? Il te reste un peu de souffle ? Vas-y, cours !

La flèche suivante s'abattit sur sa droite.

– Le temps que je recharge, ça te donne trente secondes.

Pas assez pour utiliser son couteau.

– Qu'est-ce que tu en penses ? Je compte. Trente, vingt-neuf…

Elle jaillit d'un seul coup, prit son élan et envoya sa pierre de toutes ses forces qui le heurta à la tempe dans un bienheureux craquement.

Le voyant défaillir, lâcher son arbalète, elle attaqua en hurlant.

Il sortit l'arme qu'il avait prise au ranger, tira, et la balle atterrit devant elle, à ses pieds.

– À genoux, salope !

Il avait beau marcher de travers, le front ensanglanté, l'arme restait ferme dans sa main.

– Si tu veux tirer, tire !

– Je pourrais. Dans le bras, dans la jambe. Pas pour te tuer.

Il sortit son propre couteau.

– Tu sais ce que c'est, ajouta-t-il. Mais tu t'es bien débrouillée. C'est même toi qui as fait couler le premier sang.

Il s'essuya le front du poignet, regarda la tache qu'il y avait laissée.

– Je vais chanter une chanson en ton honneur. Tu nous as amenés ici, où il est juste de finir. Telle est notre destinée. La boucle est bouclée, Lilly. Tu l'as toujours su. Tu mérites de mourir proprement.

Il s'avança dans sa direction.

– Arrête-toi ! ordonna la voix de Cooper derrière lui. Pose ton arme. Lilly, écarte-toi.

La surprise d'Ethan fut telle qu'il faillit en lâcher son pistolet. Pourtant, le canon demeura pointé sur elle.

– Elle bouge, je lui tire dessus. Tu me tires dessus, je lui tire encore dessus. C'est donc toi, l'autre. Normal que tu sois là, finalement.

– Lâche ce putain de pistolet ou je t'abats sur place !

– Je la vise au ventre. Je peux tirer une balle, même deux. Tu veux la voir saigner ? C'est toi qui recules, connard. Si tu n'abaisses pas ton arme, je la troue. Abaisse ton arme et je lui laisse la vie.

– Il ment.

Elle l'avait vue dans ses yeux, cette lueur sournoise.

– Descends-le, Coop, je préfère mourir plutôt que de le voir s'en tirer.

– Et toi, Coop, tu pourras continuer à vivre quand tu l'auras vue mourir ?

– Lilly...

Cooper essayait de lire une réponse dans son regard, de comprendre ce qu'elle voulait.

Dans une détente mordorée de crocs scintillants, de griffes brillant à la lune, le félin jaillit de la broussaille. Son cri fendit l'air tel un sabre. Pétrifié, Ethan le vit venir, les yeux écarquillés, la bouche ouverte. Il ne put laisser échapper aucune plainte, car le couguar venait de lui planter les dents en pleine gorge.

Lilly recula.

– Ne cours pas, ne bouge pas ! lança-t-elle à Coop. Il pourrait s'en prendre à toi. Arrête !

Mais c'était vers elle que Cooper se précipitait lorsque, prise d'un étourdissement, elle ne sut que tomber à genoux.

– On t'a trouvée !

Il posa les lèvres sur les siennes, puis sur ses joues, sur sa gorge.

– On t'a trouvée !

– Il faut s'éloigner. On est trop près de sa proie.

– C'est Bébé.

– Quoi ?

Elle vit briller les yeux dorés de son félin sagement assis au milieu de la prairie, le museau plein de sang. Soudain, il marcha dans sa direction, cogna la tête contre son bras en ronronnant.

– Il a tué.

Pour moi.

– Mais il n'a pas dévoré. Ce n'est pas… il ne devrait pas…

– Plus tard, tu pourras écrire un article là-dessus, dit Cooper en sortant sa radio.

Et d'annoncer à tous :

– Je l'ai retrouvée, saine et sauve !

Il lui embrassa la main.

– Je te tiens, je te garde.

– Ma mère… est-ce que… ?

– Elle va bien. Vous allez bien toutes les deux. Nous allons te ramener. En attendant, reste là, pendant que j'examine Ethan.

– Bébé l'a attaqué à la gorge, murmura-t-elle en se cachant la tête dans les genoux. D'instinct. Il n'a suivi que son instinct.

– Lilly, il t'a suivie.

Plus tard, lorsque le pire fut passé, elle s'assit sur le canapé, devant un bon feu. Elle avait pris un bain, s'était servi un cognac. Malgré tout, elle n'arrivait pas encore à se réchauffer.

– Je devrais aller voir maman.

– Elle dort, Lilly. Elle sait que tu vas bien. Elle a entendu ta voix à la radio. Elle est déshydratée, épuisée, choquée. Laisse-la dormir. Tu la verras demain.

– Il fallait que j'y aille, Coop. Je ne pouvais pas attendre. Il fallait que j'aille la chercher.

– Je sais. Tu n'as pas besoin de me le dire.

– J'étais sûre que tu viendrais.

Elle appuya sa joue sur la main qu'il y promenait en essayant de capter sa chaleur.

– Matt et Tansy ont commis une folie en ouvrant la cage de Bébé, continua-t-elle.

– On était tous fous. Mais ça a marché. Maintenant, il se gave de poulet et va devenir un héros.

– Jamais il n'aurait dû pouvoir me suivre. Il n'aurait pas dû me trouver.

– Il t'a trouvée parce qu'il t'aime. Comme moi.

– Je sais, soupira-t-elle.

– Je ne m'en irai plus, ça aussi tu dois le savoir.

Tout en regardant le feu, elle posa la tête sur son épaule.

– Si les choses s'étaient passées comme le voulait Ethan, il aurait fini par s'en prendre à mes parents. Il les aurait tués. Ensuite, il serait venu ici, également pour tuer. Il aimait tuer. Ça l'excitait de chasser les gens. Ça lui donnait l'impression d'être supérieur. Le reste, la terre sacrée, la vengeance, la lignée, tout ça n'était qu'un écran de fumée. Je crois qu'il commençait tout juste à croire à ses propres histoires, du moins en partie.

– Il ne fera plus de mal à personne.

Cependant, Cooper ne pouvait s'empêcher de penser au nombre de cadavres qui ne seraient jamais découverts. Il décida de remettre ces pensées à plus tard.

Pour le moment, il tenait Lilly entre ses bras, saine et sauve.

– Tu allais lui tirer dessus, souffla-t-elle.

– Oui.

– Tu commençais à baisser ton arme pour endormir sa méfiance, de façon qu'il détourne la sienne vers toi. Alors tu l'aurais tué. Tu me savais assez rationnelle pour m'écarter.

– Oui.

– Tu avais raison. Je m'apprêtais à plonger quand Bébé a surgi de nulle part. Tu vois, on se faisait mutuellement confiance. C'est très important. Mais, maintenant, je me sens tellement fatiguée…

– On se demande bien pourquoi.

– Il y a des jours comme ça. Tu veux me faire plaisir ? J'ai laissé un sac-poubelle dans la lingerie ce matin. Tu ne voudrais pas le sortir ?

– Maintenant ?

– Ça me rendrait service. C'est peu de chose, après m'avoir sauvé la vie, je sais, mais j'apprécierais.

– Bon.

Elle affichait un beau sourire lorsqu'il sortit, visiblement contrarié. Elle but une autre gorgée de cognac. Attendit.

Quand il revint, il se planta devant elle, la tête baissée.

– Tu as mis ces choses là-dedans ce matin ?

– Exactement.

– Avant que je te sauve la vie… ou que j'y participe ?

– Exactement.

– Pourquoi ?

– Parce que j'ai décidé que tu allais rester ici et que, comme je t'aime depuis toujours ou presque, que tu es mon meilleur ami et le seul homme que j'aie vraiment aimé, je ne voyais pas pourquoi j'allais vivre sans toi sous prétexte que tu étais un imbécile à vingt ans.

– Ça se discute. Le côté imbécile à vingt ans, du moins.

Il lui effleura les cheveux d'une main douce.

– Tu es à moi, Lilly.

– Oui, dit-elle en se redressant d'un mouvement encore incertain. Et toi, tu es à moi.

Elle se jeta dans ses bras.

– Voilà ce que je veux, soupira-t-elle. Je ne veux que cela. Et toi, tu acceptes qu'on fasse route ensemble ? Je sais que c'est un peu naïf, mais j'ai envie de sortir me promener avec toi au clair de lune, en sachant qu'on ne risque plus rien et qu'on s'aime. Parce que je me sens heureuse. Avec toi.

– Mets ta veste. Il fait encore froid dehors.

La lune brillait de tout son éclat, les illuminant dans cette promenade enfin tranquille, en amoureux.

Dans la nuit paisible de ce début de printemps, l'appel du couguar se répercutait à travers la vallée pour se répandre en écho jusqu'aux silhouettes sombres des collines.

Composition : Compo-Méca S.A.R.L.
64990 Mouguerre

Impression réalisée par Imprimerie Lebonfon
pour le compte des Éditions Michel Lafon

Imprimé au Canada

Dépôt légal : avril 2010
N° d'impression :
ISBN : 978-2-7499-1200-4